宣教心视野

第2册
历史视野

温 德
贺思德 —— 编著

PERSPECTIVES

圣经视野·文化视野·策略视野·历史视野

ON THE WORLD CHRISTIAN MOVEMENT

信徒神学丛书22

宣教心视野第二册：历史视野

编 著 者：温德（Ralph D. Winter）、贺思德（Steven C. Hawthorne）
编　　译：宣教心视野研习课程中文编译团队
总 编 辑：金玉梅
责任编辑：陈郁文
校　　对：林碧芬
出 版 者：橄榄出版有限公司
　　　　　新北市中和区连城路236号3楼
　　　　　电话：(02)8228-1318　　传真：(02)2221-9445
　　　　　网址：http://blog.yam.com/cclmolive

发 行 人：李正一
发　　行：华宣出版有限公司 CCLM Publishing Group Ltd.
　　　　　新北市中和区连城路236号3楼
　　　　　电话：(02)8228-1318　　邮政划拨：19907176号
　　　　　传真：(02)2221-9445　　网址：www.cclm.org.tw
香港地区：橄榄（香港）有限公司　Olive Publishing（HK）Ltd.
总 代 理　中国香港荃湾横窝仔街2-8号永桂第三工业大厦5楼B座
　　　　　Tel: (852)2394-2261　　Fax: (852)2394-2088　网址：www.ccbdhk.com
新加坡区：锡安书房 Xi-An Bookstore
经 销 商　212, Hougang Street 21 #01-339, Singapore 530212
　　　　　Tel: (65)62834357　Fax: (65)64874017　E-mail: gtdist@singnet.com.sg
　　　　　Tel: 6343-0151　Fax: 6343-0137　Website: www.edenresource.com.sg
北美地区：北美基督教图书批发中心 Chinese Christian Books Wholesale
经 销 商　603 N. New Ave #A Monterey Park, CA 91755 USA
　　　　　Tel: (626)571-6769　　Fax: (626)571-1362　Website: www.ccbookstore.com
加拿大区：神的邮差国际文宣批发协会 Deliverer Is Coming International Publishing
经 销 商　B109-15310 103A Ave. Surrey BC Canada V3R 7A2
　　　　　Tel: (604)588-0306　　Fax: (604)588-0307
澳洲地区：佳音书楼 Good News Book House
经 销 商　1027, Whitehorse Road, Box Hill, VIC3128, Australia
　　　　　Tel: (613)9899-3207　　Fax: (613)9898-8749　E-mail: goodnewsbooks@gmail.com

美术设计：戴芯榆
承 印 者：橄榄印务部
行政院新闻局登记证局版台业字第2600号
出版时间：2017年1月初版1刷
年　　份：21　20　19　18　17
刷　　次：05　04　03　02　01　　　　　　　　　著作权所有、翻印必究

天国志愿军
第一版序

神在我们的时代正兴起一支全新的天国志愿军！世界各大洲都涌现出"胸怀普世宣教的基督徒"——就是一群有普世眼光的新一代男男女女，决心过一种"离开埃及·进到迦南"属灵新领地般的生活方式，委身于使万民作主耶稣基督门徒的使命。

最近在韩国举行的一次大会，有十万名年轻人决意花一年的时间，到海外去播撒福音的种子！在欧洲定期举行的宣教大会同样吸引了数千名有心参与宣教的年轻人。在北美，尔班拿宣道大会（Urbana Convention）、学园传道会、基督教导航会、校园学生基督徒团契、青年使命团以及其他许多组织和宗派举办的培训，都成为这宣教浪潮的一分子。就像巨鹰盘旋在鸟巢之上搅动幼鹰一样，神也如此向祂的子民展开双翅，激励他们将永恒的福音带到万邦。

在惠顿学院葛培理中心的落成典礼上，惠顿学院的学生会主席向在场的听众发出感人的呼召，激励大家成为"胸怀普世宣教的基督徒"，献身于寻找失丧的人，喂饱灵里饥饿的族群。有一些学校的基督徒学生小组，也热心于传福音和宣教，其数量似乎将超过一些基督徒学校！我的儿子和女儿所在的那间大学就是一例；因着基督徒热心传福音，不到十年，基督徒小组从原来的七个增长到七百个，很多学生都渴望自己的生活不只停留在追求世上的成功。

或许，一波可与二十世纪初学生志愿宣教运动相媲美的福音浪潮即将兴起！若是如此，《宣教心视野》将成为重要的工具书。本书集结了当今与宣教相关的文章，出类拔萃、无出其右。编者由宣教元老温德博士与宣教动员大将贺思德领军，在编辑工作上互相配搭，可以说不是经验丰富的宣教前辈、就是充满异象的年轻人，实为团队事奉的表率。

我推荐这套书，因为它正确地将普世福音化的使命摆在第一顺序，这正摸着了神的心意，因为按照圣经启示，祂是宣教的上帝；而这理当列为我们身为宣教子民最重要、最优先的工作。

此外，本书肯定了普世福音化的可能性。我们不需要因错误的罪疚感而产生不符圣经的基督教悲观主义，也没有必要为假基督所恫吓，失去"荣耀的异象"。耶稣曾说："这天国的福音要传遍天下，向万民作见证，然后结局才来到。"（太24:14）本书态度不卑不亢，亦不刻意辩护，认定耶稣所说的必定成就，并且要我们参与其中。

正如书名所示，本书为普世宣教提供知识性的观点。今日有志宣教者首先需要清楚圣经的使命，然后需要了解历史、文化和策略。了解宣教历史和跨文化事奉的挑战，一

方面可以帮助我们排除恐惧，另一方面还可以避免犯不必要的错误。上个世纪四〇年代末，葛培理所任教的大学有这样一个口号："追求知识·如火热情"（'Knowledge on Fire'），这也正是本书的信念，我们相信宣教士蒙召不仅要**思考**，还要**去爱**、**去付出**和**传讲信仰**！另外如约翰·卫斯理曾对一个轻看自己学识的批评者说："神可能不需要我的学问，但祂绝不需要你的无知。"

此外，《宣教心视野》可以帮助有渴慕心志的门徒从热情、能力和参与三方面透视普世福音化的重任。先要有热情，才有事工，传福音尤其如此。宣教大业的关键始终可以总结为这样一句话："耶稣是无价至宝。"只有当一批批视耶稣为珍宝、又被圣灵的无限应许紧紧吸引的宣教者汇为巨流时，才能真正地为主作见证"直到地极"。

神只有一位独生爱子，却使祂成为宣教士。我祈求天父使用这本书，从每一个族群中兴起祂的儿女来，装备他们，带领他们进入自己的族群，直到神的名传遍万邦，万民都齐来颂赞神的圣名。

莱顿·福特
Leighton Ford
前洛桑普世宣教委员会主席
1981 年十月于北卡罗莱纳州

整全的福音
第四版序

　　"全教会把整全的福音带到全世界"（'The whole Church taking the whole gospel to the whole world'）是洛桑运动提出的异象，但全世界福音化更是宣教的神和祂的子民心中挂念的大事。每一个时代都需要思考一个问题，即我们如何可以更加有效地向万民宣讲福音的真理。

　　虽然福音的信息永不改变，但从初代教会到今天，世界变得越来越复杂多端。随着交通工具的革新、移民的大量流动、大众传媒的持续演变以及通讯方式的不断进步，我们的生活中充斥着各自不相称的信息和思想。要在这样言论无限鸣放的世界中更好地传扬福音真理，始终是教会面临的挑战。另外，我们也必须重视南半球国家对当今世界的卓越贡献；今天，我们的确生活在一个全球化的世界里。每一天，这些国家在地缘政治、经济、金融、教育、体育以及时尚等方面都没有自绝于外，而是对整个世界产生影响。

　　要以福音有效影响这个复杂世界，合作和伙伴关系显得非常重要，我们必须充分又具体而微地了解圣经的使命、宣教历史以及跨文化交流的挑战。为此，本书的修订版对于普世教会来说是一个重要的工具，较之旧版，我们可以从本书中听到更多来自年轻领袖、女性和南半球国家的声音。此外，我们还可以了解到当前跨文化参与者，对普世福音化面临的挑战带来的新思想和新启发。

　　历史告诉我们，就算充满活力的福音运动，若是忽略从芸芸大众中培养新的、年轻的领袖，最终必然销声匿迹。每一次的复兴浪潮都需要有经验的前辈、当前委身事工的同工，以及拥有领导力、热情、活力和充满希望的新生代共同参与。我们希望把过去的智慧、现在的力量以及将来的盼望和热情都汇聚起来。

　　普世教会必须致力于一个新的平衡，就是让基督的全体教会能够发挥创意、全面整体、能量十足地传扬福音。基督教的重心已经大规模地由西方国家转移到非西方国家，从上一代转移到年轻的一代；但在资源、影响力以及伙伴合作的关系上仍旧相当失衡不均。有鉴于此，我们必须致力于寻找新的平衡，让普世教会能够在共同的呼召、异象、需要、资源以及互敬的基础上相互配合。

　　的确，我们全教会要将整全的福音带到全世界！

道格拉斯·伯索尔
S. Douglas Birdsall
洛桑普世宣教委员会主席
2009 年一月于麻萨诸塞州

华人的瑰宝
中文版序

《宣教心视野》一书能顺利翻译出版，实在是天父上帝赐给华人教会的一份礼物。从1974年作为宣教学习课程，1976年扩充为文献读本第一次出版，到2009年第四版；四十年来，这本书对全球宣教浪潮的影响，无论是动员教会关心宣教、鼓励信徒参与、训练准宣教士，可以说是无出其右。而今能以中文译本分享给全球华人读者，我们相信是神要兴起华人与普世教会同担普世宣教使命的契机。

中文版是以英文 *Perspectives on the World Christian Movement* 2009年第四版全书为翻译的基础，所用经文采用环球圣经公会出版的新译本，特此致谢。这部巨著，英文版长达千页，中文版依原版四个部分，分四册出版，方便读者使用，即：第一册"圣经视野"、第二册"历史视野"、第三册"文化视野"、第四册"策略视野"；重现这套最全面、最经典、最悠久的宣教文献。

翻译的过程中有赖众肢体的鼓励和支持，包括海内外教牧同工多方面的肯定，主内弟兄姐妹牺牲的奉献，译者和编辑不辞劳苦，在各种压力下全力摆上；可以说是两岸三地众同工携手合作的成果，也是教会之间合作的美好见证。

我们深切期盼本书能令华人教会在普世宣教上，在新的时代再度向前迈进，激起另一波浪潮。愿荣耀归于父神！

宣教心视野研习课程中文编译团队

2015年三月

目　录

本书简介

这样一本书的出版，很少见，是吧？怎么来的，且听我一一道来。

首先，看看你手上的这本书，够厚吧？你要花多少时间来挖掘其中的智慧呢？我们大家几乎每时每刻都感到心烦意乱：越来越多的人给我们压力，能得到的新鲜空气却越来越少，个人空间也变小了，却还要求我们去获得更多的知识！比起以往任何时代，我们现在的年轻人出门旅行的次数最多，人们好像在这一个波涛汹涌的世界里拍浪行舟。

自从1981年本书第一版出版以来，各样变化实在太多了！

- 当时接下编辑重任，我们感到承接的任务太大，而现在好像走过千重山，惊觉任务相对小得多了！
- 再说，当时能够参与的同工主要来自西方，但现在来自非洲、拉丁美洲和亚洲的同工越来越多。
- 更没想到，从那时至今，愿意认真阅读圣经的信徒人数几乎翻了三倍，今天更是以"难以抑制"的速度迅速增长，令人瞠目结舌。

让我们停下来思考一个问题，人类究竟是什么？除了人类以外，没有任何其他生物会认真地探究且知晓肉眼看不见的东西，例如银河星团和原子。然而，在浩瀚神秘的宇宙里，无论我们设想测度银河系还是线粒体，我们都像是一个无知的孩子。我们对现实中的大多数情况仍然未加觉察，就像丝毫没有注意到每一个枕头里无数被称为尘螨的小蜘蛛一样。是啊，我们可以放弃，如动物一般只要存活，就像奶牛，只在视力范围内吃草；我们也可以撇开眼前的现实。但对于喜欢本书的人来说，这个世界呈现给我们的是和过去的时代完全一样的问题。若说现在有什么不同之处，那就是问题更大——战争规模更大、细菌抵抗力更强、城市膨胀更大、邪恶和危险更猖狂，还有在前所未有、却又无法预见之间摇摆的经济效益问题等等。

恕我啰嗦，我们言归正传吧！或许你有以下一些紧迫的问题要问：

- **关于本书。**本书现为第四版，与之前有什么不同呢？
- **课程学习。**如何才能让本书的见解最有效地丰富你的生命？
- **衍生课程。**本课程如何推动其他课程，并多多地向全世界传播？
- **宣教视野。**这个对于世界的观点有何不同寻常之处？
- **使命紧迫。**为何这一切如此迫切和重要？

关于本书

本书共有一百卅六章和廿六篇附文，其中大约有25%的篇幅是从第三版新增的，或经过大量修订。如果说1981年的第一版像一束玫瑰花蕾，那么这一版就是盛开的玫瑰花，且添了更多的花蕾。本书由贺思德先生所召集的一个聪慧勤勉的团队编辑而成。

本书有一百五十多位作者，他们先后在世界各地活跃事奉（这些作者服事的时间合起来大约有五千年）。一个人是不可能去过他们所到过的所有地方，也无法经历到他们经历过的所有事情；然而，任何人若是熟读此书，就可以因着本书广纳了这些作者的非凡睿智，而避免弯路和死路，也无须耗时耗力才能寻找准确的宣教视野。

许多前辈在回顾从前走过的弯路时，十分后悔当初没有早点做出深入的反省。你想避免这样的悲剧重演吗？希望本书对你有帮助吗？那就仔细品读这本《宣教心视野》，囫囵吞枣或把书束之高阁就一点益处也没有。

课程学习

单凭一己之力真的不容易消化书中丰富的内容，最好和其他人一起学习，不仅更有意思，而且听听他人的想法，讲讲自己的心得，你就能学到更多。

在北美，有四百六十多位课程负责人协调"宣教心视野"课程的学习，开办总共十五节课的研习班，每周都有不同的"讲师"现场授课。这样的研习班越来越多，单在2008年就开了一百八十三个班。"宣教心视野"课程也举行一到三周的密集式研习班（详情请见www.perspectives.org）。

然而这只是冰山一角。在美国，我们的研习班培养了八万多名毕业生。另外，本书还有十八万册用于其他场合，有一百多所基督教大学和神学院使用本书作教材。

无论你所在之处是否开设这一课程，我们都建议你每周有规律地花一定时间来学习。如果愿意，你还可以取得大学本科或研究生学分，即便你以自学的方式学习教材，也同样可以取得学分，如果你属于第二种情况，请来信告诉我们。许许多多无法到现场参加每周一次的正式课程的学生，都以函授或上网的方式学习。

我们非常鼓励将"宣教心视野"课程的文献读本和研习课本配搭起来使用。研习课本共有十五课。研习课本的目的是为各种不同的学生，归纳和整合文献读本中的阅读材料。对于想自己开课的教师，我们建议以研习课本的内容为构架和资料（请登录www.perspectives.org联系"宣教心视野"研习课程〔Study Guide〕组，获取设计测验问题的指南）。除非和"宣教心视野"课程有合作关系，任何人不得擅自使用"宣教心视野"、"Perspectives"或"Perspectives on the Christian Movement"的名称或以该名义做相关宣传。

衍生课程

"宣教心视野"研习课程的影响力超越其课程本身。这套课程已经衍生了许多相关课程。我们欣见其他人也找到参与并延伸这一推展宣教运动的合适方式，在这当中我们就是神在这一时代奇妙作为的目击者。以下几个例子代表了人们在受到"宣教心视野"课程影响后，为拓荒宣教扩展深入不同的受众和文化处境所做的努力。

约拿单·刘易士设计了一门稍短的课程，节选了原课程的部分阅读材料，自行制作成另一套研习手册。这门课程称为"普世宣教"（英文版 World Mission，西班牙语版 *Mision Mundial*）。

菲律宾南部的宣教士在此基础上制作了"普世宣教"的精简版。几年后，该课程的名字改为"把握时机"（Kairos），传播到至少廿五个亚洲、南太平洋以及欧洲国家。梅格·克罗斯曼也参考"宣教心视野"课程，设计了一门为期十三周的类似课程，现名为"了解世界的路径"（Path Ways to Global Understanding）。

新西兰的鲍勃·霍尔编排了自己的读本，他所改编的研习手册在新西兰和澳大利亚均有使用。英文读本在英国、加拿大、印度、尼日利亚、阿联酋、南非以及印尼的大学生中广为使用。《宣教心视野》读本已有中文（根据英文第三版摘要编译的《普世宣教面面观》，大使命出版）、韩文、葡萄牙语的译本，诸如法语、西班牙语、阿拉伯语、匈牙利语以及印尼语等其他语言的译本正在筹划之中。

随后，我们的团队设计了一门名为"普世异象"（Vision for the Nations）的成人主日学课程，该课程为期十三周，每课四十五分钟，使用视频和该课程的研习手册。另外一套精简版本叫"NVision"，是为期一天的讲座，已在几个国家举办过，目的是为下一步学习完整版热身。"神对万邦的心意"（God"s Heart for the Nations）则是一个归纳法查经课程。

像"宣教心视野"这类的课程不断地涌现，例如《走进伊斯兰世界》（*Encountering the World of Islam*），目前已有三种语言的译本。最近，一门为孩子制作的名为《赛场之外》（*Outside the Lines*）的多媒体课程已经出版。

这些以及其他资源都是这一课程带出波澜壮阔的宣教运动的涟漪。为了支持和推动这一连串课程能余波荡漾，各自发挥特长、课程有好评价、品质得到认可，我们开发了"宣教心视野"家族系列评量指数，希望各种课程的设计能与原初标准的"宣教心视野"课程的核心理念保持一致（详情请见 www.perspectivesfamily.org）。

并非所有的课程都是缩减版。六年来，我们团队的成员就专门致力于推行两门每学期卅二个课时的延伸课程。第一门是为大学一年级学生设计的，称作"透视全球年"（Global Year of Insight，详情请见 www.uscwm.org/insight）。第二门课程更为进深扩大，是为取得硕士学位而设计的，我们将这一版本的教程称为"胸怀普世宣教基础"（World

Christian Foundations）课程，但每一所学院或大学对此各有自己的名称。

这些延伸课程使用的教科书有一百二十本之多，可以构成一间很棒的基础图书资料馆呢！此外还有其他"文献读本"，其中包括取自其他书籍和期刊的一千多篇节选和文章。这些内容经过缜密的组织编排，安排成每次四个小时，总数为三百二十个学习时段的课程，专为业余和自学的学生打造，两年就可完成该课程。

该课程可以作为攻读博士学位的基础，不过它更可能作为重要的基督徒事工的平台，因为不仅融合了神学学位的内容，还包含了普世宣教更为细密的蓝图（欲了解详情，请登录我们的网站www.worldchristianfoundations.org）。我们把所有这些课程称为"基础"教育，对每一个有心服事的基督徒来说十分重要。但对于专职事奉的人，如在工场宣教或后方推动宣教工作，则还需要有后续的"专职"训练。

作为资深编辑，由于大家对该课程的兴趣日益增加，此次版本我参与的时间就逐渐减少。这并不是什么新鲜事，其实第一版基本上也是由年轻的推动者编辑而成，他们本身就是该课程的硕果。这不只是一门课程，更是一场运动！

宣教视野

本书及研习课程的内容对绝大部分的学生来说会是一个冲击，原因何在？首先，书中充满了太多的乐观精神，而且都是可以得到证实的！

这一乐观看法的主要原因在于课程将大使命追溯至亚伯拉罕，并将人类历史作为单一的故事展开。虽然人们还未普遍认识到创世记十二章1-3节亚伯拉罕所领受的使命，与马太福音二十八章18-20节的大使命有相同的基本功用，但事实的确如此。谈到耶稣诞生前犹太人中相信神的人，两千年来对全球历史的影响，以及认为神从亚伯拉罕开始就已信实地彰显祂的心意，扩张祂的国度，这可能是对传统基督教观点的一大扭转。

同样，在这世上，今天绝大多数信徒甚少能以一脉相承的视角，来看待接下来的两千年。这从普世层面也是同一个故事吗？我们相信如此，只是不寻常。

不过，我们明白神的国度坚决抵御现今世代的黑暗，它并"不属这世界"；我们也不是要征服"所有族群"。神正在召唤一个全新的百姓、成为新造的人，归向祂；但我们不认为祂要废除那些独具民族特色的文化。所有的族群（即圣经中的"万民"）与神的恩典都必须同等距离，可以接近祂、领受生命之主的祝福，并在敬拜中彰显祂的荣耀。

当然，今天要非常详尽或全面地掌握普世宣教的发展几乎是不可能的，这是因为积极参与普世宣教事业的人数太少了吗？恐怕不是，目前可能有五十万基督徒，远离家乡和亲朋好友，全职全心地为大使命尽心竭力。还是因为这一天国事业太小，或是已经失败了呢？恐怕也不是。你能举出联合国的一个非洲或亚洲的国家，它进入联合国的原因与宣教没有显著关系吗？事实上，联合国本身的成立都与宣教运动所产生的关键人物有着你想不到的关系。或是因为宣教工作正在减弱，或是已经过时了呢？显然不是。今天美国的海外宣教力量比历史上任何时候都拥有更多的人力和财力，而且你很快就会看到，天国事业并没有过时。最不可能的原因是，宣教这一运动太新了而没被纳入学习系统。恰恰相反，宣教，实际上是人类历史上最大、最持久不变的活动，当然也是最具影响力的活动！

那么，为什么你搜遍美国的所有图书馆，查遍学院和大学的目录，或是详查公立学校甚至是私立的基督教学校课程表，仍然无法找到一个专门讲述基督教普世宣教重任的性质、目的、成就、现状及待完成任务的课程呢？

使命紧迫

如前所述，自本书初版以来，发生了翻天覆地的变化。而其中最重要的转变发生于从1974年在瑞士洛桑举行的国际福音大会至上世纪末这段时期。洛桑会议参与的人数和代表的国家多过之前任何的人类聚集。本书五十四章〈新马其顿——普世宣教新纪元〉（中文版见第二册：历史视野）便是本人在全体大会中的发言。同年，我们意识到需要尽快开设"宣教心视野"的学习课程，因为在1973年十二月举行的尔班拿宣教大会上，出乎意料地有大约五千名学生复兴起来愿意面对全球宣教的挑战。同年夏天，我们在惠顿大学为这些学生开设了这门课程的前身，名为"国际研究夏季研讨会"。仅仅两年后，即1976年，我们出版了《普世宣教关键维度》(*Crucial Dimensions in World Evangelization*)这一读本。

但卅四年后的今天，全球完全出乎意料地、爆炸性的全新发展，一方面带来对事物更乐观的看法，另一方面也揭示了我们需要克服的新障碍。

例如，在非洲、印度和中国这些国家，或许，有一群耶稣的跟随者不称自己为"基督徒"，但真诚地阅读圣经。他们的人数甚至超过那些在同一国家中称自己为"基督徒"的群体。是的，这种基于圣经的信仰现在正"势如破竹"，可是同时蕴含着重大的意义以及危险。虽然圣经带给他们惊人的活力泉源，但是他们当中还是有不少仍然没有适当管道获得圣经。

欢迎加入这场涵蕴无穷、教人枕戈待旦，又迫在眉睫的探索！

温德

2008年十月于加州

主编简介

温德（Ralph D. Winter）(1924-2009)

作为多年宣教士、宣教学教授以及"宣教工程师"的温德，成就卓著。他坚信，基督徒组织只有以富有策略的方式合作才能事半功倍。他在加州理工学院取得土木工程学士学位，继而在哥伦比亚大学获得作为第二语言的英语教学硕士学位，后前往康乃尔大学攻读结构语言学博士学位，同时辅修文化人类学和数理统计学。他在普林斯顿神学院学习期间，曾在新泽西州一间乡村教会担任牧师。

在康乃尔大学攻读博士期间，他与萝勃塔·赫姆结为连理。自那时起，萝勃塔就以她在研究、写作及编辑等其他方面的恩赐，给予丈夫专业上的帮助，成为他极其宝贵的同工伙伴。

在1956年被按立为牧师后，温德与妻子加入长老会海外宣教差会。他们在危地马拉的土著玛雅人当中工作了十年。在为带职事奉的教牧学生发展小型企业的同时，温德联合其他人开创了一套无须住校的教牧神学教育方法，称为延伸神学教育，简称TEE。这一套神学教育方法已在世界上无数的宣教地区中广泛使用。

1966年，富勒神学院创办宣教学院，马盖文敦请温德任教。1966年至1976年间，温德在课堂内外从一千多名宣教士中学到许多宝贵经验。在这些年间，他创办了威廉·克里图书馆，专门出版和提供宣教资料；协助成立美国宣教学协会，参与建立"教会宣教事工推广"网络，并启动了"宣教心视野"学习课程，即当时的国际研究夏季研讨会。后来，大卫·布莱恩、布鲁斯和克理斯蒂·格雷厄姆夫妇、杰伊和欧婕·加理夫妇，以及贺思德和芭芭拉夫妇等年轻同工加入了这个团队。

1974年，温德在瑞士洛桑的大会上，向世界福音大会递交了一份报告，强调超越现有宣教工作范围的拓荒宣教这一特殊需要。为了推进这一目标，他于1976年建立了美国普世宣教中心（U.S. Center for World Mission; www.uscwm.org），几个月后又创办了威廉·克里国际大学（www.wciu.edu）。同工团队人数在过去的三十二年里不断增长，就是现在的"前线差传团契"（简称，FMF）的前身。从1976年到1990年，温德担任该中心的总干事，并于1976年至1997年担任威廉·克里国际大学校长，后又担任前线差传团契的总干事。

2001年，夫人萝勃塔·温德经过与癌症的长期搏斗之后安息主怀。萝勃塔·温德研究所继承她的遗愿，加强福音派在神学上对魔鬼作为的关注，包括致命的微生物在内。温德有四个女儿，她们每个家庭都参与全时间宣教服事。

贺思德（Steven C. Hawthorne）

1976年，贺思德偷偷地溜进了校园学生基督徒团契三年一届的尔班拿宣教大会，只是为了听斯托得牧师的解经讲道。由于大会的门票已经售罄，他只好睡在宿舍的地板上，靠自动售货机里的食物填饱肚子，靠他人的奉献付清了报名费。斯托得的开幕词"宣教的神"（现为本书的第一章）彻底改变了他的生命。次日，他见到了温德。温德带领他认识到普世福音化深具战略性，而且使命必成。贺思德当天就立即报名参加一门函授课程，名叫"认识普世宣教"，其内容被编入后来的"宣教心视野"课程。

在富勒普世宣教学院攻读跨文化研究的硕士学位时，贺思德担任国际研究夏季研讨会的助教。1981年，他和美国普世宣教中心的其他同工一道与温德共同编辑了"宣教心视野"课程的文献读本。

二十世纪八〇年代早期，贺思德担任《大使命基督徒》杂志的执行主编。在这些年间，他酝酿并启动一项名叫"约书亚计划"（Joshua Project）的研究和推动事工。招募和训练几个团队之外，还与他们一起到亚洲和中东的世界级大城市，进行民族结构学的实地考察，识别出其中的未得之民。之后，又带领"迦勒计划"（Caleb Project），这是一项学生宣教动员事工。

贺思德现任"拓路者"（WayMakers）的总干事，这是一项宣教推动事工，专注于为世界的某些地区祷告，期待基督的荣耀在这些地区更大地彰显出来。贺思德帮助教会和差会提升在未得之民和美国许多城市中进行代祷、研究和植堂方面的能力。

他与葛理翰·坎德（Graham Kendrick）合著了《行军祷告：如何洞察现场》（*Prayer Walking: Praying On-Site with Insight*）一书，也编辑了一本广为使用的短宣服事手册《跨步：短宣指南》（*Stepping Out: A Guide to Short Term Missions*）。

贺思德和妻子芭芭拉现居德州奥斯丁，有三个女儿，分别是萨拉、艾蜜莉以及索菲娅。论到自己的写作和演讲，他如是说："我喜欢在人们内心点燃大火！"

Part 1
普世宣教运动之拓展

第36章 神国反击战——
救赎历史的十个时期

温德（Ralph D. Winter）

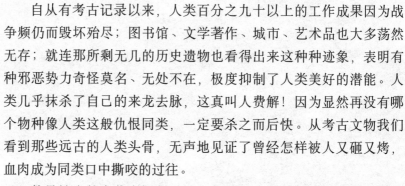

自从有考古记录以来，人类百分之九十以上的工作成果因为战争频仍而毁坏殆尽；图书馆、文学著作、城市、艺术品也大多荡然无存；就连那所剩无几的历史遗物也看得出来这种种迹象，表明有种邪恶势力奇怪莫名、无处不在，极度抑制了人类美好的潜能。人类几乎抹杀了自己的来龙去脉，这真叫人费解！因为显然再没有哪个物种像人类这般仇恨同类，一定要杀之而后快。从考古文物我们看到那些远古的人类头骨，无声地见证了曾经怎样被人又砸又烤，血肉成为同类口中撕咬的过往。

数量繁多的病菌也扼制了人口的增长。据估计，世界人口在亚伯拉罕时代是两千七百万，还不及主后2000年美国加州的人口。但从亚伯拉罕时代稀少的人口和缓慢的增速，战争和瘟疫迭加的毁灭性可见一斑，二者都说明了那恶者的残酷无情；当时，世界人口的增长率仅为当今全球人口增长率的十六分之一。稍后，仇恨和疾病得到了控制，世界人口立即加速增长。当今全球人口增长率相对还算缓慢，但如果亚伯拉罕时代的人口有此增速，那么现今的六十多亿世界人口早在他之后321年就已达到！这样看来，当时那毁坏生命的邪恶力量一定比现今猖獗得多。

从最古老的书面记录中可以发现对此的解释，这些幸存的古老文献来自备受尊崇、占世界人口一半以上的犹太教、基督教和伊斯兰教的传统。犹太人称作"妥拉"（Torah），基督徒称作"律法书"，穆斯林则叫它"讨拉特"（Taurat）。这些记录不仅说明了"邪恶"异常的来源，还描述了一场已经持续数千年的反击战。

创世记的前十一章构成了整个问题的"简介"，是整本圣经故事情节的"引言"。寥寥数页讲了三件事：（1）起初荣耀"甚好的"创造；（2）悖逆、毁灭之恶势力，即人类的力量无法制服的魔鬼进入世界，致使（3）人性为悖逆所掳，被邪恶权势辖制。

圣经其余的经卷，可不是像我们有时在主日学所听到的那样，由一些零零散散的故事组成。恰恰相反，圣经是一出讲述永生神的

作者（1924-2009）任加州帕萨迪纳市前线差传团契总干事。曾在勒危地马拉高原的玛雅印第安人当中宣教十年，又十年后，任富勒宣教学院的宣教学教授，之后受邀担了前线差传团契，由此又成立了美国普世宣教中心及威廉·克里国际大学，二者都服事那些从事前线宣教工作的人员。

国度、权能和荣耀攻进仇敌占据之地的宏大戏剧。自创世记第十二章至圣经的结尾，甚至到世界的终结，展现在观众眼前的是一出场景分明、前后连贯的"国度反击"剧情。如果用一个现代用语把整个圣经情节取个名，"国度反击战"倒是一个不错的选择，创世记一至十一章就是开场序幕。在这层层铺陈的剧情，我们看到在过去四千年的中间点，神借着赐下祂的独生子，夺回和救赎堕落的受造物。神的权能步步前进，势不可挡，直至今日。一言以蔽之："神的儿子显现了，是要除灭魔鬼的作为。"（约一3:8）

　　这场反击恶者之战，显然没等故事的中心人物出现便已开始。实质上，就我看来，在基督显现前后各有五个明确可辨的时期。本文主要叙述基督降生后的五个时期，但我们会提及前五个时期的一些线索，以使后五个时期和这个跨越四千年、多达十个时期的故事浑然一体。贯穿这十个时期的主题，是神的恩典介入"伏在那恶者手下"的世界（约一5:19），与那暂时作"这世代的神"（林后4:4）的仇敌争战，叫万邦都称颂神的名。神的计划是将一个非凡的"祝福"赐给亚伯拉罕及其后裔，就是那些因信成为亚伯拉罕后裔的人，使万族都归向祂。这是我们所祷告的"愿祢的国降临"。相反的，恶者的阴谋则是亵渎神的名，它挑起仇恨的伎俩、攻击破坏的手段，使神美好的受造物受苦，包括可能打乱DNA序列，利用致命的细菌，试图拆毁人类对神的慈爱所存的信心。

　　由此可以看出，神是借着"祝福"的方式来施行反击。可惜，英语单词**祝福**

（blessing）未能译出这个词所包含的完整概念。当年以撒祝福雅各，没有祝福以扫时用了这个词；这祝福不是泛指一般的祝福，而是一个特定的福分，意味着家族声名、责任、义务以及特权的赐予。并非如得到糖果可以独享，或个人权力向人夸耀；这祝福是使人和天父**建立永远不变的关系和相交**，进而使**万族**——属神的列邦，归回神国的家中。如此，万民也"必宣告祂的荣耀"。

　　万民没有宣告神的荣耀，乃因没有看到神击败恶者的权能。若神子显现是为败坏魔鬼的作为，那跟随神子的众人、那些"同为后嗣"的，当做什么来尊崇祂的名呢？我们这些像亚伯拉罕凭着信心接受这种祝福并顺服神旨意的人，必须让更多人进到神的国度，也就代表神权柄和大能在万国万民当中彰显了。这样，神的祝福所内含的"责任"才能与"祝福"这个词的原意相称，也就把这祝福代代传递下去。

四千年故事的上半部

　　如我们在创世记十二章所见，"反击"的故事始于主前2000年左右。在随后约四百年间，亚伯拉罕蒙神拣选，成为万民的祝福，并迁往亚非大陆的中心地带。亚伯拉罕、以撒、雅各和约瑟时代通常被称为族长时代；在这个时期，神曾两次晓谕

救赎历史的十个时期：前半部分 主前2000～0年

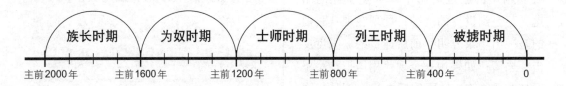

族长时期	为奴时期	士师时期	列王时期	被掳时期
主前2000年	主前1600年	主前1200年	主前800年	主前400年　　0

亚伯拉罕参与（创18:18，22:18）使万民归回祂主权（创12:1-3）的使命，后又向以撒（创26:4）和雅各（创28:14-15）分别重申了一次，但他们都很少向周边列国见证神的主权。

约瑟对他的兄弟们说："你们虽卖了我，神却差了我。"显然，他带给埃及极大的祝福，甚至连法老也承认约瑟被神的灵所充满（创41:38）。可是，这并非完全是神所期望的那种"主动顺服"的宣教行动。约瑟的兄弟们并不是因为想要宣教而主动差派约瑟去埃及！但不管是有心还是无意，总之神使用了约瑟祝福埃及。

随后的四个时期每个大致为四百年，就是：埃及为奴时期（第二时期）、士师时期（第三时期）、列王时期（第四时期）以及被掳巴比伦和散居时期（第五时期）。在这些动荡不安、艰难危险的时代，神应许的福分和神期望的宣教（使天下万国都俯伏于神的权下）几乎绝迹于人们的视野。故此，神尽可能借着"自愿"顺服的子民成就自己的旨意；但在必要的情况下，则是透过"非自愿"的方式。

约瑟、约拿乃至被掳时期的整个以色列民代表了一类被迫外出的宣教，这是神定意要使福分临到其他民族。被掳至亚兰将军乃缦家为奴的小女子得以分享自己的信仰，拿俄米"去"了远方向儿子以及他们的外族媳妇分享信仰；而另一方面，拿俄米的儿媳路得、亚兰人乃缦，还有示巴女王则被神对以色列的祝福吸引，全都自愿地"来"了。

注意，这样就有四种"宣教机制"祝福其他族群：

1. **自愿前往**
2. **被迫前往**（无宣教意图）
3. **自愿前来**
4. **被迫前来**（例如被强行安置在以色列中的外族人，见列王纪下十七章）。

我们能看到，在每一个时期，无论神的选民是否全力配合，神都主动推进宣教。到耶稣出现，更显出犹太人的罪；因为，祂到自己的地方来，"自己的人却不接受祂"（约1:11）。其实拿撒勒人起初相当欢迎耶稣，但当耶稣表明神定意要祝福外族人后就态度大变；那一刻（路4:28），会堂里爆发的几可杀人的怒气表明了一个事实：这个蒙神拣选来接受和传递祝福的民族（出19:5-6；诗67；赛49:6）已经离神的本意相去甚远。诚然，当时有少量狂热的"圣经学生"走遍洋海陆地"使一个人入教"（太23:15）。

但这种宣教与其说是祝福其他民族，倒不如说是为了护卫、保全以色列；再者，他们也并不在意入教者是否"心里受

救赎历史的十个时期：后半部分 主后0～2000年

了割礼"（参申 10:16；30:6；耶 9:24-26；罗 2:29）。

所以，耶稣来不只是**颁下**大使命，在某种意义上对犹太人而言还**挪去**了该使命。让那本来的树枝折断了，"野"橄榄枝接了上来（罗 11:13-24）。不过，尽管神的选民总体上来说不情愿去宣教（这也是后来其他族群的写照），很多族群还是因着一部分人的忠心和公义而蒙了祝福。这些蒙福的族群包括：迦南人、埃及人、古克里特米诺斯文化中的非力士人、摩押人、推罗和西顿的腓尼基人、亚述人、示巴地的示巴人、巴比伦人、波斯人、帕提亚人、玛代人、以拦人和罗马人。

故事的后半部

在接下来的两千年里，神差遣他的独生子进入世界，**确保**其他民族得到祝福，并且**同样蒙召**成为"万民的祝福"。在每种情况下，都是"多托谁（哪个民族）就向谁多要"。在这个阶段，我们看到神的国度在亚美尼亚人、罗马人、凯尔特人、法兰克人、盎格鲁人、撒克逊人、日尔曼人中间展现，最终甚至征服了再往北部的残酷无情的那些异教徒海盗维京人。所有这些民族都被福音的大能降服，然后再向其他民族分享"祝福"（而不是去袭击掳掠）。

但是，接下来的五个时代与前五个时代基本上并没有太大差异。受到祝福的民族看起来并没有积极分享这个独一无二的福分，也没有努力扩展自己所享有的新的国度。在第一个千年里，凯尔特人是最积极的民族，对宣教呼召做出了出色的回应。和旧约时代一样，神把祝福赐给哪个民族，就同时赋予他们重大的责任，如果不履行，后果堪忧。我们可以看到神继续不断运用前述这四种宣教机制。

在基督降临的时代，罗马帝国尽管血腥残暴，实际上却是神手中的工具，让世界为他的来临做好准备。罗马是世界历史上最大的帝国之一，把"罗马式承平"（Pax Romana）强加在境内形态各异的民族之上。几百年来，历任罗马皇帝持续修建广泛的交通系统，总长度达四十万公里的大道交通系统遍布整个帝国，促成了一个优秀的通信体系，类似于美国拓疆时期的驿马快信制度。在征服其他民族的过程中，罗马竟然遇到了一个文明程度远远高于自己的民族——希腊。不少受过良好教育的希腊工艺人才和教师沦为战俘，被带到帝国的各个大城市为奴，教授希腊语。就这样，希腊语成了从英国到印度都通用的语言。

还有另一个不那么广为人知但也同样重要的因素，即散居于帝国各地的犹太人。他们散居在异国，比在本国的时候更

受尊重！因为他们构成了社会当中顺服和正义的基础。学者认为犹太侨民的数目增长到了整个罗马帝国人口的百分之十。犹太侨民中那些"心里受割礼"有高尚品格的犹太人，吸引了许多外族人来到会堂。就像哥尼流一家的外族人，爱慕犹太圣经道理，最终成了敬拜神的人。新约称之为"虔诚人"或"敬畏神的人"。

就这样，信仰跨越了民族的界限！这些"敬畏神的人"成了基督教向外扩展的基础。犹太教信仰披上外族人的衣服，不难理解，这在热忱的犹太人看来是难以设想的。

若非如此，四福音书和寥寥几封保罗书信怎么可能在如此短的时间内，对众多不同民族造成如此广泛的影响呢？

让我们停下来想一想吧：耶稣来到世上三十三年，面对宣教使命冷淡的本族，遭到许多人弃绝，被钉上十字架、受死埋葬、而后复活，把同一个古老的使命交给愿意顺服的人，最后升到天父那里。今天，甚至连最推崇不可知论的历史学家都对此感到惊叹：基督教始于罗马帝国的穷乡僻壤——巴勒斯坦伯利恒的一个卑贱的马槽里，然而在不到三百年的时间里，就掌管了罗马皇帝的宫殿。事情是怎么发生的？这实在是一个难以置信的故事！

"中间时期"没有圣徒？

我们最好在此停顿少许。如果你之前没听过这些，那么你可能会在此遇到心理障碍。今天的教会大多逃避、害怕或者遗忘了这些中间的世纪。我希望大家不再按照某些极端的"续断理论"（BOBO，

Blinked Out, Blinked On）来看待基督信仰。这种观点认为基督教信仰在使徒之后的时代就"断"了，到我们的时代又接"续"上了，也就是由所谓的"现代先知"，诸如马丁·路德、加尔文、卫斯理、施约瑟（Joseph Smith）、怀爱伦（Ellen White）、温约翰（John Wimber）等兴起时才接"续"上。这种"续断理论"造成的错误影响，使我们只注意到"早期"圣徒和"末世"圣徒，却以为**没有中间的圣徒**。

因此，许多福音派人士对宗教改革之前的历史没有什么兴趣，还隐隐约约以为教会在路德和加尔文之前是偏离正道的，中世纪真正的基督信仰只在少数几个遭到逼迫的英雄身上看到。

例如，在一套多卷本的《两千年伟大讲道选集》（*Twenty Centuries of Great Preaching*）中，前十五个世纪只占了第一卷一半的内容！在福音派的主日学里，小孩子忙不迭地记诵神从创世记到启示录、从亚当到使徒的故事，主日学课程的出版商也吹嘘他们是"合乎全套圣经"的教材。但这不过意味着这些孩子没有办法得知神从使徒时代到宗教改革之前的工作，而正是这个时期强有力地见证了圣经的大能！结果，许多人误以为"中间时代没有圣徒"。

在有限的篇幅里，我们只能讲述西方世界里神国的反击，而且只能讲个概要。认识基督教进入的各种文化将非常有帮助。赖德烈（K. S. Latourette）所著的《基督教史》（*History of Christianity*），讲述了神的故事从圣经时期向外如何延续，对此作出了引人入胜的详细解说（这本

书是在圣经以外很值得一读的书）。请注意本书26页图表显示的模式。赖德烈的"复苏"（resurgences）与我们所说的"复兴"（renaissances）相对应。

第一个时期，福音"征服"了罗马，但他们没有把福音分享给未开化的凯尔特人和哥特人。好像惩罚一样，哥特人后来入侵罗马，帝国的整个西部（拉丁语）地区都沦陷了。

第二个时期，哥特人听到福音，和其他民族造就了昙花一现的新"神圣"罗马帝国。但是这个新政体也没能认真把福音往北传。

第三个时期，似乎又是一次惩罚，维京人侵略已经相信基督教的凯尔特和哥特蛮族。在残酷的征服后，维京人也皈依了基督教。

第四个时期，欧洲第一次由于基督教信仰而团结起来，却假借宣教之名，发动了一次针对穆斯林的大规模行动，这场浩劫就是十字军东征。

第五个时期，欧洲影响力遍布地极，但是其动机掺杂不纯；商业利益和属灵关怀搅混在一起，既带来苦难也带来祝福。然而，在这段时期内，殖民势力大大减少了战争和疾病，整个非西方世界突然发展起来。在此之前，从来没有如此少数的人群能够影响这么多人，可是也前所未见地，造成这个世界分化成东西两个极端。接下来，又发生了什么事呢？

力量大为增强的非西方世界会侵略欧洲和美洲，一如哥特人侵略罗马，维京人践踏欧洲吗？"第三世界"会向西方世界展开新一轮"荒蛮"侵略吗？石油输出国组织（OPEC）国家或中国会把西方买

基督教历史上最令人叹为观止的胜利，就是在两百年内赢得了罗马帝国。

断，接管西方世界吗？不容讳言，西方人面对非西方世界的觉醒，突然间失去了掌控的能力。福音的角色将会是什么？我们能不能从以前宣教周期的模式吸取一点教训？

第一个时期：罗马人归主
主后0–400年

基督教历史上最令人叹为观止的胜利，就是在两百年内赢得（或说"征服"）了罗马帝国。关于这段时间内基督教的发展，我们所知不多，且很模糊；若我们不考虑散居各地犹太人所奠定的基础，就更是难懂。

有幸的是，新约书信仿佛明亮的探照灯一般，照亮了这段发展的早期阶段。

那时候，有一个成长于希腊城市名叫保罗的犹太人。他热心于当时的犹太教传统，在其中充当领袖角色；突然间，他被基督脱胎换骨，慢慢地意识到犹太人信仰的实质在基督里得以实现，而不再需要犹太教外衣；更重要的是"心里的割礼"既可以采取闪族人的方式，也可以穿上希腊语和希腊文化的外衣！大家都应该明白，每个人都可以成为基督徒，得到永活基督的更新，不管这人是犹太人、希腊人、未开化的人、西古提人、奴隶、自由人、男人还是女人。希腊人不需要变成

犹太人，意思是不需要接受割礼，不需要遵守犹太人节期和圣日，甚至不需要遵守犹太饮食习俗，就像女人无须为了被神接纳而变成男人一样。唯一需要的转变就是"相信而顺服"（罗1:5，16:26）。

保罗的事工建基于圣经原则，认为"内心"的割礼（耶利米书九章）才是最重要的（这原则至今仍不为许多犹太人接受），而且来自不同新文化中的归信者不需要学说犹太语、穿犹太衣，也不需要遵从差派教会的一切习俗；简而言之，希腊人不必遵守摩西律法的繁文缛节。面对犹太人，保罗还是"在摩西律法之下"，但是面对不熟悉摩西律法的人，他宣讲"基督的律法"，可以在新环境灵活实践；虽然在某些人看来好像"没有律法"，但是他在神面前并不是真的没有律法。确实，就基本目的而言，希腊信徒立即在自己的文化中发现了和摩西律法功能对等的东西，大多数希腊人还是遵守希腊文版本的旧约；毕竟，这旧约就是"早期教会的圣经"，也是犹太人的圣经，是首先引导他们进入信仰的经文。

我们可能会觉得这段时期的宣教活动很少经过缜密组织。情况可能确实如此，因为很明显，保罗工作的方式采用了当时众所周知的法利赛人的"宣教团队"模式，因为保罗原本就是法利赛人！保罗在安提阿的差派教会当然也承担一些责任，但基本上，安提阿教会是把他"送出去"，而不是"派出去"。保罗的宣教团队拥有与任何一个地方教会同等的权柄，无须等候安提阿教会向他发号施令。

我们可以充分相信，基督教在许多地区的传播是"被迫前往"的宣教机制的结果，因为基督徒常常是因为受到逼迫而四散各处。我们知道哥特人归信基督教与逃散的亚流派基督徒有很大关系；也知道乌尔菲拉（Ulfilas）和圣帕特里克（St. Patrick）的故事，他们的宣教事工都是由于意外被俘而展开的。

此外，罗马帝国的贸易路线对基督教的传播有很大帮助。我们知道，高卢的基督徒和小亚细亚的基督徒之间有紧密的关系和交往。然而，我们必须承认，罗马帝国的早期基督徒（今天的基督徒也是如此！）几乎不情愿也不够**积极采取实际行动完成大使命**。初期这几十年神奇的扩展，只能让我们对福音本身的大能更加惊叹不已。

福音在社会内自然传播，可以从凯尔特人这个有趣的例子看出来。历史研究为我们澄清，小亚细亚的加拉太省之所以叫做加拉太，是由于居民是来自西欧的加拉太人（直到四世纪，他们使用当地希腊方言的同时，还保留着原来的凯尔特语言）。保罗书信里的"加拉太人"到底仅限住在加拉太省的犹太商人，还是那些最初被吸引到会堂成为"敬畏神的人"的凯尔特加拉太人，我们不好妄下定论，但是我们注意到保罗给加拉太人的书信，提醒他们防备那些把犹太文化的**外在习俗**强加于接受者的人，他们把习俗与保罗向犹太人和希腊人宣讲的**圣经根本信仰**混为一谈（罗1:16）。

保罗在加拉太的讲道进入了凯尔特人的文化血脉，这对宣教非常有利，因为福音的影响很有可能会进入他们的朋友、亲戚、交易伙伴当中，再传到遥远的西方。从保罗在加拉太的事工或许能够解释，福

（手写批注：加拉太人 从 辛派）

音何以早早地深入欧洲凯尔特主要地区，形成一条带状区域，从欧洲南部延伸到西班牙加利西亚、法国布列塔尼，并一直延伸到不列颠诸岛的西部和北部地方。

最后，不仅成千上万的希腊人和罗马人成为了基督徒，连罗马帝国内外说凯尔特语的民族和哥特部落民族都相信了福音，并发展出拥有自己特色的圣经信仰。

这种扩展的背后可能是由于罗马帝国东部地区基督徒在不自觉当中展开了宣教。无论如何，这种扩展不太可能是罗马西部**讲拉丁语**基督徒主动有计划的宣教结果。这是我们的观点。

另一个证据是，最早的爱尔兰宣教中心（它有一个中央礼拜堂，不同于拉丁罗马式建筑）的平面图起源于**埃及**的基督教活动中心。而且，**希腊语**（而非拉丁语）是高卢早期教会使用的语言。甚至连卡西安和都尔的主教马丁这两个最早有组织的宣教行动，都是采取起源于**东方**的叙利亚和埃及的社会结构。幸运的是，这些有组织的宣教行动十分强调识字教育、研究和抄写圣经手稿以及希腊典籍的保存。

这种崭新且更易被人接受的圣经信仰影响力日渐扩大，到主后三百年已经占据了显著的比例。连异教君王君士坦丁也深感惊叹而信了，在312年宣布自己成为基督徒。我们无法确定他是出于何种个人原因，只知道他在小亚细亚的母亲是基督徒，他的父亲是高卢和不列颠的摄政王，没有在统辖区内执行戴克里先（Diocletian）皇帝迫害基督徒的谕旨。然而，要知道罗马帝国在这个历史时期已经有很多基督徒，官方改变对基督教施压的政策不仅合理，而且从政治的角度来说也

是英明的一大德政。

我想起鼎鼎有名的中世纪史专家、加州大学洛杉矶分校已故教授林威德（Lynn White, Jr.）的一席话。他说："即使君士坦丁没有成为基督徒，罗马帝国在接下来的一、二十年内也不得不承认基督教！"罗马帝国的长期发展终结了地方城邦的自治，造成国民普遍缺乏归属感，林威德称此为身分危机。在那时，基督教是唯一没有民族主义的宗教（部分原因也是因为犹太人弃绝这个信仰），也不是任何一个部落的民间宗教。用林威德教授的话来说，基督教具备"无懈可击的统合性"。未料，一旦基督教和罗马帝国联合起来，这个优点反而成了掺有杂质的祝福。

故此，只有基督教本身的力量能够解释，为什么在罗马皇帝决定**容忍**基督教之后不久（大约五十年），就自然成为罗马的**国教**。在基督教以官方**宽容**的宗教出场后不久，罗马基督徒领袖竟然成了最有权力、最被信任的人。以致君士坦丁皇帝迁都至君士坦丁堡的时候，就把他的宫殿（著名的拉特兰宫）留给教会作为他们在罗马的"白宫"。无论如何，基督教在375年成为罗马国教，这一切都有历史记录为证。设若基督教只是一个民族性宗教，那么甚至可能连国教的候选资格都够不上。

然而讽刺的是，基督教一旦与罗马文化传统和政治权力认同，就自然而然排斥所有反对罗马的人。因此导致罗马帝国边境之外的阿拉伯和波斯地区开始怀疑基督教，不久之后便对那里的基督徒展开大规模的屠戮；这个迫害曾经暂停了三年，只因这其间罗马皇帝叛道者犹利安（Julian

> 本笃会修士，都高度尊崇圣经……。他们都是向盎格鲁撒克逊人和哥特人分享神的国度、荣耀和能力的主力军。

the Apostate）反对基督教，试图恢复异教神明崇拜！此外，这还造成那些在罗马帝国边境（包括北非）地区的反对者后来转向伊斯兰教。从某种意义上说，正如基督教是脱离了犹太形式的圣经信仰，伊斯兰教也在文化上脱离了基督教。出于类似的缘由，今日美国"黑人穆斯林"也正是因为认为基督教是"白人的宗教"的观念而坚决抵制基督信仰。

就这样，后世所谓的基督教信仰虽然取得了政治上的胜利，实际上却带来了相当纠葛掺杂的祝福。圣经信仰的确脱下了犹太外衣，如今却批上了罗马外袍，而且一旦这件外袍成了规范，基督教就不能扩展到罗马帝国的政治边界之外，传向远方。事实上我们也看见，除了在西罗马它确实没有扩展。为什么会这样呢？

当基督教成为罗马帝国国教的时候，罗马就不再向反罗马的民族当中完成大使命。正如我们所料，在罗马军事力量依然强大的时候，日尔曼部落还接受基督教的某些旁支。然而，一旦部落民族发现有可能侵入，并征服罗马帝国的西部地区，天主教和东正教就不构成那么大的威胁了。哥特人和其他民族现在不需要接受罗马军团统治，只要罗马先进的语言和文化。

然而，请注意被部分基督教化的哥特族威胁罗马统治所产生的后果是：罗马人为了自保而撤回了驻不列颠的军团。结果，不列颠南部三个世纪以来受的罗马教育文化影响之后，因一些未开化的民族：盎格鲁人、撒克逊人和弗里斯兰人的入侵而荡然无存。和哥特人不同，他们是彻底的异教徒，凶狠而残暴，善于破坏。他们的侵略会带来什么？两段黑暗时期的"第一段"由此开始了。

第二个时期：蛮族归主
主后400–800年

当诸如哥特等早期部落民族基督教化，接受了异端亚流派信仰后，成为罗马越来越大的军事威胁。这一威胁在可怕的匈奴人从中亚侵入欧洲形成夹击的时候，变成了实实在在的危险。因匈奴人的侵略造成恐慌的西哥特人，然后是东哥特人及汪达尔人侵入罗马帝国。在混乱之中，这些部落的入侵无意间毁坏了罗马西部（今天的意大利、西班牙和北非）的整个内政；之后，他们曾认真和努力重建（这是不是像二战之后，后殖民时期非洲的混乱？）。

侵略大军在主后410年兵临罗马城下，但是罗马没有被彻底毁灭；唯一的原因是这些哥特蛮族整体来看，都非常尊重生命和财产，尤其是属于教会的财产。早期的非刻意宣教行动让这些民族接受了至少是表面化的基督教信仰，多少有些影响。甚至连世俗的罗马人都发现，侵略者有着高标准的基督教道德，而自认为多么幸运可以幸免于难（侵略不列颠的盎格鲁人和撒克逊人可不是这样）。

这样不经意地分享福音就能产生如此显著的成果，使得有关这一祝福的喜讯和权柄传到所有外族群体当中。这不禁让我们展开联想，要是罗马人在基督教合法蓬勃发展的短暂百年间（310年至410年），在哥特人第一次侵入罗马城之前，就把握机会、努力宣教，那将会取得多么重大的成果呢！如果一点基督教异端，就足以防止像第三个时期的维京人那样的侵略，那么，或许只需要多投入一点宣教工作，西罗马帝国的政府就不会完全崩溃。现今也是如此，后殖民时期的非洲国家政府稳定，与他们基督教化的程度（包括认识和道德两方面）很有关系。

一个以基督教为国教、自鸣得意的罗马帝国不向部分基督教化的外族传福音，反而遭到他们大举入侵。无论如何，我们面对的就是这不祥的现象。不管罗马人是自招其祸（由于没有宣教），还是初期基督教的影响促进或缓和了外族入侵，一个无可争议的事实摆在我们面前，罗马人失去帝国的西半部，但这些民族戏剧化地获得了基督教信仰。

于是，罗马城内好像顿时出现了两个"宗派"，一个是亚流派（Arian），另一个是亚他那修派（Athanasian）。其中还存在着凯尔特"教会"，这是多个宣教中心的结合，而不是由若干地方教会组成的宗派。出现较晚的本笃会（Benedictines）更不像教会，和凯尔特人争相在欧洲各地设立宣教中心。到维京人出现在历史舞台上的时候，欧洲已经有了超过一千个这种宣教中心。

1.宣教中心遍布

更正教信徒，甚至现代天主教徒，都必须对此现象驻足深思。我们难以理解这些奇怪（而且常被误解）的宣教工具，并非因为我们不了解这些人的事工，而是由于一千年间修道士的腐败堕落造成的偏见。我们拿马丁·路德时代养尊处优的奥斯定会（奥古斯丁修会）修士的腐败，来评判像科伦巴和波尼法修一样劳苦奔波的宣教士的事工，完全有失公允，虽然我们可以谅解路德当时有这样的想法。

无可争议的是，第二个时期的"耶稣子民"，不管是巡回布道者，还是本笃会修士，都高度尊崇圣经，每周把诗篇从头吟唱一遍。他们是向盎格鲁撒克逊人和哥特人分享神的国度、荣耀和能力的主力军。

欧洲基督教化过程中掺杂许多奇怪的（甚至是荒诞和异教的）习俗，成为当时基督教的次要元素。西罗马形式的基督教和（主要起源于东罗马的）凯尔特基督教直接碰撞，不断竞争，有可能使得双方都更加强调信仰中的共同圣经元素。但是，我们一定得记住未开化民族侵略带来的相对混乱的状态。

2.修道会的贡献

在当时的特殊条件下，类似于今天世界上许多混乱的地区，修道会（Order）是最稳固的体制。这是一种纪律严明、结合紧密的团体，其"修道院"遍布欧洲各地。此外，我们必须注意到，这些新颖的基督教团体不仅是中世纪灵性和学术的源头，还传承了罗马工业世界的技术，包括制革、染色、织布、金属加工、建筑、桥

梁建设等。他们对社会、慈善和科学的贡献完全被低估，更正教信徒对"修士"怀有的偏见更是严重，从"僧侣"（Monks）这贬抑之称可见一斑。我们现今对罗马世界的了解，几乎全部来自于修道会的图书馆；这一简单的事实足以让我们瞥见这些纪律严明的基督教团体最伟大的成就，他们的著作就是无声的见证，就连古代"异教"作家也不得不赏识这些基督徒。

令人感到汗颜的是，在今日的世俗时代如果没有这些具有高度文化修养的"宣教"基督徒保存和誊写手稿（不仅包括圣经，还有古代基督教和非基督教经典），那么我们对罗马帝国的认识就像对玛雅和印加帝国的认识一样贫瘠无考，也像许多其他早已灭亡的帝国那样一无所知。许多福音派人士读到惠顿学院的一位教授的观点时，或许会感到震惊。他在〈修道院挽救了教会〉（*The Monastic Rescue of the Church*）一文中赞赏这些纪律严明的修道会。其中有一句话这样说：

> 修道院的兴起产生，无疑是基督向门徒颁赐大使命以降最重大的事情。从许多方面来讲，这也是基督教历史中最有益处和最有体制意义的事件。[1]

令人惊奇的是，现今常用的"第三世界"（Third World）一词源于那个时代。希腊和拉丁是第一和第二世界，而北部的民族则属于"第三世界"。欧洲未开化民族大多是被"第三世界的宣教士"，即凯尔特宣教士及其赢得的盎格鲁撒克逊信徒所感化的，超过意大利和高卢的宣教士所

带来的影响。这个事实显然决定了欧洲西部的权力中心从地中海移向了北欧，甚至直到596年，罗马的第一个宣教士奥古斯丁战战兢兢勉力北上的时候，才偶然踏上了爱尔兰宣教士科伦巴走过的路。科伦巴要勇敢得多，学问渊博不说，还游历广泛，已经几乎走到罗马城门口；他当初离开家乡的距离，比奥古斯丁打算离开故土远去他乡的地方还要遥远。

可以想见，此时君士坦丁堡被东罗马居民视为"第二罗马"不足为奇。新近信主的法兰克人和斯拉夫人争相推举亚琛（查理曼大帝时代的法国城市）和莫斯科为新罗马城。不管是原来的罗马城，还是意大利半岛区域，都再也没有占据过重要的政治地位，再也比不上新兴国家西班牙、法国、日尔曼和英格兰的主要城市。

3. 查理曼大帝登场

主后400年至800年这段时期的结尾和每个时代的结尾一样，基督教在新的文化盆地里欣欣向荣。由于查理曼大帝（Charlemagne）的崛起，欧洲西部的彼此交流获得改善是过去三百年所未见。在他的支援下，包括社会、神学和政治在内的各种议题，都重新参照圣经和早期基督教领袖的著作进行研究。查理曼宛如君士坦丁再世，他在欧洲西部的影响力五百年内无人能望其项背。

而且查理曼比君士坦丁虔诚得多，也更热心支持基督教活动；与君士坦丁一样，他对基督教的官方支持造成了许多挂名基督徒。毫无疑问，伟大的宣教士波尼法修遭撒克逊人杀害，确实是因为他背后的支持者查理曼曾多次残酷地压制撒克逊

人，尽管波尼法修根本不赞成他的军事政策。这与近代历史的情形相仿，殖民力量的政治权势，不仅没有为基督教辟建坦途，反而使得被殖民地区对基督教信仰反感。不过对宣教士有益的是，查理曼建设的大型学习中心，都是日尔曼领土内部宣教中心的复制和扩展，成为不列颠和凯尔特宣教士事工的前哨，他们远远地被"差派"到不列颠的爱奥那岛和林迪斯凡岛。

这位伟大的领袖查理曼，采纳了来自不列颠的盎格鲁凯尔特宣教士和学者，如阿尔昆的意见后，首倡推行公共教育并在欧洲大陆广建学校。于是延请上千名不列颠和爱尔兰的基督徒知识分子、学者前来执教。难以置信的是，这时竟然需要请从前被视为"未开化民族"的爱尔兰人到罗马去教拉丁文（这从来都未成为爱尔兰的当地语言）。这个事实从侧面看出其他未开化民族的侵略把罗马帝国的文明破坏的程度多么大。汤玛斯·卡希尔（Tomas Cahillh）的著作《爱尔兰对文明的拯救》（*How the Irish Saved Civilization*）着重记述了这段史实。

凯尔特基督徒和被他们带信主的盎格鲁撒克逊人，以及欧洲大陆的基督徒尤其重视圣经。在这些"黑暗"的世纪里，艺术水准最高的作品是美妙绝伦的泥金圣经抄本和雕饰庄严的教堂，在在见证着圣经是他们的主要灵感来源。非基督教古典作家的手稿虽然也得以誊写和保存，却没有配上图饰。在<u>西罗马帝国走向崩溃的漫漫长夜里</u>，虽然部落入侵使帝国文化水准日益退化，但是人们心中怀有两大复兴的理想，一个是<u>重现罗马的荣耀</u>，另一个是使<u>万物服从荣耀的神</u>。在查理曼长期积极的

又一次我们看到，当基督徒不向异教民族宣教……但基督教自身的力量还是会再次显现出来：征服者被俘虏者的信仰征服了！

统治期间，这两大理想在主后800年左右近乎实现。一名学者写道：

> 在欧洲历史长河中，从罗马帝国的衰落，到一千年后的文艺复兴，他（查理曼）是唯一君临天下的人物。

难怪学者把查理曼统治时期称为<u>加洛林文艺复兴（Carolingian Renaissance）</u>，并且改变了"黑暗时代"是一整块漫长历史的观点。确切地说，加洛林文艺复兴时期成了这个时代的第一个黑暗时期和第二个黑暗时期的分野。

不幸的是，重建之帝国（后被称为<u>神圣罗马帝国</u>）的后继者缺乏查理曼的魄力；更不幸的是，帝国外部出现了一个新的威胁。查理曼一直热衷于让自己的日尔曼民族基督教化。在许多方面，他的领导富有智慧和敬虔，可惜他没有向<u>北方的斯堪的纳维亚民族</u>宣教。他的儿子开始推动，但是杯水车薪，为时已晚。我们将看到，这导致了帝国的加速倾覆。

第三个时期：维京人归主
主后800–1200年

查理曼刚统一欧洲西部，就立即出现了一个新威胁，维京人威胁到帝国的和平兴旺，并将造成持续两百五十年的第二段黑暗时期。这些北方民族还没有被福音影响到，当造成第一段黑暗时期的部落民族入侵罗马的时候，入侵者是粗野的丛林居民，他们大部分在名义上还是亚流派基督徒；相较之下，维京人既没有文化，又完全不是基督徒。他们之间还有一个区别：维京人是海上居民，这意味着作为宣教训练基地的主要岛屿（例如爱奥那岛和在退潮时和陆地相连的林迪斯凡岛）虽然能避过来自陆地的进攻，却难逃海上的袭击；在这段时期里，两个宣教中心都被洗劫数十次，其中的修道士不是被屠杀，就是被当作奴隶贩卖。他们与对教会手下留情的西哥特人和汪达尔人完全相反，仿佛被磁石吸引，专门毁坏修道院学术中心和基督教敬拜场所。他们尤其酷嗜焚烧教堂，在教堂里杀人，把修士当成奴隶贩卖。这些卑劣之徒甚至劫掠本族中反对他们如此行者的女儿，卖到北非为奴。当时的一个记录者向我们展示了维京人在"基督教"欧洲的屠杀行径：

> 北方人不停杀戮和掳掠基督徒，毁坏教堂，焚烧城镇。到处都是尸体——神职人员和平信徒，贵族和平民，妇女和儿童。道路和空地上布满了尸体。目睹基督徒同胞被杀，我们悲痛难抑。[2]

我们因此可以理解为何圣公会祈祷书里面有这句祷告词："求主救我们脱离北方人的残暴。"如果维京人能够像早期入侵罗马的外族一样，对基督教信仰持有一点点尊重，查理曼帝国的基督徒就不会如此悲惨。又一次我们看到，当基督徒不向异教民族宣教，异教民族就来掳掠基督徒；但基督教自身的力量还是会再次显现出来：征服者被俘虏者的信仰征服了！通常，修士被卖为奴隶，基督徒少女被迫成为维京人的妻妾，但他们最终感化了这些北方未开化之民。在神的掌管下，神子民被异族暴力侵略、蹂躏受难的悲剧转化为救赎之恩；毕竟，神为了拯救我们，甚至不吝惜自己的独生子。看！又一次撒但想要害人，神却将之转化成为美好的事。

前一百年间，查理曼的学者精心收集的古代手稿，如今大多数被维京人烧掉。幸而因为抄本数量多、流传广，加洛林文艺复兴的成果才仍得以保存。在过去，学者和宣教士和和平平从爱尔兰出发，途经英格兰到达欧洲大陆，甚至越过查理曼帝国的疆界。但此时，由于受到北方人暴力侵略的创伤，三个世纪以来喷发着宣教热情的爱尔兰火山冰冷下来，几近熄灭。而维京武士也以爱尔兰为据点，循着早期爱尔兰宣教士的足迹，穿越英格兰到达欧洲大陆，但是他们带来的不是新生命和希望，倒是毁灭和破坏。

在这些恐怖事件背后，也有化了妆的祝福。威塞克斯部落的头目亚勒斐得大帝（所谓的"王"）为保护自己部族的生命财产和信仰，率领游击队奋勇抵抗。情势紧急之下，他放弃把拉丁文作为敬拜语言的惯例，改而使用地方性的盎格鲁撒克逊语言，并建立了一个基督教图书馆。这个决定具有重大意义。如果不是维京人侵略，使其不得已而为之，这一创举可能会被推迟数世纪之久。

无论如何，正如克里斯多弗·道森（Christopher Dawson）所说，英格兰和欧洲大陆遭遇史无前例的毁灭"不是异教的胜利"。在罗洛带领下侵入欧洲大陆的"北方人"（Northman）最终成为信奉基督的"诺曼人"（Normans）；占领了英格兰中部大部分地区的丹麦人，以及占据了英格兰其他地区和爱尔兰的挪威侵略者，不久之后都变成基督徒。福音的力量真是奇妙！基督教文化传回到斯堪的纳维亚，这大部分是受到最早设立的修道院和早期宣教士在英格兰所造成的影响。在英格兰失去的，斯堪的纳维亚却领受了。

另外我们还必须承认，如果基督教的教堂和修道院不是那么奢侈华丽，维京人应该不会产生什么兴趣。修道院从爱尔兰模式转变成本笃会模式，原本是一种改进，但是过度的富丽堂皇既不符合基督教精神，又反倒吸引了北方贪婪的目光。这样，维京人的侵略也算间接地净化了基督教修道运动。（谁料得到呢？）

在维京人露面之前，阿尼昂的本笃会就已经开始了星星点点的改革运动。主后910年，在克吕尼这个地方，基督教运动又向前迈出了崭新而重大的一步。它进行了许多变革，其中一些改变是把修道院中心的控制权从地方政权中收回，第一次把许多"分院"和强大的属灵"母院"联系起来。不仅如此，克吕尼复兴（Cluny revival）还产生了整体社会的改革。

在罗马，第一个千年里最伟大的主教

贵格利一世（Gregory I）是出自本笃会。在第二个千年的开始，希尔德布兰德则是克吕尼改革的果实，他的改革派继任者得到了熙笃会复兴的大力支持，进行了更深一步的改革。在幕后对教会进行大规模改革多年之后，希尔德布兰德当选为教皇贵格利七世很短的时间。他的改革热情为教皇英诺森三世（Innocent III）做了铺路，英诺森三世拥有更大的权力，综观其权力作成的好事超过历代其他教皇。在处理"平信徒授衣权"（将教会的权力由君王手中收回）的问题时，贵格利七世走出了决定性的一步，把教会控制权从世俗权势手中分开；就是他，让亨利四世在卡诺萨的雪地里等了三天；英诺森三世不仅推进了贵格利的改革，也是批准多个新式流动宣教修道会——托钵修会的教皇。

概括起来，第一个时期（主后元年至400年）结束时，罗马帝国刚刚基督教化，皇帝君士坦丁自称是基督徒。第二个时期结束时，从外族变成基督徒、勇猛有为的查理曼重建了这个帝国（你能想像穿着修士服装的皇帝吗？）。第三个时期结束时，教皇英诺森三世由于克吕尼、熙笃会与联合的属灵运动（合称为贵格利改革），成了欧洲最有权势的人。

如今摆在我们面前的是一个扩张了的欧洲，任何一个世俗统治者如果不向基督教领袖表示敬意，就不可能保住位子。在这个时期，欧洲基督徒并没有向外宣教，但是他们至少以极快的速度布满整个北部地区，并且重建了由查理曼时代欧洲传承下来的基督教学术和信仰基础。

接下来的一个时期，将给我们带来惊喜和诧异。欧洲会不会主动出击，向外传

37

扬福音呢？还是会陷入自满？从某些方面来看，欧洲两者都有。

第四个时期：战胜穆斯林？
主后1200–1600年

第四个时期之初，出现了令人赞叹的福音新器皿——托钵修士。这个时期经过漫长的瘟疫之后，将以最伟大，最具活力，也最严重的改革运动分裂下结束。

早在一百年前，基督教已经卷入史上规模最为浩大、结局最为悲惨的宣教活动；上个时代信仰的复兴却导致灾难，这真是一种反讽。从来没有哪一个国家像欧洲一样发动了悲剧性的<u>十字军东征</u>，如此长期不懈地打着基督的名义进攻外国领土。某种程度上可以归咎于<u>维京精神在基督教会中的影响</u>，因为主要的东征都是由维京人的后裔领导的。

虽然十字军东征有许多政治目的（统治不力的领导人常常把东征作为凝聚民心的手段），但是如果没有基督教领袖积极却错误的支援就不可能发生。这些战事不仅使欧洲人自身遭受史无前例的伤亡、<u>使穆斯林民众受到野蛮创伤（至今未能痊愈）</u>，还给<u>希腊和拉丁基督教之间的合一以及东欧的文化统一以致命打击</u>。长远来看，虽说西欧基督徒掌控了耶路撒冷一百年，但<u>十字军最终却抛下了东方基督徒，任由他们被奥斯曼（Ottoman）帝国的君王屠杀</u>。更糟的是，因为十字军东征，基督教在人类心中永远地留下了残暴、好战的印象，似乎永难磨灭，而"基督徒"名号的价值至今仍在宣教行动中被彻底折杀。

讽刺的是，如果十字军东征不含那么高涨的基督教狂热，就不会造成如此恶劣的负面影响。十字军东征给我们带来的巨大教训是，善意、甚至对神的顺服和牺牲，都不能代替对神的旨意的清楚认识。在这场可悲的征战中，赞美诗〈思慕耶稣〉的作者、虔诚之士明谷的伯尔纳（Bernard of Clairvaux）起了推波助澜的作用，是他发动了第一次十字军东征。另一方面，在这个时代中，只有两位方济会会士，亚西西的圣方济（Francis of Assisi）和雷蒙德·卢勒（Ramond Lull）了解神的旨意，他们主张，若要传播神赐给亚伯拉罕的福分，而这也是神一直愿意赐给亚伯拉罕所有属灵后裔的福分，合适的方法应该是温言善语，而不是战争和暴力。

很不幸，欧洲人几乎对伊斯兰教一无所知。第一部完整的《古兰经》拉丁文译本直到十二世纪才出现，而且那时还不能发表，直到四个世纪之后才得见天日。如果欧洲基督徒尝试读一读穆斯林的圣书，他们或许会为着这两种信仰有着那么多的共同之处而大为惊讶。的确，现代学术研究不断发现伊斯兰教有着强大的基督教基础。《古兰经》读起来几乎是第七世纪各种基督教圣书的集合。很有可能其编纂者试图把分裂的基督教群体纳入七世纪新建立的、几乎侵吞了一半基督教世界的阿拉伯帝国。

然而，由于十字军东征，穆斯林学者开始改变对《古兰经》的阐释方式。从那时起，对《古兰经》里与耶稣有关的句子（有九十多句）的解读越来越带上反对基督教的色彩。例如，今天穆斯林世界几乎一致认为耶稣没有死在十字架上。然而，他们之前的看法并不是这样（《古兰经》

也写到耶稣的钉十字架和复活）。这种改变的起因在于基督徒开始使用十字架作为武力征服的象征。

在这个关头，我们必须稍作停顿，反思导致这个令人困惑的第四个时期的一些事件，从神的视角谨慎回顾来寻索。我们知道，在第一个时期末，经过持续三个世纪的艰难和迫害后，眼看事态要明朗起来，此时侵略者就出现在罗马，混乱和灾难随即而至。为什么？侵略之前，曾有一段被称为"古典文艺复兴"的时期，虽然好坏参半。当时基督徒把圣经译成拉丁文，进行激烈的神学论辩，宫廷史官该撒利亚的优西比乌（Eusebius of Caesarea）编辑浩如烟海的早期基督徒作品，异端被逐出帝国（他们心不甘情不愿地成了唯一给哥特人宣教的民族），罗马最终尊基督教为国教。但好戏嘎然而止，突然之间蛮族入侵罗马，一切都终止了……。混乱之后，神又吸引新的一群民族得到这个"祝福"，进入扩展中的国度，分享特权和义务。

与此类似，在第二个时期末，经历三个世纪的混乱之后，狂暴的哥特人终于被基督教化，变得驯服和文明。圣经抄本和相关知识以前所未有的速度增加，凯尔特基督徒和盎格鲁撒克逊跟随者建立起大型的宣教中心。在这场查理曼（即加洛林）文艺复兴里，基督徒领导的几千所公共学校教育大众圣经知识和普及识字，查理曼甚至打击了酒精的滥用。伟大的神学家探讨神学和政治议题，"可敬的比德（Bede）"成了这个时代的优西比乌（说实在查理曼和比德要比君士坦丁和优西比乌更具基督徒品德）。然而，侵略者又一次

出现了，灾难席卷而来。这又是为什么？

第三个时期与上个时期非常相似，好像历史又重演。在初期的两个半世纪维京人被"福音的反击战"征服，然后在这个时期末尾发生的"文艺复兴"为期超过一个世纪，范围比之前的文艺复兴广泛得多。十字军、大教堂、大学、经院神学家、最重要的是还有蒙福的托钵修道士，甚至还包括后来人文主义文艺复兴的早期部分，一齐构成了这场规模庞大、从1050年持续到1350年的中世纪文艺复兴，或称"十二世纪的文艺复兴"。可是，新的入侵者突然间又出现，这一次是黑死病，远比以往的入侵者邪恶，造成的混乱和灾难前所未有。原因何在？

从基督教发展进程来看，这重重灾难好像阻碍了福音的拓展，我们应该怎样解释呢？是神对人不完全顺服的不满吗？是撒但益加狠毒的反击吗？还是由于得到神赐福的民族死守不放，没有充分而坚决地与世界上其他民族分享呢？

令人更加不解的是，黑死病在欧洲造成三分之一的人丧命，其中方济会修士死亡率更高，光在德国一带就有十二万方济会修士死亡。神肯定不是因为他们热心传道惩罚他们。神是惩罚残暴的十字军吗？如果是的话，为什么等了几百年才施行呢？或许是由于欧洲人没有听从圣人一般的托钵修士，没有回应福音，而把传道者和所传的信息取去。我们想，这不是神惩罚了传播福音的人，而没有惩罚抵挡福音的听众吗？然而，从新约不也看到同样的景象？耶稣来到自己的地方，自己的人不接受他；最后，是耶稣上十字架，而不是抵挡他的人上十字架。神取走传道者，你

可以说神容许撒但邪恶得逞，但毋宁说这是对不听福音之人的惩罚。

无论如何，1346年第一次入侵的黑死病，之后的十年里时而发作，造成欧洲衰败倒退，远比哥特人、盎格鲁撒克逊人和维京人入侵更为严重。先是摧毁了意大利和西班牙的部分地区，然后从北部和西部方向波及到法国、英格兰、荷兰、德国和斯堪的纳维亚。到肆虐了将近四十年的时候，欧洲的死亡人口从三分之一上升到一半。托钵会修士和真正的属灵领袖留下来照顾病人、埋葬死人，所以遭受的打击尤其严重。欧洲一片狼籍。结果呢？在一个时期，有三位教皇形成三足鼎立的局面；人文主义思潮甚嚣尘上；经常打着圣经旗号的农民骚乱演变成暴乱，造成诸多暴力事件。"这个世界的神"一定拍手称快。然而，就在这些死亡、贫穷、迷茫和长期的苦难当中，神兴起了史无前例的宏大改革。

又一次，这个时代末出现了伟大的文化复兴。印刷术开始使用，欧洲人最终逃出了地理的死胡同，以贸易的名义驶出船只，把征服和属灵祝福带到地极。随之而来的变革一触即发：一场伟大的宗教改革看来永久终结了欧洲的文化中央集权。

更正教信徒常常认为宗教改革，是对基督教腐败堕落的官僚主义的合理反叛，但是事实不单如此。这场伟大的基督教世界中央集权解体，从许多方面来说是信仰复兴的结果；大多数更正教信徒都不了解这场复兴也出现在意大利、西班牙、法国、莫拉维亚、德国和英国。在各处，我们都看到对圣经研究的回归、信仰重建和传讲福音。现在所传的福音不只是让日尔曼人成为罗马基督徒，而是鼓励日尔曼信徒就作日尔曼信徒；其实，这个不可思议的现象是复兴所带出来的成果。（马丁·路德不是将圣经翻译为德文的第一人，他的翻译算是**第十四个**德文译本。）在他之前，"因信称义"的教义已经有人在意大利、西班牙提倡；但不幸的是，因为和日尔曼民族主义（分离主义）的期盼纠缠在一起，而被南欧的政治力量视为危险的教义而横加打压。

更正教信徒常常误以为，在发生宗教改革的时候，南欧不如北欧那样有深层灵性生活、圣经研究和祈祷的全面复兴。当时，在更正教信徒看来面对的问题是信心对律法的抗争；在罗马天主教徒看来，则是合一或分裂的问题。然而，这类流行的观点是错误的，因为改革更是拉丁文化霸权与民族本土文化的抗争、统一性与多样性的对峙。最后，本土语言和文化获得了胜利。

保罗没有要求希腊人变成犹太人，而日尔曼人却被要求成为罗马人。盎格鲁撒克逊人和斯堪的纳维亚人至少获准保留一定程度的本土文化，但这在基督教德国是看不到的；因此，德国成了改革浪潮首先发难之地，并不意外。意大利、法国和西班牙过去属于罗马帝国的一部分，文化已经被全面同化，他们的改革运动背后没有民族主义压力；因此，在后来的政治两极分化的混战中，他们几乎完全没有参与。

然而，我们再次看到同一现象。更正教虽然赢得胜利，可以重塑自己的基督教传统，并且自认为非常尊崇圣经，但是对向外宣教之事却只字不提；相反地，在这个时期结束的时候，原来**属于罗马天主**

西方文明的脉动

随着基督教信仰进入新的文化盆地，在得到接纳、繁荣发展阶段（学者称之为"复兴"）之前，它总会经历挣扎。

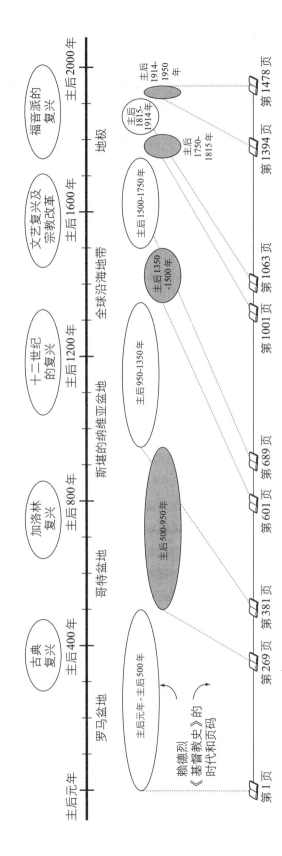

五个时期中的复兴

上方黑色横线分为每段历时四百年的"时期"，这样设计只是为了便于记忆，不是反映确切的历史事实。然而，基督教信仰最重大的扩展至少大致如此。尤为重要的是突出了五次"复兴"的存在。

下方的横线代表了赖德烈一书相应的页码。下方没有灰底的椭圆代表赖德烈所说的基督教"复兴"，而有灰底的椭圆代表赖德烈所说的基督教"衰败"。

这种比较揭示出一个重要事实，即赖德烈所有四次"复兴"，都对应着上方时间轴的"复兴"，唯一重大的不同在于上方赖德烈不像许多其他学者那样重视加洛林复兴。

赖德烈的看法之所以不同，一个原因在于他只对严格意义上的"基督教"（这在一本名为《基督教史》的书籍中并非不合逻辑）因此并不认为伊斯兰运动在相当程度上是一

种"犹太教"传统的正面表达。无论如何，伊斯兰教虽然起源较晚，却成了西方人普遍难以直视的进步势力。到第四个时期复兴的时候，伊斯兰教已经在政治、文化、军事、甚至数量上都超越了"基督教"。这种状态令人持续了基督教历史一半以上的时光。这不令人惊奇，因为就像基督教早期建立在犹太教基础上一样，伊斯兰教的很多扩张，也是建立在基督教的基础上。

教的欧洲，在政治上和宗教上扩张到七大洋。更正教在至少两个世纪中完全没有参与全球宣教运动，而天主教宣教的规模在人类史书中前所未有，宣教意识远比基督教强烈。天主教虽失去了非罗马化的欧洲地区，仍坚持其地中海文化，还没有弄明白刚发生的宗教改革，就重整旗鼓，去赢得世界的其他疆域。

为什么在天主教两百年来积极向外派遣宣教士之际，<u>更正教却无动于衷，不尝试宣教呢？</u>有学者指出，原因在于更正教<u>在全球没有广泛的殖民网络。</u>其实不然，<u>荷兰的更正教也有不少殖民地，</u>他们的船却不像天主教国家的船，一个宣教士也没有搭载。难怪当日本开始害怕天主教宣教士发起的宣教运动时，就只允许荷兰船进入港口。而且，当<u>日本屠杀刚刚萌芽的基督教（天主教）社群的时候，荷兰人甚至额手称庆，</u>给日本人提供帮助。

第五个时期：传到地极
主后1600–2000年

主后1600年到2000年这个时期，欧洲开始在世界各地建立据点。起先在西半球，欧洲倾覆了阿兹特克（Aztec）和印加（Inca）帝国，占领了荒芜人稀的新大陆；在人口众多的东方世界，欧洲只有小范围的权力属地。然而，到了1945年，欧洲几乎控制了99.5%的非西方世界。这种情况没有维持多久，殖民地居民对西方知识和进取心都有了更多成长，正如哥特人在罗马帝国辖区边界之外壮大起来，他们的军事领袖在罗马军队里积累了多年经验。今天，非西方世界的许多主要领袖也在西方的教育和工业机构中有过多年培训和经验；第二次世界大战分散了西方国家对殖民地的控制，结果殖民地的国家主义一发不可收拾，最终摆脱了欧洲的控制。

短短二十五年后（1969年），西方国家在非西方世界的控制权只剩5%。我在《不可思议的二十五年》（*The Twenty-five Unbelievable Years*）中，描写了从1945年到1969年，西方对非西方的控制突然之间崩溃，但非西方世界的基督教宣教运动却出人意料开始崛起的历史。如果把这个时期与西罗马帝国对西班牙、高卢和不列颠等行省的控制的崩溃相比较，或是与查理曼后继者对非法兰克欧洲失去控制相比较，可以预料（至少从平行比较的逻辑来看），西方世界不久后相当程度上要被亚洲人控制。

自从西方列强的权势崩溃变得日渐明显之后，不少人就开始反对西方再向非西方世界作出宣教努力。或许，他们把两件事相提并论，以为去除不受欢迎的政治控制，就得切断与海外宣教工场的联系。

真实的情况与他们的想像非常不同。事实上，当政治控制在许多地区开始消失的时候，当地人才开始接受基督的国度，因为他们再也不需要同时服从西方世界的政治强权。在此我们再次看到历史先例：在罗马失去军事强权后，法兰克部落民族才接受罗马的信仰。<u>盎格鲁撒克逊人、日尔曼人和斯堪的纳维亚人一直接受罗马天主教，直到出现了教皇强势揽权，威胁到合理民族情结的时候，他们才加以反抗。</u>这种威胁后来导致宗教改革，促成各国基督教脱离罗马天主教而得以本土化。

目前，西方世界虚浮夸耀基督教道德

标准的趋势日渐明显，这或许会成为非基督教国家接受基督教信仰的障碍；然而，也有可能让他们不再把基督教理想与能说不能行的西方世界联系在一起，而西方世界迄今为止仍然是基督教的首要支持者。当亚洲人控诉西方国家在战争中的不道德表现时，他们参照的是高标准的基督教价值观，而不是依据以往别国的异教价值观；从这种意义上说，基督教的价值观已经征服了全世界。举例来说，中国或其他国家已经不可能再用传统不人道的酷刑，至少不会公然这么做。

但是，世界的这一转变并非在一夜之间发生，当今基督教在世界这一点道德成就，是（在第五个时代的四百年里）多少宣教人力物力的牺牲为代价换来的。这四百年的宣教，比两千年间任何时候的宣教都更加有力，更加坚定。在第五个时期的前半部分（1600-1800年），在宣教上差不多是罗马天主教独揽天下。到1800年，天主教宣教士对更正教进行笔伐，认为他们因为不派遣宣教士而背离了信仰，这让更正教信徒感到痛心与尴尬。然而，就在同一年，由于耶稣会的工作突然受到限制，再加上法国大革命及其后的混乱，切断了天主教宣教在欧洲的经济来源，天主教宣教事工突然被迫停顿。

然而，1800年标志着更正教从两个半世纪的蛰伏中觉醒，无论是在世界范围的宣教方面，还是在神学方面，都是如此。在这最后的时代，更正教急起直追，首次采用类似天主教修会的宣教组织，弥补过去失去的光阴。虽然这个时代更正教的宣教事工不是大张旗鼓，少有人注意，甚至被人遗忘，还受到片面的批评指责；

> # 捆绑数千民族的撒但权势完全溃败，让长久"住在黑暗中"的人们"看见大光"（太4:16）。

然而比天主教的宣教影响和贡献更大。更正教引领着全球走上民主的道路，建立学校、医院、大学、为新兴国家建立政治基础等。若是中肯地评价，更正教宣教士和罗马天主教宣教士，都是今日"第三世界"遍地开花的巨大力量的主要推动者。

以中国为例，两位近代伟大领袖孙中山和蒋介石都是基督徒，邓小平的"四个现代化"观点是受当初西方宣教运动的影响，宣教士在中国各省广设大学、推动教育等等类似的善工，不胜枚举。

但是，随着西方的基地动摇，东方福音力量崛起（如同前几个时代的模式），那么我们只能借用道森对维京人侵略的评论：这不会是"异教的胜利"。西方的坠落部分原因在于信仰的退化，另一部分原因则是，非西方世界的异教力量在与基督教信仰初次接触之后得到了刺激和增强。这可能是对西方世界最严厉的惩罚。试想，西方在宣教上的支出远远赶不上化妆品的花费，最近的估算，人们花在化妆品的金额超过十倍之多！

从世俗甚至民族主义的眼光来看，未来西方可能要经历一段非常黑暗的时期；西方基督徒对自己的国家所怀抱的希望和理想，很难实现。但是如果我们以史为镜，就会明白这段时期一定会是黎明前的

黑暗。整个西方世界现有的政治形式可能会彻底改变，甚至无法确定我们的国家是否能继续存在。但是，从过去的经验来看，我们有充分的理由相信，基督教和圣经信仰还是会以某种形式继续存在。我们已经可以计算出，在二十世纪，西方人在世界人口中的比例从18%下降到了8%。然而，我们也不能就此悲观。罗马的阵痛之后迎来的是未开化民族的得救；未开化民族的阵痛之后迎来的是维京人的得救。因此，在西方世界的阵痛之后，我们只能祈祷捆绑数千民族的撒但权势完全溃败，让长久"住在黑暗中"的人们"看见大光"（太4:16）。况且，我们知道，无论过去还是现在，永活的神一直都在掌管着。

如果西方人坚持死守祝福，不与其他民族分享，那么他们可能将和此前的国家一样（例如以色列和罗马），会被迫"失去"祝福，好让其他民族得享祝福。在过去四千年里，神的计划从未改变过；如果西方人不是一心只想着怎样把神的祝福据为己有，而是竭力与别人分享这奇妙的祝福，让"地上的万族，都必因你得福"（创12:3），那该多好啊！分享祝福是西方人可以保留神祝福的唯一方式！神国的扩张不会止步于西方人，但可能撇下他们。"这天国的福音要传遍天下，向万民作见证，然后结局才来到。"（太24:14）如果西方人裹足不前，神能够兴起别的民族。事实上，本书的其他篇章充分显示，这种情形已经出现了。

附注

1. 乐马可（Mark A. Noll），《转折点——基督教会历史里程碑》（*Turning Points, Decisive Moments in the History of Christianity*），美国中信，2002年。
2. 克里斯托弗·道森（Christopher Dawson），《宗教与西方文化的兴起》（*Religion and the Rise of Western Culture*），四川人民出版社，1989年。

研习问题

1. 请阐释这个论点："神赐予祝福带有重大的责任，如果不承担责任，结局会很危险。"
2. 请解释更正教改革背后的文化和社会因素。
3. 温德认为历史是一个"连贯一体的戏剧"。那么"剧情"的概要是什么？以什么主题重复出现？要我们吸取哪些主要教训？

第37章　宣教策略史

皮尔斯・比弗（R. Pierce Beaver）

作者是芝加哥大学荣休教授，擅长美国宣教史，并担任纽约宣教研究图书馆主任达十五年。著书有 *All Loves Excelling*，描述美国女性投身普世宣教的肇始与行动等。本文摘自 *Southwestern Journal of Theology*, Volume XII, Spring 1970, No. 2。版权使用已蒙允许。

在更正教普世宣教兴起之前，宣教活动已历时十五个世纪。本文拟简述更正教参与宣教之前的宣教策略，继而扼要地追溯更正教宣教策略的发展历程。因篇幅有限，笔者只好略过罗马天主教的现代宣教情况，实感遗憾。

波尼法修

若论成熟完善的宣教策略，头一个当属第八世纪波尼法修（Boniface）由英格兰向欧洲大陆宣教时所采用的策略。波尼法修向日尔曼异教徒讲道，用的是与日尔曼语极为相近的语言，务使他们明白所听之道。他宣教的方式很强势：蔑视异教神明、毁其庙宇、伐其圣树，甚至在异教徒视为神圣的地方建起教堂；但他却引领许多异教徒归信基督，并且教他们文化知识，提升文明礼教。波尼法修创办了多所修道院，里面不仅开设文化课程，还教授农业、畜牧及家庭手工业方面的知识和技能，从而使社会安定、教会稳固，基督徒也得到精心的属灵培育。波尼法修还把英格兰修女带过来，在文化和手工艺教育机构中担任同工；妇女因此正式积极加入到宣教事工的行列，这还是开天辟地头一回！神职人员和修士则从当地的信徒中招募。波尼法修向英格兰"母会"报告当地事工的情况及需求，共同商讨事工对策；英格兰的主教、修士和修女则为波尼法修提供人力、资金以及补给，并用代祷坚固宣教事工。

可惜，这项真正差传意义的宣教后因英格兰遭到侵略，国民备受摧残而不复存在。欧洲大陆上的宣教变得像是帝国扩张的一种手段，政治首脑和教会领袖利用宣教来实现其扩张疆域的野心，诸如拜占庭皇帝、教皇、法兰克诸王及接续他们的日尔曼王等。结果，斯堪的纳维亚的诸王纷纷驱逐来自欧洲大陆的宣教士，改用归顺本国或无政治瓜葛的英格兰宣教士向其臣民传讲福音。

十字军东征

我们实在是难以把欧洲人对穆斯林发起的连年战役（即十字军东征）看为一种有效的宣教方式。时至今日，在穆斯林中开展宣教工作仍然难比登天，皆因十字军东征在伊斯兰世界所留下的那份不可磨灭的仇恨。

但即便在十字军东征期间，方济仍凭着爱心向埃及的伊斯兰君主宣讲福音，形成一股传讲爱心与和平的宣教力量。方济会伟大的领袖雷蒙德·卢勒（Ramond Lull），毅然舍弃自己在阿拉贡王室的尊贵身分，甘作"爱的傻子"，奉献一生向穆斯林宣教。他每每借辩论真道，以理服人，引人归主。为此，他特别撰写了《论真理》（Ars Magna）一书，针对穆斯林和异教徒提出的疑问和反对意见——以令人信服的解答回应。他还发明了一种逻辑计算器，只要输入各种不同的因素，正确答案就会出现。早在殉道前的数十年，他就不断恳求教皇和国王开设学校，教授阿拉伯语和其他语言，并且培训宣教士。他力主向海外差派宣教士，提出许多相关的想法和建议，供教皇和国王考虑。

殖民扩张

十六世纪至十八世纪，随着葡萄牙、西班牙以及法兰西三大帝国的扩张，基督教成为一个世界性的宗教。当教皇把已经拥有或准备"发现"的非基督教地土划分给西、葡帝国之时，也把向当地居民传福音、建立和管理教会的职责，一并交给了两国的君王，宣教就此成为政府所辖管。

葡萄牙人建立的贸易帝国，除巴西以外，直接控制的领地很少。他们压制各种民族性的信仰，赶走对立的上级阶层，建立一个由葡萄牙人混血的后代和社会底层悔改归主的人组成的基督徒社群。

西班牙则企图按照自己的模式移植基督教和文明。他们残酷无情地对待当地民族，以致加勒比印第安人大量死亡、几近灭绝。巴多罗买·卡萨斯（Bartholome de las Casas）等宣教士挺身而出，英勇地为余剩的印第安人争取权利。自那时起，宣教士在保护原住民，反抗白人和殖民政府的剥削等方面，一直扮演重要角色；他们锲而不舍的努力，连续废除了奴隶制和强制性的洗礼，致力教化和保护印第安人。

宣教团先是在开拓的地区设立一个宣教中心站，聚集成一个小镇，印第安基督徒长居其中。通常有一小队士兵负责保护宣教士和印第安人，中心站四周再拓展出去若干宣教站，和小镇比邻聚居。印第安人在教会的宗教习俗方面有神父教导和监督，积极参与辅祭、唱诗和演奏等事奉。民间节日也基督教化，并且引入了基督教爱筵和禁食活动。在宣教士的悉心督导下，印第安人的官员也在许多方面发挥领头作用。又有人向印第安人传授畜牧和农业等方面的知识和技术，农牧场得到开发。

就这样，加勒比印第安人得以代代延续，接受文明和基督信仰，不似日后美国的印第安人惨遭赶杀。

可惜的是，殖民政府虽承认宣教团对教化印第安人有功，却也把宣教团"世俗化"了——用素质低劣的教区神职人员来取代这些宣教士，而且人手不足；又由政府官员进驻小镇充任治理者，这些人没有宣教士对原住民的爱心，往往把土地分给西班牙殖民者。渐渐地，印第安人便落到片土不存、出卖劳力度日的地步。

法国人在加拿大殖民地的政策，则与西班牙大相迳庭，他们只把一小片殖民地定为贸易基地和防御英国人的据点。法国人极少干扰印第安人的文化，因为他们要的只是动物毛皮和森林出产；因此，宣教士必须制订出与这一政策相应的策略。于是，他们进入印第安人的村落，和当地土著同吃同住，努力适应当地的各种环境。宣教士给印第安人讲道、教导，为他们施洗，并主持教会礼仪，而且允许印第安人在信主之后，仍然作一个道地的印第安人，于殖民地的边界建立城镇安居，镇上有教堂和学校，但他们大部分只在此短暂居留。

法国人也在地球另一端，日后成为法属印度支那（今日的越南）的地区活动，不过这个地区成为法国殖民地的时间要晚得多。亚历山大·罗德（Alexander de Rhodes）制订了一套全新的福音策略。这样做有其必要，因为法国的宣教士在这个地区，长期遭受迫害和驱逐，要把福音传出去，只能借助当地人；于是，罗德成立了一个当地人平信徒传道会，按照规章制度进行管理，此举大获成功，赢得了数以千计的人归主。受此经验的鼓舞，罗德和同工们创立了巴黎外方传教会（Foreign Mission Society of Paris），制订政策招募本地人作教区神职人员，接受培训成为当地传播福音和牧养教会的主要力量。这个政策非常成功。

十七世纪的宣教战略家

随着基督信仰的广传，第一批现代宣教理论家在十七世纪兴起，其中有何塞·阿科斯塔（Jose de Acosta）、潘国光（Brancati）和汤玛斯·耶瑟（Thomas a Jesu）。他们撰写宣教原则和践行指南，阐述宣教士必备的条件、与当地人合作的方法等等。1622年，圣信传道会（Sacred Congregation for the Propagation）在罗马成立，旨在指导罗马天主教各宣教团的工作，还开设了宣教士培训学校。

耶稣会士是这一时期勇于创新的巨匠。他们来自多个国家，借由葡萄牙的管道前往东方，但拒不接受葡萄牙提出的各项限制条件。他们仿效当地的文化形式和风俗，采取适应地方文化的宣教方法，堪称本土化宣教的现代先锋。

耶稣会士的创新之举首先在日本推行。在那里，宣教士穿和服、住日式房子、遵守当地的风俗习惯和社交礼节，但没有采用神道教和佛教用语、概念、形式和仪式来传福音和建造教会。他们用日语来大量创作基督徒读物，在归信基督的日本信徒开设的印刷厂出版发行。日本的执事和教师在传道和教导工作中担任主力，其中一些人后来成为神职人员，很快便形成了一个庞大的基督徒社群。十七世纪的日本，幕府因惧怕外国势力入侵而闭关锁国，迫害基督徒，数千基督徒为主殉道。基督教转战地下，信徒恒久忍耐，直至两个世纪后日本再次向西方开放。

第二次则是在印度南部的马杜赖，但这次的创新更为大胆。德诺贝理（Robert de Nobili）认为，基督教若想在印度获得

> ## 建立了完全基督化的"祈祷的印第安人"城镇，……基督教化和教化文明工作同时进行，二者难分彼此。

成功，就必须赢取婆罗门种姓。因此，他不仅把自己打扮成印度教上师的模样，还遵循婆罗门种姓的法律和习俗，甚至学习梵文，成了一名基督徒婆罗门。德诺贝理对印度教哲学的主要流派作过一番研究，他尽可能用印度教术语来阐述基督教的教义。为主赢得众多婆罗门的传道者寥若晨星，德诺贝理便是其中一位。

耶稣会士在探讨文化适应方面，做的最为出色的要数在中国的工作了。利玛窦（Matteo Ricci）制定了向中国宣教的策略，其继任者汤若望（Schall）和南怀仁（Verbiest）加以发扬光大。与在日本宣教的同工一样，宣教士按照中国人的方式生活，汲取中国文化的精髓；不同的是，在中国他们更进一步，逐渐用孔孟之道来介绍基督教的原则和教义，允许中国的信徒祭祖和参加国家的一些典礼仪式。在他们看来，这些都是社交和民事活动，并无宗教特性。宣教士中有数学家、天文学家、地图绘制者，还有各个科学领域的专家，这些身分为他们赢得了惊人的影响力。他们将西学引入中国，结交社会名流，寻找契机与人分享福音，并且在朝廷中担任各种不同的职位。所有这一切都服务于一个目的——为福音开路。这种策略大获成功，一个规模不小的基督徒社群应运而生，其中不乏身居高位的要人。

但其他修会的宣教士可欣赏不了任何非欧式的东西，还是固守传统的天主教术语和做法。出于民族主义和修会之间的妒意，他们不仅抨击耶稣会士，还向罗马教廷提起控告。最后教廷裁定反对耶稣会士的宣教原则，明令禁止耶稣会的做法，还要求往东方宣教的传教士均须立誓遵从这一裁定。中国的基督徒被严令禁止祭祖敬孔。自那时起，中国人要想成为基督徒，就无法作个道地的中国人。基督教被视为伤及孝道之根本，而中国又恰恰是一个"百善孝为先"的国家。两个世纪后，这项宣誓得以废除，祭祖敬孔等仪式经改良也得到了许可。耶稣会士输掉了当年那一仗，最终却赢得整场战争。今天，几乎各教会的宣教士都已认识到因地制宜或本土化的必要性。

新英格兰清教徒：向美洲印第安人宣教

更正教开始参与普世宣教是始于十七世纪初叶，由荷兰东印度公司麾下的神职人员开展传道工作，另有新英格兰宣教团向美洲印第安人宣教。然而宣教只是以商业为主的荷兰东印度公司的一个部门，虽然其随行牧师很多都是名副其实的宣教士；不过，他们对日后宣教策略方面贡献有限。真正为日后宣教事工带来灵感和可供参考模式的，是向美洲印第安人宣教的清教徒宣教团。清教徒宣教士的目标清晰：努力地向美洲印第安人宣讲福音，使其归信基督，个人领受救恩后聚集在教会接受门徒培训。他们的目标明确：把印第安人打造成与英格兰公理会清教徒同质同类的人，依照英国模式来生活的印第安人。

他们的头一项策略是传福音，讲道为主、教导为辅。汤玛斯·梅休（Thomas Mayhew Jr.）在当时独树一帜，他在马撒葡萄园岛的事工开展得如日中天，只不过他的传道特点强调一对一和个人化，相对比较缓慢。当时，多数宣教士还是效法约翰·艾略特（John Eliot），先在公共场所布道；他们的讲道如同针一般刺痛英格兰会众，讲述颇为沉重的教义，强调神的忿怒和地狱之苦。但大卫·布雷纳德（David Brainerd）则别具一格，他像莫拉维亚弟兄会那样，着重宣讲神的慈爱而不是神的忿怒。他的讲道使人痛悔归主，极有成效。

第二项策略是集中印第安信徒形成教会。但是，第一批教会一直到新信徒通过了长年的考察后才告成立。到了对印第安人宣教的第二阶段，情况就大不相同了；因为不再要求上述考察过程，教会也就迅速建立起来。这样，在教会成立前后，都有人指教和管理印第安信徒的信仰生活。

第三项策略的重点是建立基督城镇。艾略特和同工们深信，这些信徒要脱离其异教徒亲戚及白人破坏分子的不良影响，分离及隔绝对于灵命长进是必要的。于是，宣教士们建立了完全基督化的"祈祷的印第安人"（Praying Indians）城镇，使初信者在宣教士、印第安牧师和教师悉心培育、严格的管教之下共同生活；如此就能保证他们过上如科滕·马瑟（Cotton Mather）所称"更为得体的英格兰式生活"，对印第安信徒的基督教化和教化文

明工作同时进行，二者难分彼此。艾略特依据圣经中出埃及记十八章的行政模式，由麻萨诸塞殖民地常设法院分给他们土地并建造教堂和学校，且在1658年任命英格兰行政长官来治理这些城镇。印第安信徒们在这些城镇中共同生活，谨守与主的盟约，他们的个人和社群生活都接受有基督信仰特色的法律规范。

1674年，大多数"祈祷的印第安人"城镇，没能逃过菲利浦王之战所带来的灭顶之灾；然而，1734年，约翰·萨金特（John Sergeant）成立斯托克布里奇宣教团（Stockbridge Mission）的时候，"特别基督徒城镇"的策略东山再起。不过，斯托克布里奇镇不似早期城镇那样封闭，居民经常穿梭于小镇和森林之间，甚至到外地；所以，斯托克布里奇的基督徒能够在亲朋好友中传扬福音。

早期基督徒城镇居民的灵命究竟达到了何等程度，我们不得而知；但由于与世隔绝，他们在福音方面对未信的印第安人没有产生丝毫的影响。整个十九世纪以及廿世纪初期，给非洲和群岛落后民族传福音的宣教士，脑中始终萦绕着一个想法——归信者要聚集于独立的基督徒村落中，以保持其信仰和行为之纯洁性。这种想法通常造成一个结果，即归信者与族人疏离，继而产生一个既非本乡本土又非欧洲化的"混种"社会，拦阻了福音的传播。因为，远离尘世的人是无法传递信仰的。

艾略特所著的《印第安人教理问答》（Indian Catechism），是第一本美洲印第安语出版物，英语和美洲印第安语两种语言并用。用英语，是为了让印第安人适应

白人社会；用印第安本族语，则是为了帮助他们传递基督的真理。艾略特还编制了这两种语言的课本，在查经和讲授教义的同时，让印第安人能同时学习阅读、写作和简单的算术。农业知识和家庭手工亦有传授，使印第安人得享安定文明的生活。在宣教的第二个世纪，基于策略考虑，约翰·萨金特推行了寄宿学校制，使年轻人完全脱离原有的生活，在新的生活环境中茁壮成长。这种制度亦成为十九世纪宣教的主要策略。

新英格兰清教徒值得称道的一点是，他们从不怀疑福音转变人心的大能，也从不质疑印第安人内在的潜力。他们期望，至少有一些印第安人能达到英格兰人那样的水准，于是把一些突出的印第安青年送到波士顿拉丁文法学校就读，还有一些送去哈佛大学的印第安学院。

为了让印地安人接受敬拜以及灵命栽培等方面的教育，极需要各种以本地语言书写的主题读物。为此，艾略特编写了麻萨诸塞语圣经，又设立图书馆摆放这些材料，后来，他的同工又扩充了这项事工。

对于新英格兰整体宣教策略来说，招募和培训本地教牧人员至关重要。宣教士及其支持者均已意识到，只有当地的福音使者，才能有效地教导和牧养他们的同胞。可惜由于白人持续不断地压迫，印第安基督徒城镇的数量逐渐减少，后继教牧人员的数目也每况愈下，最终化为乌有。

十七、十八世纪对印第安人的宣教，或许产生了两个经久不衰的影响。首先，艾略特和布雷纳德的生命激励了很多人日后走上宣教的道路。其次，他们为更正教伟大的海外宣教事业在初期的战略计划，

提供了思路——用多种多样的形式传道，诸如讲道、植堂、建立欧式教会、推动认识欧洲文明的教育、翻译圣经、创作文学作品、使用本地语言，以及招募和培训本地教牧人员。

丹麦哈勒差会

美洲本土印第安人的宣教事工，虽然一直是由英格兰和苏格兰所组织的宣教团支援，但宣教士却不是从不列颠差派出去的。欧洲第一个向外差遣宣教士的宣教机构，是丹麦哈勒差会（The Danish-Halle Mission）。自1705年起，丹麦国王便将德国路德会的宣教士遣往其在印度东南海岸的特兰奎巴殖民地。宣教领袖的先驱巴多罗买·齐根巴里（Bartholomew Ziegenbalg）制定了一系列宣教策略，后来在宣教士中代代相传。就某些方面来说，他的策略已经远远超越了他所处的时代：他十分重视敬拜、讲道、教育、翻译事工，及以本地语言创作基督教文学作品；他是以泰米尔抒情诗敬拜的第一人，他也认识到印度教哲学和宗教对于传道和教会成长之重要性，首开学习这些知识之先河；他还将医疗事工纳入宣教中。可惜的是，这些宣教策略和方式却遭到远在德国的教会领袖的反对。

继齐根巴里之后，最著名的哈勒宣教士是在英属印度南部地区服事的克理斯提安·施瓦茨（Christian F. Schwartz）。他对印度各教的信徒以及来自欧洲多国的军人或百姓都极有感召力，影响之大令人瞩目，他的宣教方法独特而灵活。尽管从表面来看，施瓦茨仍是一个欧洲人，但他实

际上却成了一个受众人爱戴和信任的心灵导师；不同宗教、种姓、社会阶层的印度人，都成了他的门徒，聚集在他周围。在因地制宜适应当地文化方面，施瓦茨的成就极为显著。

莫拉维亚弟兄会

十八世纪最具特色的宣教策略，当属莫拉维亚教会（Moravian）在亲岑多夫伯爵（Count Zinzendorf）和施邦根贝格主教（Bishop Spangenberg）带领之下所制订的策略。自1734年开始，莫拉维亚弟兄会便注意到将宣教士差往被人遗忘的底层群体。这些宣教士要自食其力开展事工，基于这一"自养"（self-supporting）思想，一些行业和工商业应运而生，不仅提供了事工需要的资金，也使宣教士得以与其工作领域的人建立密切的联系。虽然，这样"自力供应"的宣教方式在美洲印第安人中无法实施，但随之兴建了一些以手工艺和工业为主的集居地，所得利润都用于支持事工（宾州的伯利恒和北卡罗莱纳州的撒冷便是其中两处）。

莫拉维亚宣教士奉命，不得将"赫仁护特规章"（Herrnhut Yardstick，"赫仁护特"意为主的守望台）加诸于其他民族。他们看重神赋予这些民族的特质、特点和长处；视自己为圣灵的帮手，作佳音信使、传道者、讲道者，不强调繁复的神学教义，而以讲述简单易懂的福音故事为主。等神的时候到了，圣灵自会将大批归信者带入教会；在其间，宣教士的任务只是采收初熟的果子；若是某一地区的人们对福音没有回应，宣教士就当前往别处。

事实上，莫拉维亚的宣教士只在受到迫害和遭到驱逐的情况下，才会离开当地；他们极能忍耐，绝不轻易放弃。

更正教宣教的伟大世纪

十九世纪初，伟大的更正教海外宣教大业诞生了。它的雏形首先在英国出现，由1792年威廉·克里（William Carey）创立浸信会差会发轫。美国的宣教组织始于1787年，当时产生了二十几个差会，每个差会都参与到普世宣教。但是，西部拓疆和对印第安人的宣教耗尽了他们所有的资源。最终，1810年，一场借着美国公理会国外布道会（ABCFM，简称"美部会"）的成立而掀起的学生宣教浪潮打破僵局，开启了海外宣教的大业。随后，美国浸信会海外宣教总会于1814年组成"三年会议"。海外宣教联合差会也于1816年宣告成立。

这些新兴的差会沿用美洲印第安人宣教会与丹麦哈勒宣教差会的策略和方法，开启了宣教事工。多年来，差会总部的主管一直深信自己更清楚如何开展宣教，因而在每一个宣教士启航之时也都详加指教；约莫过了半个世纪，他们才发现，策略和政策最好是由工场里有经验的宣教士制定，然后由国内的委员会认可。

欧洲宣教士强调把"文明教化"作为目标，哪怕是在印度和中国这样有着高度发达文化的国家服事，也如同在落后地区宣教一样；在他们眼中，当地邪恶迷信的文化是基督教化的一个障碍。在头几十年，从未有宣教士质疑差会之开化功能的合理性，他们唯一争议的是"基督教化"

和 "文明化" 孰先孰后的问题。有人认为，要想使当地人理解和接受基督信仰，他们必先达到一定程度的文明；也有人主张从基督教化开始，因为福音有教化社会之效。多数宣教士则认为，二者相辅相成，应齐头并进。

印度迅速成为西方差会最关注的地区，在印度摸索出来的方法和策略，也被其他地区纷纷仿效。在这个时期，浸信会 "塞兰坡三杰" （Serampore Trio）——克里、马士曼（Marshman）和沃德（Ward）的影响尤为突出。克里尽管致力于个人的归信，同时也推动教会的成长，使之能够独立自主，有识字且勤读圣经的平信徒全力支持，并由受过良好教育的本地牧师管理和牧养。

克里并不满足于只创办几所小学，他又兴办了一所学院。丹麦国王赐他开办大学的特许状。有了这个特许状，他甚至可以颁发神学学位。他在塞兰坡还开办了供印度人和外国人的子女就读的学校。圣经翻译和出版涉及的范围相当广泛，印度本地语言、连汉语读物都在其列，确立了此类事工在所有更正教宣教中的领先地位。

塞兰坡三杰也非常看重宣教策略和行动的研究。他们出版了宣教士必学的语言学材料，并在印度教研究方面居于领先地位，还致力于借助福音的影响改变社会。他们成为一股强大的社会变革力量，使印度教徒对一些错误的习俗有了开明的观点，并向殖民政府施压，废除了寡妇自焚殉夫、庙妓以及其他不人道的习俗。克里引进现代报业，出版孟加拉和英语的报刊杂志，促进了孟加拉文学的复兴。塞兰坡的宣教工作涉及范围之广超出人们的想像。

同一时期在印度事奉的还有苏格兰人亚历山大·达夫（Alexander Duff）。达夫和德诺贝理持相同的观点，认为只有先将婆罗门种姓争取过来，才能赢得印度广大的民众归主；他开设英文高等教育课程，赢取婆罗门青年人。该课程大受欢迎，但这种尝试绝大多数偏重在英语院校的发展上；这类学校产生的信徒极少，不过对教会的财政状况倒是有帮助。学校为当地的行政部门和公司企业培养了英语人才，也为殖民地当局所乐见；然而，此类教学机构很快就耗尽了差会大部分的资源。

这个时期还出现了一个无心插柳的情况：衣食无着的归信者们集聚一处，依赖宣教士过活，聚集的人多了，竟然形成了几个庞大的中央宣教站。究其原因，归信者若不是和所属社群的人一起成为基督徒，往往就被赶出家门，丢掉工作。为了照顾他们的生计，宣教士就安排他们作仆人、教师或传道人。原本是信徒义务性的工作，如今却要付钱让他们来做，教会变得过度职业化。这种不当的做法也传到其他地区的差会。在这类设有中央教堂、学校、医院，往往还有印刷出版刊物的庞大宣教站，宣教士不但要牧养群羊，还要兼顾整个社群的治理。本地牧师在这种体系中毫无用武之地，这与克里的设想恰恰相反。而在村庄方圆八十公里的地方（内陆地区则更远）仅有几个布道点而已，就连有组织的教会都没有。

这种情形在 1854 年至 1855 年间鲁弗斯·安德森（Rufus Anderson）奉差前往印度和锡兰后才改善。安德森敦促美部会的宣教士，解散庞大的中央宣教站，组建村庄教会，并且任命当地人为牧师。他规定教育应以本地语言为主，英语教育当属特例。

十九世纪的宣教战略家

亨利·维恩（Henry Venn）和安德森是十九世纪两位最杰出的宣教理论家和战略家，同时也是两家规模最大的差会的主管。前者是英行会总干事，后者则是美部会海外部主任。两人的宣教策略分别主导英美两国的宣教事工达半个多世纪。他们不约而同地摸索出几乎相同的基本原则，在后期二者更是相互影响；共同确立了著名的"三自模式"（Three-Self Formula），亦即教会宣教的目标就是建立和促成自治、自养、自传的教会。后来成为更正教差会在十九世纪中叶至二战前，公认的策略目标。

安德森是公理会信徒，维恩是圣公会信徒，但这两位来自不同基督教宗派的人，都想采取自下而上的方式，建立地区教会。维恩认为，唯有当地区教会有了充足的本地神职人员，且有能力支持自身发展的时候，才任命一位主教；安德森反对把"文明教化"作为宣教的重点以及企图快速改革社会的想法。他认为，福音会似面酵一般逐渐影响一个国家，最终带来社会的转变。在新约中，使徒保罗并没有将社会改良作为其事工之重点，安德森的策略就是以此为基础。

在安德森看来，宣教士的任务就是宣讲福音，招聚信徒组成教会。宣教士永远都应当是布道者，绝不应成为牧师或管理者。若有人真心悔改归主，就要立即组织他们形成教会，不必等到他们灵命达到西方基督化社会所期望的水准。这些教会应由当地牧师带领，并形成各自地方性和区域性的组织；宣教士，只是给牧师和会众提供建议以及灵命方面的指导。

安德森和维恩都曾这样教导：当教会运转良好稳定，宣教士就应去"更远的地区"，再开始新的布道工作。建立教会的核心目的是让这些教会自发地向当地居民传福音，同时差派宣教士向其他族群宣教；如此，宣教就会衍生宣教。在安德森看来，以本地语言进行的教育只有一个目标，就是服事教会，提高平信徒的素质，以及充分训练传道同工。所有形式的宣教事工都应当只为布道和造就教会。

英国的差会不赞成安德森关于本地语言教育的观点，美国的差会则采纳了安德森的宣教策略，大致维持了一个多世纪。然而，在安德森时代之后，这些差会相较从前更为重视以英语授课的中高等教育。这一转变的部分原因是，美国人深受社会达尔文主义的影响，相信社会之进步不可避免；结果，原有的末世论思想被"神的国度将透过基督教机构（如学校）的影响而降临"的观念所取代。此外，在十九世纪末，另一套伟大的策略目标加入到"三自模式"中，即运用基督教原则以及基督徒的服务精神而使社会发生更新转变。兴办高等院校对于实现这一目标就十分重要。

长老会差派到中国山东省宣教的约翰·内维厄斯（John L. Nevius），设计了一套策略赋予平信徒更多的责任，有点像是安德森策略的改良版。他主张平信徒在社会上找一份工作，同时自愿传扬福音不受薪；约翰·内维厄斯还结合"勤读经、

> 安德森和维恩确立了著名的"三自模式"，为更正教设立明确的宣教目标，就是建立自治、自养、自传的教会。

财务严谨和自愿服事"的观点，建立一种简单灵活的教会体制。他在中国的同工没有采纳这个提议，但朝鲜的宣教士采用后，获得了惊人的成功。

殖民主义思想

尽管更正教差会公开宣布坚持安德森和维恩模式，但他们的思想心态却在十九世纪末的廿五年间发生了急剧的转变，策略亦随之更改。例如，维恩在任的时候，西非的英国差会确立了两个目标：一，创立一间独立的、有自己的神职人员的教会，向非洲内陆传福音。二，培养非洲社会精英，即知识分子和中产阶级，支持教会及其宣教工作。可是维恩刚一卸任，差会的主管和一线工场的宣教士就一面倒地转向殖民主义思想，认为非洲人素质低下，无教牧之能，需由欧洲人担任牧师之职，非洲的中产阶级和知识分子受到鄙视。这种殖民主义思想，是当时日益盛行的"白人的累赘"理论在教会里的变种，把本土教会降格为外国教会的殖民地。

十九世纪八〇年代，类似的情况也出现在印度。美国和其他西方人受英国人的感染，产生了这种殖民主义思想。德国差会在杰出的策略家古斯塔夫·万爱克（Gustav Warneck）教授的指引下，也致力于建立本地教会。但这些教会在自身发展成熟前，一直受宣教士的束缚。

这种视当地教会为幼子的家长作风，遏制了当地教会的发展；在十九世纪末和二十世纪初，差会都持这种家长作风和殖民主义思想。这种令人遗憾的局面一直持续到1910年，爱丁堡世界宣教大会进行的一项研究调查报告，骤然摧毁了这种沾沾自喜的思想和惯性。研究报告强调，本土教会在西方差会家长式的主导下，显得焦躁不宁，其实它足以担当自主的大任。这次会议成为西方与本土教会权力转移的重要契机；几乎所有差会都表示支持这一目标，至少表面上是如此。

传道、教育和医疗

总之，在1910年爱丁堡会议前，十九世纪宣教策略的目标集中于个人归主、建立教会、转变社会。其行动主要有三种形式：布道、教育和医疗事工；布道包括各种形式的宣讲、组建和栽培教会、圣经翻译、发行圣经，以及出版创作其他基督徒读物。

在教育领域，中等职业学校普遍停办，文理科学术教育得到大力支持。到十九世纪末，亚洲已经拥有一个庞大的教育体系，涵盖幼稚园和大学，其中不乏医学和神学院校；但非洲的中高等教育，却没有得到重视。

首批差往海外的医生主要照顾宣教士家庭的健康，但他们很快便发现，医疗服务使当地人心生好感，为传福音带来好机会；因此，医疗服务成为宣教事工的一个主要分支。不过直到二十世纪中叶，宣教士才意识到，以基督之名开展的健康服务本身就是一种传扬福音的方式，且是一种令人印象深刻的方式。出于善意，也本着同样的助人精神和为教会创造经济收入的愿望，宣教士引进良种家禽和牲畜、上等的种子和农作物新品种。山东的果园业就是以这种方式开始的。

针对其他宗教的宣教策略则是激进的，想方设法要将他们的信徒完全转化归向基督。这一激进的立场在十九世纪末渐趋缓和，宣教士慢慢开始领悟和感谢神在其他信仰中的作为。到1910年，很多人视其他宗教为"残缺的光"，必在基督里成为完全，是通往福音的桥梁。

碍于东方（尤指中国和日本）的风俗习惯，男性宣教士几乎不可能接触到大群的妇女和儿童。于是，宣教士的妻子设法为女童开办学校，并设法进入家庭和闺房；但她们家务缠身，还要照顾儿女，能够抽出的空闲时间也不多。故此，任何针对当地的妇女和儿童的宣教策略若要切实可行，就必须提供足够的宣教资源。但差会十分顽固，不肯差派单身女性；在1860年代，妇女最终在绝望之余开始成立自己的差会，向海外差派单身女宣教士。一个全新的领域就这样加入到宣教策略中，从此便有了给妇孺传福音、教育女童和为妇女提供充分医疗服务的宣教大业。

当妇女进入教会的时候，她们的儿女也跟着来到。事实证明，女性教育是解放妇女和提升妇女社会地位最有效的力量。女宣教士对医疗事工的重视，促使差会普遍提升了医疗事工的地位，也更注重兴办医疗教育。美国的女宣教士身先士卒，在这些方面付出了极大的努力，英国和欧洲的女宣教士紧随其后；从此，东方妇女便有机会从事受人尊敬的医生、护士和教师等行业。

相让合作

十九世纪宣教策略还有一个特色不可不提，那就是相让之举（comity）——各个组织机构为了全体的益处通力合作；美南浸信会是提倡并践行相让的宗派之一。善用人力和资金向来是众差会优先考虑的，人皆痛恨浪费，切盼物尽其用、人尽其才。

相让之举旨在使每一片土地、每一个族群都有一些宣教机构来承担传播福音的责任，同时也避免多个差会在同一地区重复工作（大城市除外）。若宣教机构在策略上相互协调，就可避免重迭、排除争竞，也不会因为教派差异使人产生误解而阻碍福音传播。"先到先传"的原则得到公认，后来者则转往未开拓之地。在这一惯例下可能会产生"地理宗派主义"；然而，在宣教士移步"更远地区"时，这种情形应当会有所改变。届时，本地同工会将几处宣教点整合成一个本国教会，与先前建立的教会不同。

各宣教团体一致同意承认彼此同为基督教会的肢体，并在洗礼、信徒转会、教会纪律、薪俸以及本国同工调动问题上达成共识，促进了众团体进一步合作；建立地区性和全国性的仲裁委员会，调解差会之间的纠纷，实现一些共同目标。这些目标包括：统筹和合本圣经翻译计划、出版

> **事实证明，女性教育是解放妇女和提升妇女社会地位最有效的力量。**

机构以及中高等院校、师范学校和医学校的开办。有效的策略带出更密切的合作，更有效地实现目标。几乎每个国家都召开过宣教大会，有城市、地区性质的，也有全国范围的。这些会议为宣教机构提供了畅所欲言和共商计划的机会。

磋商和会议

在宣教工场的合作进一步推动了各宣教机构总部之间的磋商、合作与计划。1910年爱丁堡世界宣教大会，开启了一系列大型会议的先河：1928年的耶路撒冷大会，1938年的马德拉斯（Madras）大会，1947年的惠特比（Whitby）大会，1952年的威灵根（Willingen）大会，以及1957年至1958年的加纳（Ghana）大会。

这些大会主要确定宣教策略的方向，由各国或地区的宣教机构进一步研究和讨论后再实施。1921年，国际宣教协会成立，将各国的宣教联会和基督教协会整合在一起。这样，便建立了一个全球性的体系，众多独立的宣教会在各个层面共同研究问题、制定对策。1961年，国际宣教协会成为普世基督教联盟（World Council of Church, WCC）普世宣教及布道的一个部门。

自1910年爱丁堡世界宣教大会至

一战期间，宣教策略最显著的发展是，将本地教会置于中心位置，赋予充分的独立性与自主权力，使西方教会和年轻的本地教会形成配搭关系。"本土教会"（the indigenous church）和"顺服伙伴"（partnership in obedience）这两个目标，表达了当时普遍采取的宣教策略之要旨。1928年耶路撒冷大会与会者给"本土教会"下了定义，强调了文化融合的重要性；1938年马德拉斯大会重申了这一定义，并强调要在"与该国的文化和宗教遗产直接、清晰和密切的关系中"见证基督；1947年惠特比大会则表示完全支持"顺服伙伴"这一目标。

二战以来

罗兰·艾伦（Roland Allen）在其所著的《宣教方法：保罗的模式还是我们的模式？》（*Missionary Methods: St. Paul's or Ours?*）和《教会的自发扩展》（*The Spontaneous Expansion of the Church*）两书中，根据保罗的宣教模式详细阐述了一个迥然不同的宣教策略。不过当时无人回应，一直到二战后才有信心差会的宣教士一致表示拥护他的立场。其策略从本质来说就是：宣教士要传播福音，并用简单易懂的方式向新信徒团体说明基督信仰、圣经、圣礼及宣教原则；然后像兄长一样，站在一旁向有需要的信徒提供建议。重要的是，让圣灵引领这间教会自治、自养，形成其自己的治理、教牧、敬拜以及生活形式。这样的教会必定会成为自发宣教的教会。

艾伦的理论适用于拓荒工作的**初级阶**

段，但较早进入的差会则主要与**已经建立起来的教会**来往，他们已有一套自己的宣教策略，极少开辟新的宣教工场。结果，工场上的宣教组织一个接一个的解散，各项资源交由当地教会处置，并指派宣教同工去指导教会。西方的差会几乎没有提出什么新的宣教策略，倒是发展了许多新的宣教方法，如农业宣教、乡村开发，在某些城市的工业领域开展事工，透过大众传媒传递资讯，开展有效的文字事工等。这就是三百多年来宣教事工最后一个阶段的情况。

现今的世界已不再是基督教国家和异教徒国家泾渭分明的格局了，也就不再可能由西方单方面向世界各地宣教。宣教基地几乎遍布天下，如今的基督教会和团体是全球性的，肩负起把基督的福音传给全世界的责任；采取全新的策略，展开新一轮普世宣教的大好时机已经来临。一战期间以及战后那场席卷非西方各国的大变革，显然已为更正教徒宣教的旧秩序划上了句号。

我们所处的是一个日新月异的世界，这就要求我们用新的眼光来看待宣教，要有新策略、新组织和新的方法。基督教会的中心任务永不结束，直到神的国度在万般荣耀中降临。了解宣教策略的历史，我们的祷告、研究、计划和尝试都将获益匪浅。

研习问题

1. 作者总结了宣教战略家的一些争议，如"基督教化"和"文明教化"孰先孰后的问题。请用现代术语如"更新转变"（transformation）、"处境化"（contextualization）以及"混合主义"（syncretism）来讨论这一问题。
2. 哪些策略最依赖殖民地政权的力量？哪些策略可以在较不依赖宣教士的情况下而取得最大的进展？

第38章　亚洲基督教
——面向冉冉升起的太阳

斯科特·桑吉思特（Scott W. Sunquist）

耶稣降生于亚洲，钉十字架受死是在亚洲，最早跟随祂的门徒也来自于亚洲西部，他们将主的福音向西向东传播。我们从使徒行传第二章可知，五旬节时来到耶路撒冷的朝圣者中，不少人来自于今天的伊朗、伊拉克和土耳其。随着基督教不断向东传播，福音走出了罗马帝国，进入与罗马势不两立的波斯帝国；迫于两大帝国之间敌对的局势，波斯基督徒发展出一套独具亚洲特色的敬拜形式、神学思想和惯常做法。不仅如此，他们还独力召开大公会议。

早期的亚洲基督徒大多来自于今天的叙利亚、伊拉克和伊朗。每当太阳冉冉升起之际，他们就会面朝东方侍立，敬拜神：张开双臂，模仿十字架的形状，以表对主复活之尊崇。这些波斯的基督徒深感自豪：神曾以星星指示东方的博士（即波斯的占星家），救主将降生在西亚；所以当婴孩耶稣还躺卧在马槽之时，最先来拜祂的就是波斯人。在他们的讲道中，诗篇般的抒情之美多于罗马书式的理论教导；当时，亚洲通用叙利亚语，而不是希腊语或拉丁语。公元一至四世纪，基督教在波斯帝国全地及其境外广传；惟独在亚洲，耶稣的跟随者才遭遇到一些根深蒂固的"世界性"大宗教。这些深入不同文化的宗教往往发展成为国教，诸如琐罗亚斯德教（祆教）、佛教、印度教和道教；因此，比之于在欧洲和非洲遇到的一些地方上的"民族性"小宗教，基督教在亚洲的传播所面临的挑战要大得多。

基督教在亚洲的推进经历了五个阶段。为了方便起见，我们根据相关的主要群体来确定这些阶段，即：波斯人推进期（头一千年）、方济会－蒙古人推进期（1206-1368年）、耶稣会推进期（1542-1773年）、更正教推进期（1706-1950年）与亚洲人推进期（1950年至今）。其中首末两阶段的进展最有成效。这当归功于亚洲基督徒尽心竭力针对本土亚洲人的跨文化宣教工作。不过，其间如果没有方济会、耶稣会和更正教徒的工作，近代亚洲宣教大业不可能扎根。亚洲基督教的发展受惠于早期巡回各地的亚洲修道士、其

作者现任匹兹堡神学院普世宣教和布道学的 W. Don McClure 教席教授。他曾在新加坡教学，且与戴尔·欧文（Dale Irvin）合著了 *History of the World Christian Movement*, Volumes I and II，并编辑了 *A Dictionary of Asian Christianity*。

时期一5最有成效

后的西方宣教士以及当今的东亚宣教士。

波斯推进期

　　起初亚洲基督教水陆并举，沿着各条贸易路线传播。其中的"陆"即"古丝绸之路"，一些最早的基督徒社群沿着印度南部的海岸线建立起来，先是在东南地区，后来在西南地区。根据相当可靠的传统说法，使徒多马曾前往印度，那里最早的基督徒社群就是他创建的；多马后来被一群狂热的印度教暴徒刺死。印度的基督教经历过早期的迫害考验，不过印度教徒对基督教的强烈抵制，加之印度种姓制度自身的因素，严重限制了基督徒在印度为主见证的机会。

　　早期泛亚贸易中广为使用的语言是叙利亚语，即耶稣的母语亚兰语中的一种方言。早期许多带职事奉的宣教士是具有犹太背景的商人，他们游历中亚，行至某处，在那里安顿下来，就把货物和弥赛亚的好消息一并带到那里。从帕提亚王朝（主前247至主后226年）到萨珊王朝（主后226至主后651年），波斯一直是罗马帝国的死敌。由于穿越敌线万分艰险，亚洲教会便独立于说拉丁语的罗马教会之外，自行发展；同时，与说希腊语的东正教会也疏于往来。因此，波斯基督徒就在尼西比斯（Nisibis）、摩苏尔（Mosul）或西流基－泰西封（Seleucia-Ctesiphon，今日的伊拉克）这类城市中的修道学校中研修。很多波斯基督徒在归主前信奉琐罗亚斯德教的二元论（Zoroastrian-dualism），故此在神学上对仪文的纯洁性、宇宙中的善恶之争以及造物主更感兴趣；波斯基督徒对宣教工作充满热忱，他们四处传讲福音、创办修道院、建立教会，足迹遍及中亚，远至中国。

　　主后635年，波斯修士阿罗本（Alopen）率队来唐朝的京城长安宣教。他们来得可谓是恰逢其时，因为当时唐朝初建，对西方各种思想观念十分开放。这些波斯修士（常被称作景教徒）便顺理成章受邀在皇宫附近的御用藏书楼中，翻译基督教的经典著作。立于主后781年，高达十英尺的《大秦景教流行中国碑》就是那个年代留存下来的一份公共文献；据碑文记载，当时中国各处都兴建了修道院和教堂，基督教初来乍到便广受欢迎。然而，基督教的兴衰总是与朝代的更迭紧密相连，这种情况在亚洲屡见不鲜；所以，随着唐朝日益

大秦景教流行中国碑部分碑文。 此碑旨在纪念主后635年景教进入中国，出土于西安府。

福音传播到亚洲所循的商路

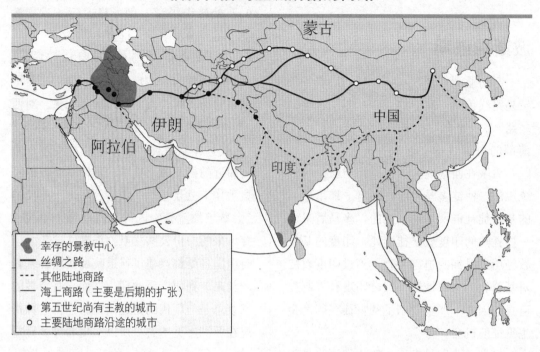

蒙古

伊朗

阿拉伯

中国

印度

- 幸存的景教中心
- —— 丝绸之路
- --- 其他陆地商路
- —— 海上商路（主要是后期的扩张）
- ● 第五世纪尚有主教的城市
- ○ 主要陆地商路沿途的城市

衰微，外来的宗教也就遭到了压迫，其中包括佛教和琐罗亚斯德教。最终佛教顺应变迁，在中国扎下根来，但基督教却承受了长达几个世纪的迫害，以至于当时西方大多数人完全忘记中国尚有基督徒存在。虽然基督教在这一地区幸存下来，但敬拜时沿用的叙利亚语却已让人不知所云。

而此时，波斯的大本营情况也大为不妙。在被阿拉伯穆斯林征服（约在主后650年）之初，基督徒尚有敬拜的自由；但接下来各样的限制接踵而至，他们不得建造和修缮教堂，也不得传讲福音，或与社群之外的人通婚。由于在生活、敬拜、旅行等方面的束缚不便，波斯向东方宣教的行动就此止息；虽然基督教还存在，但是与世隔绝、处处受制，发展严重滞后。

方济会与蒙古人的插曲

第二个推进期为时短暂，并延续了前一时期的主轴——王朝的统治改变基督教的发展方向。当时，中国人为蒙古人所征服，他们对所遇到的各种宗教毫无排斥之意。在成吉思汗和其孙忽必烈的率领下，蒙古人征服了东起高丽西至波兰的疆域，吸收了其中各国的文化。教皇英诺森四世于1245年曾经差派方济小兄弟会柏朗嘉宾（John of Carpini）前往蒙古，此举与其说是要蒙古人归信基督，不如说是想安抚他们，好图个天下太平。1246年，柏朗嘉宾持教皇的信函抵达蒙古；他苦苦地恳求贵由汗（Guyuk Khan）受洗礼、臣服于教皇，谁知却招致贵由汗勃然大怒。对于这时已经兵临匈牙利城下的贵由汗而言，这种宣教手法简直是令人匪夷所思。他在盛怒之下回应："命教皇率领欧洲诸王齐来归顺！"

在马可·波罗（Marco Polo）的父亲尼可洛和叔父枚菲奥结束其十七年的中国蒙古之旅返乡之前（1271年），忽必烈汗（Kublai Khan）曾嘱其转交教皇一信，请教皇派遣一百名学问渊博者来蒙古传授基督教；这封信发出之后便如石沉大海，杳无回音。此时欧洲的教皇们正为军事防御忧心如焚，哪里还有什么兴致传讲天国福音？1294年，约翰孟高维诺（John of Monte Corvino）抵达汗八里（今北京），这勉强就算是对已故的忽必烈汗一个迟到的答覆吧！约翰得到蒙古新帝的许可，留在北京宣讲基督教信仰、翻译圣经；他一生从事崇高的传教工作，直至卅四年后（1328年）生命的最后一刻。据传回欧洲的报告称：在华的罗马天主教会得到了中国朝廷的支持，兴建了两大教堂、两所方济会院；诸多蒙古人受洗归主。然而，蒙古毕竟是外来的统治者，其短暂的帝国在十四世纪中叶即已开始衰落；蒙古帝国分崩离析后，为数不多的几个天主教社群亦随之没落。正所谓：

帝王之事孰能料，
恩宠来去逝若风。

耶稣会推进期

在动荡不安的十六世纪，第三个大推进期到来了。印度、波斯基督徒社群的数目仍然不多，却充满生机和活力；不过，他们多半与其他基督徒没有任何往来。葡萄牙人和西班牙人逐步走出伊比利亚半岛，满怀雄心探索新大陆，以获取丰厚利益，同时奉教皇之命把所发现的疆土基督化。大多数葡萄牙水手对宣教事工鲜有兴趣，但他们先后带着道明会、奥斯定会、方济会和耶稣会的修士随行。耶稣会传教士首次将目光投向印度的南部，用方济各·沙勿略（Francis Xavier）富有新意的方法，他们率先踏上了马六甲海峡、马鲁古群岛、日本、越南、暹罗（今泰国）和中国的土地。对于这些地区和众多不同帝国的当地语言和文化，耶稣会士都抱以尊重和珍视的态度；也正因如此，他们的事工才得以持续。耶稣会教会自十六世纪后期以来，虽然历经重重严酷的逼迫，但都得以幸存下来。然而，他们为适应当地的文化处境而采取的宣教策略和方式，一直备受争议。

在中国，意大利传教士利玛窦主张对神的称呼要入乡随俗，他也同意中国的天主教徒继续摆放灵位以示对祖先的敬意。他认为这类礼制表达了十诫之第五诫的内容，而不是偶像崇拜，但非耶稣会的修士和教皇则不予认同。在印度，德诺贝理表现得像一个印度教的遁世者（Sannyasi），为追求属灵道路而弃绝一切世俗宴乐，过着一个跟从基督的印度圣人的生活；借此种方式，对印度的上流和底层种姓都产生了吸引力，却与教廷的要求有冲突。在越南传教的法国耶稣会士洛德斯（Alexandre de Rhodes）为适应当地的儒、释、道（即所谓的"三教合一"，或者称为"tam giáo"）教徒提出的一些特别问题，改编自己所著的《八日教理问答》（Eight Day Catechism）。这种宣教方式尝

> **亚洲基督教……最有成效的事工和最快速的教会倍增潮，是在亚洲基督徒的带领下实现的。**

试去理解当地的文化，尽量采取不发生无谓冲突的方式来讲述天主教的教义；同时，他们努力装备当地的男女信徒，使他们有能力带领教会。由于种种原因，这些国家的基督徒社群遭受了残酷的迫害。日本，约1603年明治崛起；中国，约1636年，清朝政权在握；越南，南北冲突持续不断，直至1802年嘉隆帝统一全国才安定下来；在印度，宣教事工一直受到印度教徒、伊斯兰莫卧儿帝国（Mughal Empire）的抵制和拦阻。面对这一切磨难，当地基督徒带领信仰社群勉强支撑，才得以延续。

更正教推进期

基督教更正教的宣教大业一直到1706年丹－德（Danish-German）布道团首次差遣宣教士巴多罗买·齐根巴里（Bartholomew Ziegenbalg）和普吕超（Henry Plutschau）前往印度才真正开始，但等到十九世纪的头几十年才开始产生重要的影响。相较于罗马天主教的宣教团得到西班牙、葡萄牙国王的鼎力支持，更正教宣教士却常常与帮助他们来到亚洲的私有公司（荷兰东印度公司和英国东印度公司）意见不合。此外，更正教在亚洲的宣教还有几点有别于罗马天主教：更正教徒致力于整本圣经的翻译工作。自1727年至1920年，他们将整本圣经译成五十种亚洲语言，外加十四种语言的新约单行本。更正教也更注重教育，尤其是用当地的语言进行教育；亚洲各处的更正教宣教士为十九世纪中叶亚洲的现代大学运动奠定了基础。他们开启了医疗方面的事工，最早将接种、外科手术以及麻疯病院引入亚洲。在教育领域，除开展圣经学习的同时还教授现代科学和数学。更正教徒常常将西方的社会道德观念、衣着服饰和风俗习惯引入到福音信息中讲解。然而，基督教在亚洲的传播工作，大部分还是由亚洲基督徒完成的；当地教会领袖用当地的语言给信徒讲解圣经，因此当地形式和实践的基督教就应运而生。例如，韩国的第一批更正教徒信主之后即前往当时中国的满洲，邀请圣经翻译员约翰·罗斯（John Ross）来给几名韩国人施洗；原来，罗斯在中国曾在一位韩国人的协助之下翻译了四福音书，这几名韩国人就是因为读了该译本而归信基督的。

更正教宣教士在亚洲事工中遇到的一个主要矛盾：亚洲人是否需要西方的知识和文化，还是仅仅需要圣经以及基础教育而已？很多宣教士在传播福音的同时，夹杂西方帝国意识和自以为先进的观念，以及自身文化的优越感，极力推行西方的高等教育，教授西方的文化和知识；另外一些人则更关注"自治、自养、自传"的三自原则，较少关心需要依靠外界支援的高等教育和研究机构的发展。

大多数地区更正教宣教工作在较为贫困的部落中产生的影响最大，如达利特人

（Dalits，印度被逐出种姓者）和其他一些少数民族。更正教教会建立起来了，太平洋战争之后，随着各殖民地纷纷独立，教会以前所未有的速度倍增。当西方的影响力日渐减弱之时，亚洲基督教的力量却日益增强；西方宣教士的工作十分重要，为日后之发展奠定了基础，但最有成效的事工和最快速的教会倍增潮，是在亚洲基督徒的带领下实现的。

亚洲人推进期

尽管亚洲人对基督教在亚洲的传播和发展一直发挥着作用，但历史上，基督教的推进深受琐罗亚斯德教中的贱民制（melet）、伊斯兰教中的顺民制（dhimmi）和印度教中的种姓制度所钳制。等到西方和日本殖民统治之后，基督教在亚洲许多地区生机勃勃地发展起来，但在一些本国宗教仍然盛行的国家却发展缓慢，甚至出现衰退的现象。这些国家有伊拉克、伊朗、沙特阿拉伯、泰国、孟加拉、以色列等。

即使压力重重，基督教还是在亚洲大多数国家不断地发展起来，这主要归功于亚洲人自身的努力。在印度，教会的增长大多源于两万多名印度宣教士在本国所做的跨文化工作。在尼泊尔、柬埔寨、越南和老挝，基督教呈现前所未有的盛景，皆因印度、韩国、马来西亚、台湾、中国大陆、新加坡等国宣教士的辛勤耕耘。许多亚洲人发挥创意，一面在外国工作、建立教会，一面从事贸易、体力劳动或生产制造的工作；在这方面，韩、中两国最为突出。自从与北韩分裂后，韩国的基督徒人数便增至全国人口的三分之一左右。在中国，基督徒的数目由1950年的约两百万增至今天的六千多万，这可能是有史以来两代人中最大幅度的增长，而所有这些增长几乎都与中国人自己的努力有关。

今天，中国的基督徒一改前七个世纪的福音传播方向，要水陆并进、全力将福音传回西方；"传回耶路撒冷"运动就是把第一波亚洲宣教浪潮反方向传回耶路撒冷。如此看来，亚洲的第一和第五波基督教运动是从这一边到那一边——过去是从西到东，现在则是从东到西了。

研习问题

1. 从历史的角度来看，亚洲的五波宣教运动有哪些？请写出每一波运动的名称，产生福音运动的国家和地区，发生的大致时间以及相关的人物或团体。

2. 哪些因素增加了基督教在亚洲立足的难度？文化、宗教、政治，抑或别的原因？

第39章　神的两种救赎架构

温德（Ralph D. Winter）

1973 年八月，亚洲宣教差会协会成立期间，温德在韩国首尔对全亚宣教研讨会发表了一篇讲话。在讲话中，他描述了神的两种"救赎架构"在人类历史每个社会中所表现的形式。他的论点对现今有两个含义：第一，在今天的基督教会中神的"救赎架构"表现在当地教会和宣教团体。两者都属于"神的子民（即教会）"，都是正当而且必要、不可分割的；第二，非西方教会如果要担负起宣教责任，也必须组成并利用宣教团体。

§　　§　　§

本文论点认为，不论基督教采取西方形式还是亚洲形式，都包含两种基本架构；这两种架构是并存的，因为几个世纪以来这两种一直共同出现。本文还会定义、阐明和比较两者的本质和重要性；最后，笔者试图阐释我们无论在世界哪个地方进行宣教，只有充分且合宜地利用这两种互补的架构，工作才会获得最大果效。

新约时代的救赎架构

首先，我们得承认，基督徒所亲切称之为"新约教会"的组织，基本上就是基督教化的犹太会堂。[1] 保罗的宣教事工主要是进入遍布罗马帝国各地的犹太会堂。他从小亚细亚开始，向会堂里的犹太人和归信犹太教的外族人传讲弥赛亚，就是神的独生儿子耶稣基督已经来到。他还指出，基督拥有最终的权柄，超过摩西的权柄。这足以让人理解，神何以接纳外族人，无须强迫他们在文化上成为犹太人，一丝不苟地遵守摩西律法规定的繁文缛节。保罗事工的一个创新成就就是他最终建立了全新的会堂，会众全是希腊人。

偶尔读读新约圣经，或是只有新约圣经可读的人，不大可能注意到在保罗之前，甚至在基督降生一百年前，就已有大量犹太教传播者走遍罗马帝国。耶稣亲自提到过其中一些人，并评论说："你们走遍海洋陆地，要使一个人入教。"保罗事实上是追随了他们的

作者（1924-2009）任加州帕萨迪纳市前线差传团契总干事。曾在危地马拉高原的玛雅印第安人当中宣教十年，之后受邀担任富勒宣教学院的宣教学教授，又十年后，和妻子罗伯塔创办了前线差传团契，由此又成立了美国普世宣教中心及威廉·克里国际大学，二者都服事那些从事前线宣教工作的人员。

脚步，他借助他们的前期工作，并靠着福音超越了他们。这福音允许希腊人保留希腊人身分，无须接受割礼，无须在文化上成为犹太人。保罗的事工有着广泛的前期基础，正如彼得宣称的："在各城里都有人宣讲摩西的书。"（徒15:21）

保罗说："全亚西亚的居民……都听见了主的道。"（徒19:10）显然，他不只是进到了亚西亚的每一间会堂，[2] 而且在情况需要的时候，还成立全新的会堂式基督徒团契，作为宣教活动的基本单位。这就是新约时代背景下出现的第一个架构，通常称之为**新约教会**，本质上就是沿袭犹太会堂式的架构，[3] 能在任何地方召聚信徒，主要特点是男女老少她都容纳。值得注意的是，保罗成立的这些团契乐意接纳前犹太教徒，和非犹太裔的希腊人。

新约时代还有另一种相当不同的架构。我们虽然不知道在保罗之前的犹太教向外传教的架构如何，但确知他们遍布罗马帝国；所以保罗如果丝毫都不参考那种架构，会着实令人惊奇。我们对保罗事工的运作模式知道得不少，他确实是安提阿教会"差派"出去的，但是一离开安提阿教会，他似乎就独立自主。他组成的小团队在必要情况下可以达到经济自足，有时也有经济资助，不过不是只靠安提阿教会，还依靠由宣教工作成立的其他教会。保罗的团队就是第二种架构。虽说具体形式没有留下文字记录，但我们也要记住，新约会堂的形式也没有在经文中留下确切描述。这两种架构，经文中都没有留下确切定义；这或许意味着此前就已经存在，其中关系为人熟知和理解，不必多说。不管是会堂向外传教的架构，还是当保罗仍

作法利赛人扫罗的时候采取的团队架构，抑或是安提阿教会派保罗和巴拿巴出去采取的宣教架构，都属于此类（参徒13:2）。

这样，一方面，我们称之为**新约教会**的架构，是后世所有男女老少基督徒像家庭一样团契的雏形；另一方面，保罗的**宣教队**可以视为后世所有宣教机构的雏形，他们委身于宣教事工，富有宣教经验，除了属于第一种架构——教会，他们还进一步委身于宣教架构。

请注意这**进一步的委身**。安提阿教会差派出去的组织架构并不是安提阿教会的外延。不管我们认为这个架构是什么，可以确知一定不是安提阿教会母会在外的一个教会分支，运作受制于母会；她是一种不同于教会、很独特的组织。我们把这个宣教团队视作新约时代的第二种救赎架构。

总之，我们要留意这两种架构没有一种是特别"从天上降下来"指示的。而是令很多人惊讶的，神竟然会使用**犹太教**的会堂形式和外传模式。更想不到的是，神还借助异教徒所说的希腊语，竟然圣灵默示圣经的作者借用像"*kurios*"（主）这样的词语（希腊语的"主"，原本是异教术语），然后加以改变含义，作为传播基督启示的器皿。新约圣经曾经提到有犹太会堂为撒但所用，然而这并不表示基督徒就因噎废食，不能以会堂形式来聚会团契。

认识到这些，我们就可以再来探讨福音传播史的下一个阶段，因为我们看到后来基督徒也借用了其他模式，和新约时代的一样，完全是"套用的模式"。

实际上，这一点有深厚的宣教学含义：新约圣经竭力向我们表明**如何借用有**

效的模式，给后世宣教士自由发挥，让他们无须对犹太会堂和犹太宣教团队的**形式**亦步亦趋，而可以参考历史中世界各地特有的新情况，选择适合当代、本地的架构与做法。只要和保罗使用的架构在**功能**上相当，但**形式**上则无须相同！今日宣教学领域的大量文献都显示基督教比其他任何宗教，更普遍地借用了人类现有的各种语言和文化，这不足为奇。由此来看，所有试图固化新约教会形式的努力都是枉然，教会是"神的子民"聚在一起，组织形式无关紧要。正如克拉夫特（Charles Karft）之前所说，我们寻找的是功能上**对等活用**（dynamic equivalence），而不是形式上模仿抄袭。[4]

罗马文化中基督教架构的早期发展

我们已经看到，基督教福音拓展借助了原先存在于犹太文化传统中的两种不同架构。现在，随着福音进入更广阔的世界，我们要考察之后基督教文化传统中，有没有出现过与此**功能**对等的架构。

当然，最初的会堂模式，在基督教组织形式中存在了一段时间。然而，由于基督徒和犹太教徒之间的敌对关系，基督教会堂模式日渐被压制，有时候被迫消失；在一些地方，犹太侨民的会堂煽动公众起来逼迫公开叛教的基督教会堂。不像犹太人那样，基督徒没有获准可以不参加罗马帝国的偶像崇拜。[5]就这样，虽然各个会堂相对比较独立；但是基督教的组织形式，却很快融入罗马的社会处境，出现了统管多个会堂的主教，其管辖权力按照地域划分，方式常常和罗马政府一样。当基督教获得罗马官方承认成为国教的时候，这种政府形式化的趋势更加确立，用来表示罗马行政领地的拉丁文词语是"*diocese*"，教会借用来表达"教区"（parishes），并且按照行政区再来划分牧区。

不过，虽说彼此独立的"会堂"式教会，普遍被"联系"型的罗马模式代替；但新的基督教教区教会依然保留了会堂的基本构成，也就是依然容纳男女老幼，是一个功能上能够不断延续的有机体。

与此同时，各种早期形式的修道院作为第二种架构茁壮起来。这种崭新的组织架构蓬勃发展，但与从前保罗的宣教团队没有丝毫联系；实际上，她主要借用了罗马军队的组织架构。帕乔米乌斯（Pachomius）是一名退役军人，吸引了三千多名追随者，获得了像该撒利亚的圣巴西流（Basil）的注意。然后，透过巴西流，凯西安（Cassian）也注意到他，此人后来去高卢南部开展事工。[6]这些人吸取军队的制度，成立纪律严明的组织，让名义上的基督徒可以做出第二重委身，更深、也更具体。

也许，我们需要在此稍作停顿。一提到修道院，更正教信徒就感到激荡冲击，宗教改革对中世纪末这千年来的腐败曾经坚决指责。我们丝毫不想否认，修道院的情况并不总是那么理想，一般更正教信徒对修道院某些方面的了解，的确没错；但是，一些人云亦云的刻板印象当然不能正确反映那一千年的真实历史！在这些漫长的世纪中，许多时代迭次转换，各种迥异的修道运动不断产生，这一点我们很快就能看出来。笼统概括修道院现象只会以偏概全，造成偏见。

我仅举出一个例子，就能证明更正教对修道运动的刻板印象错得有多离谱。我们经常听说修道士"消极避世"。但现在让我们把这种印象与一位浸信会宣教学者的描述比较一下：

> 本笃会会规（Benedictine rule）和许多从中衍生的规则曾对提升劳动之价值带来重大贡献，比如尊重田地里的体力劳动。这与中世纪社会的主流，贵族阶级、武士阶层和非修道院神职人员鄙视体力劳动，形成了鲜明的对比；田地的大量开垦和农业生产方法的改进，显然要归功于修道院。在蛮族肆虐的荒蛮之地，修道院是井然有序和安居乐业的中心，修道士还承担了铺设道路和修缮道路的任务。在十一世纪城镇兴起之前，他们一直是工业和贸易的先驱。修道院的作坊保留了罗马时代的工业……他们是最早使用泥灰改善土壤的一群人。伟大的法国修道院领导了西欧的农业开垦，尤其是熙笃会修道士（Cistercian），把修道院变成了农业中心，对农业进步大有贡献；依靠平信徒和雇佣劳动力，他们拥有大片良田。在匈牙利和德国偏远地区，熙笃会在改良土壤、推进农业拓荒方面，发挥了尤其重要的作用。在波兰，德国修道院提升农业的标准，引进手工艺人和技工也卓有成效。[7]

有志宣教的人还要看看爱尔兰巡游修

假如没有教区制度架构，我们很难想像基督教传统如何通过数个世纪传承下来。

道士的辉煌纪录，我们对修道士"遁世离尘"的错误观点，不攻自破。这些凯尔特修道士向盎格鲁撒克逊人传播福音，其贡献超越奥古斯丁修士后期从南方发起的宣教运动；此外，他们对西欧和甚至中欧福音化的贡献超过其他任何组织。

这第二种架构，从一开始就对基督教发展具有非常重要的意义。即使更正教信徒出于各种原因对她怀有固执的偏见，但不容否认，假如没有教区制度架构，我们很难想像基督教传统如何通过数个世纪传承下来。更正教信徒对教区和牧区制度也同样不满。实际上，教区制度相对而言等于有名无实，才使得修道院架构更显重要。例如，像耶柔米和奥古斯丁这样的前辈，更正教信徒视之为大学者，而没有想到他们也是修士，甚至诸如约翰·加尔文这样的改教家都从他们的著作得到许多知性启发。可是更正教信徒通常对耶柔米、奥古斯丁和其他修士学者所在的修道院体系没有丝毫赞誉。殊不知要是没有这个架构，更正教的努力将成为无本之木，甚至连圣经都没有。

我们现在必须追踪这些线索，进入下一个时期，在这个时期主要的修道院架构正式产生。到四世纪已经有了两种迥异的架构：主教制和修道院制，两者都在基督

教传播和扩展中占有重要地位，都是从同时代的文化处境中借用的模式，与上一个时期的基督教会堂和宣教团队相仿。

在此我们更要注意到这两种架构与新约时代的两种架构**形式**完全不同，也没有历史联系，但两者的功能是一样的。为了方便以后论述功能的类似性，我们把会堂制和主教制称为**静态架构**（modality），把宣教团队和修道院称为**动态架构**（sodality）。笔者另文详细介绍过这两个词语的含义。在此简而言之，静态架构就是一个不分性别年龄、有组织的团契；而动态模式则是指成年人在参与静态架构之外、进一步决定委身于其中的组织化团契，其组成受年龄、性别或婚姻状态限定。照这样的定义来看，**宗派**和**地方堂会**都属静态架构，而**宣教机构**或**地方弟兄团契**则是动态架构。[8]

世俗世界与之相仿的一个类比可见于城镇（静态架构）与私人企业（动态架构），或是遍布许多城镇的连锁企业。通常，动态架构服从于更广泛的权威，受到静态架构的"制约"，但是不被其"管理"。一个国家如果没有个人管理的、权力分散的私人企业，就成为彻底的国家社会主义；诸如罗马天主教和英国圣公会的宗派，允许这类创新自主行为。许多更正教宗派由于马丁·路德拒斥当时的动态架构，试图从宗派总部管理一切事物，所以一些地方教会无法理解宣教架构的价值和必要性。保罗是被安提阿教会"送去"（send off）的，不是安提阿教会"派出"（send out）的；保罗可能会向安提阿教会汇报他遇到的情况，但是他无须接受安提阿教会的指令。他的宣教团队（动态架构）是一个"巡回的会众"，可以自主、自治。在圣经所记载的初期教会历史之后，静态架构和动态架构之间几乎没有联系。但在保罗的时代，他的宣教团队实实在在地喂养了各地的会众，两者之间存在着密切的共生关系。现在，我们要看中世纪这段时期，怎样从本质上恢复了新约时期两种架构之间的健康关系。

中世纪动、静态架构的结合

中世纪始自西罗马帝国政府衰落之后。在某种程度上，借用罗马政府模式的基督教的教区模式，在同一时期也走向瓦解；但是修道院模式（或动态架构）持久不衰，在中世纪早期占据了更为重要的地位。得以幸存的静态架构（主教制基督教），由于中世纪早期的入侵者普遍属于亚流派基督教信仰，结果又受到进一步冲击。于是，在许多地区的繁华要道都有"亚流基督教堂"和"天主教基督教堂"互相对峙，好像今天同一条街道上既有循道会教堂，又有长老会教堂一样。

笔者需要重申，我们的目的不是贬低牧区或主教制度的重要性，而是要强调，称为**修道院**的专门组织或其同类，在中世纪早期对维持和延续基督教福音运动发挥非常重要的作用，远超我们称之为"教会"的教区组织体系（**这样的称呼似乎意味着教会不包含其他架构一样**）。

关于静态架构和动态架构之间关系的重要性，中世纪早期最突出的例证当数大贵格利（Gregory the Great）和后世称为坎特伯雷的奥古斯丁（Augustine of Canterbury）之间的合作。虽然贵格利是

PS：亚流派：基督与父同质；就是否认相信他可得救并与神联合。

罗马教区主教，是静态架构的首领，但是他和奥古斯丁都出自于修道院（就像今天许多牧师出自学园传道会和大学生基督徒团契）。这一事实反映出当时基督教动态架构的显著地位。无论如何，贵格利请他的朋友奥古斯丁承担起向英国宣教的重大使命，努力在那里建立一个教区；以前此地的凯尔特基督教，由于遭到来自欧洲大陆的撒克逊人侵略，已经受到重创。

贵格利虽然权力显赫，却只是本教区的首领。他想呼召人去英国宣教，但是除了动态架构（在历史这个阶段，它以**本笃会**的形式出现）之外无人可召。所以，他最后请求奥古斯丁和一群本笃修道院的修士，代他承担这个危险而艰巨的宣教任务；就好像一名市长和私人企业订立合同，把某项城市工作外包给这家企业。耐人寻味的是，这次宣教的目标不是扩展本笃会的修道院体系。英国余留的凯尔特"教会"实际上是一个动态架构网络，因为这个地区没有教区体系。奥古斯丁虽说不是一个教区的教士，但是他到了英国之后，却是要建立一个基督教教区。有趣的是，本笃会规（Rule，拉丁文版称*Regula*）对英国人非常有吸引力，结果几乎所有凯尔特教会都逐渐采纳了。

这非常具有代表性。在漫长的一千年里，静态架构的建设和重建主要都是由动态架构完成的。这就是说，修道院一直是向主教制基督教注入新能量和活力的来源和真正焦点。我们好好思考一下克吕尼改革（Clunny Reform），熙笃会，托钵修会，以及耶稣会等等，都是严格意义上的动态架构，对全世界教区网络的建设和重建贡献巨大。只是更正教信徒普遍以为，

教区制静态架构就是当时的**整个基督教拓展的唯一体系**。

在许多时候，主教和修道院院长、教区和修道院、静态和动态两种架构之间存在竞争。但是，中世纪时期最终微妙地结合两者，天主教修道院和天主教教区可以和平共存，之间没有剧烈的冲突，以至于损害到整个基督教运动。罗马教会静态和动态的和谐，或许是这阶段普世基督教运动最重大的特点和成就，至今依然是他们最大的优势。

请注意，我们并不是要宣称哪一种架构（静态还是动态），在千年中世纪中更有活力和动力；事实上，不管是静态还是动态架构，都不能在基督教拓展历史中单独存在，运作不息。罗马主教名录上权力斗争反反覆覆，制度摇摆，根本不能作为透视整个基督教运动的核心力量。而从另一方面来看却非常明确，动态架构由不同带领者一次又一次地更新，几乎一直都是整个架构的主要推动力，是灵感和更新的源头，影响教廷、教皇，造福主教、教区制基督教的改革。

其中最显著的例子是教皇希尔德布兰德（贵格利七世）。他把修道运动的理想、委身和自律带入了梵蒂冈。从这种意义上说，罗马教会的教皇、枢机主教团、主教和教区架构，在某些方面难道不是衍生于修道传统，属于附属元素吗？二者之间的关系绝对不是颠倒过来。无论如何，称修道院的修士为"**在会修士**"，称教区的修士为"**在俗修士**"看起来是可行的。前者自愿受会规约束，而后者在修道院之外，不受严苛生活方式或会规的约束。每当在会修士管辖的教会、计划或教区被在

PS: 本笃会: 会规: 73章
圣洁化、祈祷、求知、劳动、灵修、不可婚娶、无私财、一切服从长上。

俗修士接管的时候，都会经历某种形式的"世俗化"。经过漫长的"任权之争"，在会神职人员最终获得了至少是半自主的许可权，避免修道院的世俗化。

同样的，当今架构"**世俗化**"的危机依然存在。假如一个杰出的宣教动态架构关注的焦点完全沦入教会全权的掌控（不只受到制约，还受到管理），世俗化的情况就难以避免。这是因为教会（堂会）静态架构不可避免地代表着一般广泛、各式各样基督徒的团体，主要关注内部事务。这些只是做出"第一重委身"的基督徒，一般来说未经什么挑选，大多数人远离宣教架构对规律的高度要求，时间久了，教会成员数目是"增长"了，宗派的宣教预算却逐渐减少。

谈到中世纪，我们不得不提到在这个时期，许多非官方的、并经常遭到迫害的运动。在所有运动中，圣经似乎一直都具有主要的推动力，正如我们在彼得·瓦勒度（Peter Waldo）的例子里所见到。由于普通信徒无法赏析耶柔米的古典拉丁文译本，也不能明白拉丁文弥撒的深意，彼得·瓦勒度的事工清楚地证明，单单是白话圣经译本就拥有如此强大的力量。此外，欧洲许多地方都出现了称为"重洗派"的群体；这些属灵更新运动有一个主要的特点，不只是努力吸引立志独身的成员参与（虽然这也算是其中的特点），而且常常建立由信徒及其家庭组成的"新社群"，以图透过血统和文化的传承，来保留一种有高度文明的基督教；这些群体经常面临强烈的反对和严格的限制，所以单以进展程度来评价是不公平的。值得注意的是，门诺派和救世军社群的成员往往

包括信徒全家，他们渴望实现"纯洁教会"或"全信徒教会"的典型，也是基督教架构中很有意义的一个实验。这样一种架构，从某方面来说，居于静态和动态之间，因为有静态架构的组成部分（例如整个家庭参与），在早期阶段又有动态架构的活力和选择性。我们将在下一个部分再次讲到这种现象。

由于篇幅有限，我们在这里只能指出，除了动态架构，就基督教信仰的坚韧和品质而言，千年中世纪简直乏善可陈。罗马城内的风云最多只是冰山一角，代表了相当肤浅的政治层面的基督教活动；与同时代基于圣经研究和彻底顺服的动态架构相比，罗马多么黯然失色！各种动态架构几乎都诞生于罗马之外，并且常常遭到罗马教权的反对。

更正教恢复动态架构

更正教改革运动开始的时候，不想借助一切形式的动态架构。在马丁·路德的时代，他身处的修道院富有活力，而教区生活则平淡乏味，有名无实，二者之间两极化的对比和鲜明的反差令他感到失望与不满，于是他放开动态架构（不过，他是在其中接触到圣经，包括保罗书信和"因信称义"的教导），而利用那个时代的政治力量，发动一场针对整个教会的全面革新运动。起先，他甚至试图废除罗马主教制度，但是最终路德的改革运动还是产生了一种路德宗的主教制，某个角度看，也只是罗马主教传统的改头换面。不过，路德改革运动没有重新采用罗马天主教重要的修会动态架构传统。

在我看来，这种摒弃是宗教改革最严重的错误，也由此造成更正教传统最大的弱点。假如没有所谓的敬虔主义运动（Pietist Movement），更正教几乎完全没有任何属于自己有助于更新的架构。每当敬虔主义运动的力量出现，毫无疑问都属于动态架构，一群成年人聚集委身于新的开始，追求更高的标准，又不和现存教会已有的聚会冲突。在约翰·卫斯理的早期著作中，这种动态架构造就静态架构的现象很突出，但他绝对禁止信徒脱离教区教会。当代类似的一个例子是影响非常广泛的**东非复兴**（East African Revival）运动，有一百万人参与，可都非常谨慎，避免与当地教会的运作产生任何冲突。那些当时没有抵制这场运动的教会都得到复兴带来的极大祝福。

然而，不管是敬虔主义运动，还是重洗派的新社群，最终都失去了活力；只依赖信徒例行信仰生活来成长，回复到普通平常的会堂式生活，从动态架构缩回到静态架构。在大多数情况下，无论差会、宣教机构或改革力量很快便失去果效。

最值得我们研究的是，更正教在长达三百年里未能利用动态架构的力量，产生任何宣教机制，直到威廉·克里的名作《简论》（An Enquiry）提出要"使用合宜途径使异教徒皈依基督"才出现改观（收录于本书第48章）。他的关键字"途径"（means）具体地指出要建立动态架构，把非神职人员的热心信徒组织起来。应运而生的浸信会宣教会成为更正教传统组织中很有意义的发展，虽然不是最早的，因着"福音大复兴"的影响以及克里著作的出版得以强化，结果引发了一场使用这种

更正教在长达三百年里未能利用动态架构的力量，产生任何宣教机制。

"途径"带领异教徒归主的热潮。几年之后，差会、宣教机构不断涌现，几乎都依照同样的模式。短短卅二年就出现了十二间差会。[9]更正教一旦清楚地理解了这种模式，蛰伏了三百年的能量就突然爆发出来，照赖德烈（Latourette）的说法，造就了一个"伟大的世纪"。克里的著作帮助释放了宗教改革的巨大属灵能量，这或许是除了圣经之外，对全球宣教贡献最大的一本书！

十九世纪成为更正教积极参与宣教的第一个世纪，对天主教来说则是宣教能量处于最低潮的世纪，篇幅有限缘由不在此赘述。令人惊奇的是，在这一个世纪，更正教借助西方前所未见的世界性扩张，一举赶上并超越了前十八个世纪的所有宣教努力。这一个世纪的成就，无疑地把更正教从封闭于欧洲、自足自满、冷淡无力的死水一潭，变成了基督教的一支普世宣教大军。站在今天的位置回首过去，我们难以相信，更正教福音运动异军突起占据宣教主要位置，只是新近才发生的事情。

从组织层面说，动态架构的发展让更正教福音运动生机勃勃，焕发了更正教内沉睡的"志愿"回应力量，促成海内外的各种宣教差会纷纷成立。传播福音的热浪一波接着一波，不断更新基督教的整个局面，无论是在美国，还是在英国、北欧和欧洲大陆。到1840年，美国的差会动态

> **更正教的宣教机构在事工中也倾向于……建立教会，而不是在此基础之上拓展宣教动态架构。**

架构是如此突出，以至于美国被冠以"福音派帝国"之类的称号，导致一些教牧人员对这种新式动态架构的一系列批判。这正好把我们引入下一个重点。

当代对宣教动态架构的误解

在十九世纪，几乎所有的宣教事工，不管是由跨宗派委员会还是由宗派性委员会支持，大都是独立运作，不受原教会架构支配。到十九世纪后半叶，两种架构分化成两种越来越不同的传统。

一方面有诸如亨利·维恩（Henry Venn）和鲁弗斯·安德森（Rufus Anderson）这样的宣教策略思想家。他们是历史悠久的宣教差会：英国圣公会行道会（CMS，简称"英行会"）和美国公理会国外布道会（ABCFM，简称"美部会"）的策略智囊，德高望重。他们主张宣教的动态架构具有半自主权。在一开始，这并没有受到许多教牧领袖的反对；另一方面有诸如长老会领导层这样的宗派领袖，持中央集中管理的观点。他们在十九世纪中后期占据了主要阵地。到了二十世纪早期，从曾经一度独立、只是和宗派有**联系**的动态架构，逐渐被教会**支配**，不仅被**约束**，而且被**全面管理**。这种

情况多少催生了十九世纪末期全新的、与教会分离的动态架构差会组织，称为"信心差会"，其中的佼佼者是戴德生（J. Hudson Taylor）的中国内地会（CIM）。许多人并不清楚，这种模式是宗派委员会的潮流开始之前就有的，本世纪早期差会模式的重现。

所有这些改变都是逐渐发生的。在任何时候，人们的观点都难以一概而论；但清楚的是，更正教似乎总是对动态架构的合法性惴惴不安。重洗派传统一直强调纯粹信徒社群的概念，所以对只包含一部分信徒志愿委身宣教的组织不感兴趣；亚历山大·坎伯尔（Alexander Campbell）的"复兴"传统和普利茅斯弟兄会（Plymouth Brethren）的情况也是如此。近年各个独立"灵恩中心"雨后春笋般出现，在各地活力十足、发展迅速；也倾向自己差派宣教士，而没有向他们之前的五旬宗教会学习成立宣教差会，高效宣教。

美国的宗派不像欧陆宗派有政府的税收拨款支持，所以普遍比欧洲国教更有热心和活力。至少，现在还处于热情充沛的新生阶段，自认为宗派相当有能力为海外宣教行动提供一切必要的行动支持。由于这个原因，美国的许多新宗派倾向于中央集中制，认为教会的宣教全权集中管理是唯一合宜的模式。

结果，到二战的时候，几乎所有与宗派体制相关的宣教行动都完全发生蜕变。几乎所有独立或半独立的老牌宗派委员会，都采用统一预算拨款。与此同时，这也促成了二战后的一批独立的新宣教机构。与之前出现的信心差会相仿，这些新兴宣教机构不看重宗派领导，也不理

会他们认为宣教必须以教会为中心的观念。英国圣公会的"英行会"、联合信仰传播协会（USPG）等差会展现出中世纪两种架构的结合；美国保守浸信会联合会（CBA）与和它相关的今日美北浸信宣道会（现世界宣道会 World Venture）、美北浸信宣道会国内传道会（现美洲宣道会 MTTA）在无意识中也展现出这种结合。由此看来，虽然整个基督教历史中都展现出这两种架构，但直到今天，更正教对二者的正当性和合宜关系仍然深感困惑。

更糟的是，更正教对动态架构的无视，给宣教事工带来了悲剧性的影响。更正教坚持静态的宣教理念，认为宣教只需要建立静态架构，也就是仅仅需要建立教会就告完成。在大多数情况下，本质上属半独立的动态机构，开展宣教工作的唯一目标，就是建立静态架构，而不建立动态架构。宣教机构（甚至那些完全独立于本国宗派的机构）在事工中也倾向于在所谓的宣教工场建立教会，而不是在此基础之上拓展宣教动态架构。[10] 然而这些宣教工场的教会中产生了奇迹般的"第三世界宣教"浪潮。可惜，这些现象几乎没有得到西方差会的任何鼓励，令人伤心、诧异。

更让人讶异的是，虽然大多数更正教宣教士，都在借用更正教传统中的（宣教）机构，但是他们却对宣教机构的重要性视而不见。要知道，若是没有这些宣教机构，更正教根本就不会产生宣教行动。由于这种无视，他们只知建立教会，而不去在工场上建立自己所运用的宣教机构。

而二战后建立的许多宣教机构，对海外业已存在的教会浪潮充满了至高的敬意，以至于他们把建立教会都抛诸脑后，甘愿长久充当辅助角色，尽各方面能力辅佐已有的教会。

我们现在必须要问，非西方世界所谓宣教工场的新兴教会，什么时候才能得出划时代的结论（欧洲更正教好整以暇做出这个结论实嫌太晚），像威廉·克里所说的"使用合宜途径"一样，认识到需要动态架构，让教会信徒发起热心开创宣教，尤其是跨文化的宣教行动。已经有迹象让我们看到，更正教令人扼腕的延迟不会继续下去。例如：美拉尼西亚兄弟会（Melanesian Brotherhood）在所罗门群岛的杰出工作就是令人鼓舞的例子。

结语

本文无意谴责或批评有组织的教会，我们承认牧区制度、教区制度、宗派制度和教会制度的必要性和重要性。静态架构意义重大，绝对有必要，正如公民政府对于私人企业是必不可少的一样。本文只是试图阐述一些历史上的模式，显明神透过圣灵曾经清晰并连贯地使用过静态架构之外的组织，有时候甚至以之代替静态架构。我们希望帮助教会领袖和有心宣教的人理解这两种架构都具正当性，不仅有必要存在，而且还应该同心协力，共同实现神对我们这个时代的期许，完成祂托付我们的大使命。

附注

1. 一个人很难想像出向外族人宣教有哪一种更为奇妙的方法。基督徒群体无论走到哪里，就在哪里发现给万民传福音的工具：一群生活在盟约应许之下的子民、一个负责任的选民、圣经以及神给全人类的普遍启示。开放的会堂将这些工具汇聚一堂，通过会堂，每一个犹太社区都向基督徒敞开了欢迎之门。正是在会堂里产生了第一批宣告信仰耶稣的外族人。Richard F. DeRidder, *The Dispersion of the People of God* (Netherlands: J. H. Kok, N. V. Kampen, 1971), p. 87。

2. 在保罗的时代，"亚洲"（Asia）指我们今天称作小亚细亚的地方，实际上只是现在土耳其的一个县而已。在那时，没人能想像出"亚洲"这个词包含的地域将扩展到后来所指的那么庞大。

3. 耶路撒冷的基督徒采用会堂模式来进行敬拜，这从他们指派长老和采用特定的祷告时辰等做法可以看出来。为寡妇和穷人提供日常的供给反映了当时会堂的做法（徒2:42-45，6:1）。雅各书有可能反映了耶路撒冷的普遍情况，在二章2节，雅各提到一个富人"进入你们的会堂"；译作"会堂"（assembly）一词的希腊文的字面含义就是"犹太会堂"（synagogue），而不是常见的翻译"教会"（church）。Glenn W. Barker, William L. Lane and J. Ramsey Michaels, *The New Testament Speaks* (New York: Harper and Row Co., 1969), pp. 126-27。

4. 'Dynamic Equivalence Churches,' *Missiology: An International Review*, 1, no. 1 (1973), pp. 39ff.

5. 它说，基督徒采取组成合法的"葬仪社"（brual clubs）的办法作为团契和敬拜的方式。

6. 赖德烈（Latourette, Kenneth Scott），*A History of Christianity* (New York: Harper & Brothers, 1953), pp. 181, 221-34。

7. 赖德烈，*A History of the Expansion of Christianity*, vol. 2, *The Thousand Years of Uncertainty* (New York: Harper & Brothers, 1938), pp. 379-80。

8. 温德，'The Warp and the Woof of the Christian Movement'，见作者与比弗（R. Pierce Beaver）合著，*The Warp and Woof: Organizing for Christian Mission* (South Pasadena, CA.: William Carey Library, 1970), pp. 52-62。

9. 1795年，伦敦会（LMS）和荷兰传道会（NMS）；1799年，英行会（CMS）；1804年，CFBS；1810年，美部会；1814年，美国浸信会宣教差会（ABMB），1815年，格拉斯哥传道会（GMS）；1821年，丹麦传道会（DMS）；1822年，FEM；1824年，柏林传道会（BM）。

10. 温德，'The Planting of Younger Missions'，*Church/Mission Tensions Today*，由魏格纳编辑（C. Peter Wagner）(Chicago: Moody Press, 1972)。

研习问题

1. 说明"静态架构"和"动态架构"的含义，举出各自在历史中和现代的例子。

2. 你是否赞同温德认为动态架构在教会里既有正当性又有必要性的观点？你的回应带出什么可行性？

3. 温德所指"宗教改革最严重的错误，以及由此造成更正教传统最大的弱点"是什么？

第40章 宣教机构——
及其对教会的良性颠覆

安德鲁·沃尔斯（Andrew F. Walls）

作者曾在塞拉利昂共和国和尼日利亚工作，之后在阿伯丁大学和爱丁堡大学教学多年，期间曾任非西方世界基督教研究中心主任。目前，他在利物浦希望大学担任亚非研究中心宣教历史学的教授，并且是加纳 Akrofi-Christaller 研究所资深研究教授。本文摘自 *Missionary Movement in Christian History*（1996年）。版权使用承蒙许可。

一： 宣教机构的形成

一般对十九世纪教会史的研究，很少注意到志愿委身的差会之类的宣教机构，这相当令人惊讶，因为这些宣教组织对西方基督教影响巨大，也改变了基督教在全世界的发展。

现代志愿委身的宣教机构的萌芽出现在十七世纪末期。到十八世纪、十九世纪，开始以新的方式影响世界，绕过教会和政府的阻挠，弥补后者未尽的责任。美国的宣教领袖鲁弗斯·安德森（Rufus Anderson）在1837年所著的《转变时机将至》（*The Time for the World's Conversion Come*）[1] 一书中对此作出了精辟的描述。他列举了若干现象表明先知的预言即将应验，认识耶和华荣耀的知识将遍满全地，好像众水充满海洋一样。[2] 其中一些现象与科技的进步有关，例如国际物流前所未有的便捷。他写道："直到这个世纪，基督教世界的福音派教会才真正领受全球归主的异象，展开紧密的团结合作。"[3] 安德森列举了更正教自发性志愿委身宣教机构的独特之处：

> 我们所看到的宣教差会、圣经协会、文字出版以及类似的机构，招募的同工不局限于全职教牧、传道人，也不局限于特定的职业，而罗致了社会上各个阶层的信徒。这些人开放机动、负责担当、不墨守成规……有些本身就是捐助者，也亲自与人同工……个别信徒、各个教会及会友都为了一个共同的目标，在宣教机构里发挥所长一起同工……这样的更正教福音差传组织形式具有开放机动、负责担当、不墨守成规的特性，接受所有社会阶层，不分性别、年龄，面向所有信徒。这种形式在现代历史上甚至当今都是独具特色的。[4]

在此处，安德森指出了志愿委身的宣教机构的几个重要特点。在普世宣教的进程中发挥的关键作用，相对而言是一种新兴事物，

是特别的、前所未有的组织架构。向所有信徒开放，平信徒和传道人一同参与，以众多的成员为依托，大家同当此任，慷慨捐资。由于安德森是新英格兰公理会成员，他宣称能够涌现这类机构的国家必须具备以下特点：政府开明而负责，而更正教已经为公民自由铺平道路，陆地交通发达，国际海洋贸易增多，为宣教机构提供极大的便利。安德森的看法颇具先见之明，的确西方政治、经济和社会的特殊发展阶段为宣教机构的涌现带来独特的契机。

我们回过来探讨一下宣教机构在宣教进程中发挥的关键作用。如同安德森所言，在志愿委身的宣教机构里，个别信徒、教会和堂会会友自愿组织在一起，为了一个共同的目标而努力。本质上具有极为实用的特点，是为着达至具体目标应运而生的重要手段。现代第一个宣教差会出现在十七世纪末期伦敦市内严肃的重仪派教会中间。德国布道家安东尼·霍梅克（Anthony Homeck）和其他一些牧师呼召会众在生活上更加纯洁敬虔。在聆听他们的讲道之后，一群热心的基督徒就聚在一起读经、祷告、探访穷人；另外的一些基督徒则出去肃清民风，斥责民众中亵渎神的言语行为，禁止妓女在街道上公然拉客。[5]

听到如此震撼人心的讲道，信徒们急愿以实际行动作出回应："我们应该做什么？"但他们的行动招致人们极大的质疑和敌视。这些人为什么聚集起来？他们聚在一起有必要吗？难道有教会聚会还不够吗？在那个时代的背景下，所有跨教会的集会若不是不满政治，就是对教会不满。

然而，基督徒为着在信仰生命上互相扶持，认真实践基督教的教导而结为团体，逐渐地各样的团体、机构、集会如同雨后春笋般不断涌现。这些对约翰·卫斯理的灵命塑造和他日后布道事工的发展都产生了重要的影响。[6]

与此同时，少数几位圣公会牧师开始认真思索传福音到教会属地之外的问题。他们意识到，如果不建立一个新体制，那就什么都做不了。于是成立了基督教知识传播协会和福音传播协会。这两个协会并不是前述意义的志愿委身宣教机构，因为仍具公教议会的诸多特征，而且组织者采取的一些做法和管理模式是和英国国教教会的主教联系起来做的。[7]结果，他们能做的事情和教会一直以来所做的事情相差无几：也照样按立神职人员，为他们提供训练装备。这两个协会确实把受训的神职人员差派出去，其中大多数人被派往美洲，在那里忙着拯救英国殖民者脱离长老会教义的错谬和其它罪恶。一些团体的创立者们希冀在更大范围内传递福音的异象，不过直到十九世纪才得以实现。有一位伦敦的主教原本切望看到这些团体能够把福音传给外邦人，也因此倍感沮丧。[8]

宣教机构、差会如果继续依循教会的体制，那就只能做教会所作的事情；新理念需要新的组织形式。威廉·克里努力探求全新的模式。他为1792年的研讨会所著的册子不惜采用冗长的题目，但掷地有声：《简论基督徒以合宜途径向异教徒宣教的义务》（见本书第48章）。[9]

这里的关键字是"以合宜途径"。克里的这个册子里不仅布满深厚的神学思想，也涉猎到历史和人口学领域；但其中心思想是基督徒有责任探求合宜的途径，来完成神托付的使命。

在《简论》的最后部分，克里论述基督徒有传福音给万国的义务之后，追溯宣教历史上人们为了完成主的大使命而做过的种种努力，指出当时世界的宣教范围可以有多大，驳斥那些视普世宣教为无稽之谈的观点，最后列举了一些应对的策略。第一策略就是同心祷告：

> 神恩典所成就的最荣耀事工，都是出于神对祈祷的回应；所以我们极有理由认定，唯有这样我们切望的圣灵最终的浇灌才可能发生。[10]

四十年前，爱德华兹（Jonathan Edwards）发出了"同声祷告"（Concert of Prayer）的呼召，[11] 从而掀起了一场时常祷告的复兴运动，而克里就是以此为背景奋笔疾书。当时爱德华兹所以发出这火热的呼召，是因为得知有好几个基督徒弟兄受感于1742年苏格兰西部的坎伯斯兰（Cambuslang）的属灵复兴运动，就开始聚在一起祷告。[12] 克里继续力证同心祷告是最为有效的策略。自从克里在米德兰浸信会友人圈子中开始每月聚会祷告之后，"他们虽然卑微软弱，但是相信神听到了他们的祷告，并且已经回应了他们。"祷告首先带出的果效就是参与祷告复兴运动的教会都有普遍的增长。在他们眼中完全没有国内宣教或是海外宣教之分，所求的就是"基督的国度得到拓展"，无论本土还是国外都一样。[13]

同心祷告带出的另外一个果效就是澄清了那些长期带来困扰、使教会无法合一

的问题，以及移除了阻扰他们在非传统地区传播福音的障碍。"随着公民自由和宗教自由的扩大，天主教会的势力将日渐式微"，这可能会带来更多在非传统地区传播福音的机会。一些像克里这样的英国异议人士都毫不畏惧地为公民自由和宗教自由祷告，有些人甚至从法国大革命中看到了敌基督势力的衰落。确实，有些人披着"公民自由和宗教自由"的外衣，但实际上他们的目的是发动革命。人们因为苏格兰教会联合会和其他教会的差会与此有染而对他们加以抵制。同样地，当议会第一次提议废除不人道的奴隶贩卖时，克里感到大为欣喜，并且期望这一义举得到持续。此外，他还为塞拉里昂基督徒自由聚居地的建设祷告。[14]

那么，人们能从这微乎其微的一群人同心祷告的努力中看到什么结果呢？众多教会的复兴、神学思想的厘清、新宣教大门的开启、法国大革命、抵制非法贩卖奴隶、非洲西部基督徒阵营的建立等等又都算什么呢？克里说，这些惊天动地的事情"不应该被视为小事一桩"。他把发生在自己浸信会小圈子里的事件和当时的重大事件相提并论，并认为这样做没有什么不妥之处。他看到神在他的小圈子里做工，也掌管着大事：

> 如果广大基督徒都关注救主的国度，我们现在就能看到神的国度正在实现之中：不仅看到普世传福音的大门已经敞开，而且还有许多人欢欣跳跃地接受福音，人们对福音真理的认识与日俱增；或者，我们早就应该看到，基督徒运用神所赐的各种属灵资

源，让恩典更多地从天沛然而降。[15]

克里继续写道，祷告可能是各宗派基督徒都能不遗余力齐心努力的事情，然而，在我们奋力祷告的同时，一定还要积极探求祷告成就的途径。而后，他从当时的贸易领域提举了一个例子：一家贸易公司获得经营许可之后，创办人会奋力给企业建造稳固的基础。他们会精心挑选货物、船只和船员；也会搜索每一项有用的资讯。然后不顾航海的危险，迫不及待去克服恶劣的气候和人们的阻挠，承担各样风险，都是因为他们想要成功。他们所关注的是**利益**；那么基督徒呢？难道不该关注人类最大的福祉——弥赛亚的国度在地上不断拓展吗？因此，他提议：

> 假若有一群认真的基督徒、牧师和个人能够组成一个差会，针对计划实施、传教士差派、费用支付方法等事项制定一系列规则。这个差会的成员必须心系宣教、信仰真实、坚忍不拔；必须禁止不合格人士加入；如果申请人不符合条件，就应当暂缓加入。[16]

应当在这个差会中组成一个委员会，就像贸易公司的做法一样，由他们负责搜集资讯、筹集款额、甄选和装备候选宣教士。这些做法在今天看来如此陈旧，因为我们已经习惯了委员会和理事会审议、缴纳会费和捐款等繁杂的做法；而忘了十八世纪的一般基督徒一点都不熟悉这些东西。当时大多数基督徒只能想到牧区教会和指派的牧师，而英格兰和苏格兰非国教基督徒也只能想到在会众中为自己选召牧师。基督徒为了一个共同目标而自愿组成宣教差会的作法，仍然处于雏形阶段。克里不过是出身低微的草根人物，能看出差会和航运公司的运作很相似，把宣教差会比作贸易公司，这是极富深远意义的。因为他发现教会凭借常规途径无法完成福音广传的重任，而认真探求确实可行的合宜途径。我们可以逐个查看其它早期宣教差会，包括由英国国教支持者组成的英行会，还有得到英格兰非国教信徒和各种苏格兰组织热烈支援的伦敦会，其创建的初衷都极有针对性。道理很简单，就是当时所有教会（包括主教制、长老制或会众制）的组织模式都不能有效地进行海外宣教。因此，基督徒不得不"另寻途径"。

志愿委身的差会从来都没有什么**神学依据**。好像神跟那些自以为是、冥顽不变的信徒们开的一个神学玩笑，因为具备高深神学和教会理论造诣的人们往往是宣教运动的敌对者。有这样一段逸事，未必真有其事，但应该是真的。赖兰（Ryland）长老对着克里语重心长地说："小伙子，你坐下来。神若是真想要让异教徒归信祂，用不着你我帮忙！"赖兰所表达的，正是更正教一百年以前回击罗马天主教的质疑而形成的教义思想。早在十七世纪，罗马天主教在美洲、非洲和亚洲展开了许多宣教事工，他们质问更正教信徒说："你们的宣教士在哪里？"当时针对这个问题已经有标准的神学答案：更正教首先从神学教义上提出辩解说，使徒的职分已经终止了，主耶稣给使徒颁布"你们要去使万民……"的使命，在使徒时代就已经完成了。如果人以为这个使命也是主对自己的吩咐，并且要努力去完成，便是狂傲自大和属肉体的；这人僭越了使徒的职分，就像教皇一样错谬。

这个观点十分荒谬，克里不费吹灰之力就把它驳倒了。他问浸信会的弟兄说，施行洗礼也属于使徒职分的一部分，如果使徒职分已经终结，我们今天怎么能够施洗？[17] 在诸如约翰·魏恩（John Venn）和沈美恩（Charles Simeon）等敬虔的实用主义者的不懈努力下，英国国教行道会最终成立了。有一些看重教义的福音派弟兄由于害怕宣教士在宣教工场上不再遵循《英国国教祈祷书》（*Anglican Prayer Book*），对差会持反对意见。同时，许多爱尔兰神职人员认为差会分散了教会的精力，会影响他们对抗罗马天主教的主要任务。

二：志愿委身和教会的治理

志愿委身差会虽然不是从圣经神学直接发展出来的，却具有很强的神学含义。它之所以能够脱颖而出，是因为十八世纪末教会的传统体制，包括主教制、长老制、会众制，都不能实行宣教差会所作的事。志愿委身差会不能归属于其中任何一类，但他们的宣教成就颠覆了教会治理的所有传统模式。在十八世纪的人们眼中，教会体制是多么的稳定和不可撼动，从这个角度来看我们就更能明白志愿委身差会等宣教机构的不菲成就。几个世纪以来，各派基督徒都以圣经和理性为依据，论证各自的教会治理模式的正当性，立场分明，然而三种治理形式依然并存。为了保证这些教会治理模式的纯正性，人们尽心

竭力，甚至为之流血牺牲。在必要的情况下，他们还不惜为之牺牲他人的生命为代价。然而，突然之间又出现了一些无可规避的问题，例如把福音传给万民这样的大事。教会以其辉煌的治理模式守护着福音的真理，却对这些感到爱莫能助。当教会意识到这一点后，其强硬的神学观点有所软化。克里这样写道：

> 如果我有任何理由希望自己对一些基督徒有所影响，尤其是我自己宗派的基督徒们……我这样说的意思不是要把影响局限在某个宗派之内。我真心希望，每一位真心爱主耶稣基督的弟兄都能参与进来。但是，目前的基督教世界处于分裂状态，每个宗派各自行事可能比联合事奉更有成效。宣教的工场如此广阔，足够容纳我们所有人……如果我们不彼此品头论足，便可以彼此惺惺相惜，为彼此事工果效祷告……但是，如果大家掺和在一起，就很可能因为私自的冲突不悦……而妨碍他们对公众事奉能发挥的功用。[18]

由此可见，克里支持各宗派独自宣教的理由完全是实用性的。他并非从神学的角度反对联合宣教，他确实邀请所有基督徒都参与其中。话虽如此，要组成一个差会，必须从现有的人着手，这些人已经具有一定凝聚力、信赖感和团契生活的核心小团体。猜疑或不信任的恶念一旦在差会中萌生，这差会就注定要以失败收场。当然，从克里的教会大联合的神学前提出发，也可能得出有关建立差会基础的不同

结论。传道会的诸位创立者便是如此，他们没有给宣教差会划定宗派的限制，而是希望囊括所有怀有善意的基督徒，不管是来自主教制、长老制或会众制的教会。随着更多差会的出现，"传道会"的名称很快变成"伦敦会"。一位牧师在其创会仪式上高喊道："看啊，我们在这里齐心葬埋**宗派的偏执**……我还要说一句，如果谁把偏执死灰复燃，就让他受诅咒。"[19] 这些早期的创立者们见证了这一幕，并且制定了所谓的差会"基本原则"：

> 我们的目标不是传播长老制、独立制、主教制或任何一种教会秩序和治理模式（严谨之人可以在许多问题上持不同看法），我们乃是致力于将配得称颂的神、那荣耀的福音传给异教徒。至于教会治理模式的问题，应该留给（一直都应该留给）神呼召与祂儿子相交的人们自行酌定，只要是在他们看来最切合神话语即可。[20]

我们可以争辩说这个基本原则实际上就是会众制的原则，尤其括弧里的"一直都应该留给"更是表露无遗。我们还可以进一步论证，伦敦会没有更名为公理会差会，也并非完全由公理会支持，但在很大程度上得到其支持，这可能是其原因。然而，极为重要的是我们需要看到，伦敦会在十八世纪末成立之时，其初具雏形所显露的特质非常难得：那就是圣公会、长老会、独立派和卫理会建立了联合行动的共同阵地，而这个共同阵地就是差会。人们虽然从不同的神学基础出发，却凭借共同的途径努力完成同一目标。

差会成了大公精神的载体。差会本身不是这一精神的来源，而是其结果，也是大公精神的表达方式。克里从教会大联合出发，倡议创立分宗派的差会；然而，伦敦会的创立者们却为着极为相似的原因创立了跨宗派的差会。在那个时代，国教信徒和非国教徒可以一起吃晚餐、喝咖啡畅聊，却没有共同**行动的途径**。直到志愿委身的差会出现，这种情况才得以改变。差会给传统教会体制带来的挑战还不止于此。所带来的最激烈的挑战就是，成立差会是为了传播福音，虽然教会和堂会存在的目的之一也是为了传播福音。然而，差会**不是**教区，也不是堂会，其运作方式完全不同。即使差会清楚地划定了自己的宗派界限，也不能像堂会和教区那般融入任何一种传统的教会体制。

人们对那些旧有的几乎一成不变的教会治理体制唇枪舌战由来已久，不再有什么新鲜的论调出现；然而就在固有的旧体制之外增生了一种新的教会治理模式，枝干相连，共生共荣。

因此，差会在十九世纪大量涌现，对抗特定的社会弊端，满足社会的需要，这丝毫不令人意外。在1859年的大复兴之后，新一批差会应时而生，这也是在人的意料之中。许多差会重扬昔日的梦想，面向有心宣教的基督徒建立跨宗派的运作体制。这个时代还涌现了许多其他新的差会，在常规教会忽略的地方从事本土和海外福音宣教事工。

三：非同寻常的领导制度

按照安德森的说法，志愿委身差会的

特征之一是招募的对象不局限于神职人员。在此，志愿委身差会以另一种方式颠覆了旧有的教会体制：它改变了旧有体制的权力基础。志愿委身差会有史以来首次把平信徒（除了在政府机构中担任要职的少数人之外）的重要性提到了教区和堂会之上。随着宣教差会的不断发展，那些在教会中人微言轻的人们，不管是神职人员还是平信徒，都在差会中扮演着非常重要的角色。在英行会的历史中尤为如此，其创立者是一批无名小卒，有几位伦敦市区的牧师、一位剑桥学院董事、几位乡下的信徒，没有主教、副主教或会吏长，有人甚至没有教会俸禄。

从影响力的角度来看，他们唯一的优势是拥有一些显要的平信徒的支持，如议会要员威廉·威伯福斯（William Wilberforce）和亨利·桑顿（Henry Thornton），此二人后来作为英行会的副主席和总司库而闻名遐迩。确实，当差会需要就自身的存在问题与坎特伯雷大主教对话时，身为平信徒的威伯福斯挺身而出，担当此任，除此之外再没有什么人有足够的分量与大主教对话。[21] 但是横贯整个十九世纪，哪个大主教产生的影响力能与亨利·维恩相比呢？在十九世纪中期长达三十年间，维恩担任英行会的总干事，教会的支持少之又少，但是他管辖的教区比哪个主教都大。维恩属下的神职人员如此众多，鲜有其他任何主教可以与之相比；也没有任何主教可以对属下同工产生如此巨大的影响。[22] 维恩的一些前任和继任都是平信徒，其中最著名的是丹德森·科茨（Dandeson Coates）。

历史不断轮转，十九世纪宣教领域的重大发展不可同日而语。差会的执行总干事一职向来非牧师或神学家莫属，后来有些竟然由医生或其他专业人士担任。远在女性可以不让须眉在许多社会领域崭露头角之前，就已经有一些女性在差会组织里承担起领导角色。素有"以色列之母底波拉"美誉的格拉顿·吉尼斯夫人（Mrs. Grattan Guinness），就不只是一位女资助人，也不只是慈善家伯德特·库茨男爵夫人（Baroness Burdett Coutts）的翻版，她更是宣教差会的积极宣导者、推动者和组织者。宣教士威尔斯利·贝利（Wellesley Bailey）得到异象成立了关顾麻疯病人的差会，然而该差会的组织者和核心人物是令人敬仰的都柏林皮姆小姐（Miss Pym of Dublin）。就这样，教会里发生了一场静悄悄的革命。因为差会从未融入当时的教会体制，所以没有人反对妇女担任圣职参与事奉，甚至没有人一味责难妇女，宣称她们应当在教会中闭口无言。如果说志愿委身差会是神向教会神学开的一个玩笑，那么几个世纪以来，一向被奉为至圣且充满喋喋不休争辩的教会治理体制，到十九世纪末期已经成为一场令人捧腹的喜剧。

四：地方教会的参与

安德森还提到了志愿委身差会"欢迎广大信徒群体"的积极参与；这也道出了志愿委身差会的另一个重要特点，就是依赖地方教会信徒的参与而存在。差会为此制定了一套相应的方针。克里的方案首先在英格兰中部地区一小群浸信会成员中开始实施，他们原本就对彼此非常熟悉。伦敦会的规模大得多，部分原因是不少捐

助者位高权重，例如大卫·柏格（David Bogue）和乔治·伯德（George Burder）在他们的宗派中所处的地位比克里在自己的宗派中更为显要。即便如此，为有效持续发展，差会必须依赖某些地区（特别是伦敦和瓦立克郡）教会中委身的信徒参与和支持。

英行会是这一点最好的明证，它是在牧师协会的热切讨论中初具雏形的。长期以来，这一大群牧师都聚首在伦敦，与英国各地的福音派牧师朋友以通信的方式交流。十五年以来，所有可差派的宣教士都来自于德国，在英国本土几乎没有出来宣教士，这也是他们和欧陆其他差会鸿雁传书的结果吧。[23]

从1814年起，情况慢慢发生改变；可以肯定其中一个原因是英行会开始采用由圣经公会率先使用的新型组织模式，即地方性的后备组织联会。地方教会宣教士联会既可以存在于诸如布里斯托尔（Bristol）这样的大城市中，在其中可能得到位高权重的贵族或民间领袖的支持；也可以存在于很小的乡间教区或其他群体中（例如，在剑桥城市或大学的联盟协会出现之前，剑桥女子协会从1814年起就已经存在）。

英行会由此焕然一新，从伦敦的一个牧师组成的委员会变成了一群在教区的信徒群体，一起关注来自印度和西非的最新消息、如饥似渴地阅读宣教杂志。差会的核心人物不再是高高在上的秘书长，而是奔走于教区之间忙于募捐（即使有些人一周只捐一便士）和推销《宣教士要闻》（Missionary Register）的同工们。他们身分低微、收入平常，但是因自己与宣教有分，能踊跃捐助和支持海外宣教事工而感到荣幸。差会的招募方式也发生了改变，开始有英国的本地人士志愿参与宣教事工。这个时候，宣教工作要承担的风险也不小，在某些宣教工场上宣教士死亡率达到最高点。很可能与差会自身的快速发展有关：差会紧紧地依托于国内各地基督徒群体，发动了范围广泛的平信徒参与，为忠心委身于神和热诚事主的教会平信徒提供了可贵的用武之地。

五：创办宣教杂志

创办宣教杂志在宣教发展进程中发挥的作用还没有得到学者们足够的关注。志愿委身差会，尤其是宣教差会，培养了一个新的公共读者群，借此引导大众舆论。这种做法来源于废除奴隶贸易运动。当然，许多支持废奴运动的人也积极支持宣教差会的事工。废奴运动或许是人们利用现代传媒手段，对公众进行思想教育和引导大众舆论而赢得的第一场胜仗。宣教差会也逐渐承担起对公众传递宣教教育的责任。

1812年，第一份令人瞩目的宣教杂志《宣教士要闻》诞生了。它本着宣教的大公精神，发布来自世界各地不同宣教机构的新闻。全国各地的人们争先恐后地订阅宣教杂志，这类杂志的流通量比其他著名杂志高多了，例如《爱丁堡评论》（Edinburgh Review）和《评论季刊》（Quarterly Review）只是进到了绅士们的乡间别墅藏书室，而宣教杂志却进入了许多从未阅读过期刊的人群中。这些宣教杂志图文并茂，帮助读者对宣教有自己的见解，培养积极的宣教心态，甚至对十九世纪广为人们引用的参考文献产生了相当的影响。《宣教士要闻》和其他宣教杂志的读者都清楚地知道英国政府应该怎么处理孟加拉庙税、印度寡妇殉夫习俗、鸦片贸易和逃奴问题。一群独特的读者大众应运而生，这一群人可能比任何群体更为关注外部世界的情形，也更为见多识广。

举一个例子就足以说明。十九世纪中期，英行会与非洲内陆的一家最早的现代教会建立了联系，这间教会建在约鲁巴国阿贝奥库塔的埃格巴（Egba）州。当埃格巴州处境危险，面临被达荷美王国（Dahomey）征服以及奴隶贩卖利益集团的重压，英行会借助它在英国政府圈子的影响力，为埃格巴州赢得了道义支持和一些后勤支援，[24] 迫使强大的达荷美军队撤离。差会秘书长亨利·维恩讲到，"从女王陛下的政府部长，到每周捐助一便士的卑微捐助人"，英国上上下下都对此倍感欣慰。他这么说并非言过其实；女王陛下的政府部长之所以采取行动，是由于见到宣教差会提供了充足的报导证据。毫无疑问，一定有无数每周捐出一便士的人凝神屏息地关注事态进展。在得知阿贝奥库塔及其教会免遭涂炭的时候，他们一定和宣教士一起向神献上无尽感恩。在十九世纪中期的英国，有多少人听说过阿贝奥库塔？有多少人知道达荷美国王或示巴女王？这些通晓天下事的人们，大部分都是从宣教杂志这扇通向世界的视窗增广见闻的。

六：今日的宣教差会

十九世纪末期，大量的新兴宣教差会不断地涌现出来。其中许多属于新型的"信心差会"，而中国内地会堪称其先驱楷模，把以往宣教差会模式推进一把，是沿袭、而不是偏离先前差会那些合理的运作原则。在某种角度看，是体现了一种归回最初原则的革新运动。如同神责备耶书仑因为财富加增而心高气傲一样，熙笃会和加尔都西会（Carthusian）也需要归回本笃会秉持的差会理想。这些新兴的差会秉承先前的志愿委身差会，继续给教会带来巨大影响，推动教会非圣职事奉运动，鼓励妇女发挥恩赐和才干。新兴的差会带来普世宣教的新维度，这是当时立足于本地发展的教会无从获得的。西方教会在经历了志愿委身差会的时代之后，与从前大不一样。

克里说过，宣教差会本身成了实现具体目标的途径，它原初的目标正如克里所说，是为了"带领异教徒归信基督"。无论是旧有的差会还是新型差会的目标，本质上都是传播福音。一旦认定这样的目标，理论上，新的地方教会得到建立之后，差会就应该向其他地方迈进。但是实际上，差会没有离开原地，也不能离开。因为随着新教会的建立，差会仍留在原地，可以成为最自然的沟通桥梁，帮助教会获得人手、财力、物资和技术方面的支持。由此我们看到，差会还扮演了其它的角色，为新建教会和大众提供教育宣导功能，成为民众和政府的良心。在1830年以前，宣教差会就已经在各处充当这些角色，直到如今依旧如此。

然而，十九世纪无论裹足不前的英国国教徒，还是满怀期待的宣教士，都没有预见到非洲、亚洲和拉丁美洲会迅速地成为世界基督徒人口的主要居住地区，更没有想到普世宣教的重任这么快就落在这些地区的基督徒身上。普世教会历史在续写新的篇章，不是要改写宣教运动的失败，而是从它的成功迈向辉煌。现在，我们可以重新审视"另寻途径"和这些必要的"途径"所要达到的目标。为了宣教目标而成立的差会可能成为双边关系的结合点，也就是"我们"的宣教工作建立起来的教会只能与"我们"这个差会建立关系。这如何能够反映基督身体的整全性呢？还有，差会与教会的关系很容易变得受金钱所主宰；当双方交谈的话题离不开金钱和数额时，双方很难平等对话。还有，差会的组织模式形成财务上只出不进的流向；一方完全负责财务上的给予，而另一方一味地接受。如今西方教会的迫切需要是能够接受，也有必要"寻求合适的途径"分享神赐给祂所有子民的恩赐。

志愿委身的差会以及宣教机构都是在西方社会、政治和经济发展的特殊时期产生的，其模式也带着那个时代的印记。它为神所用，在神拯救世人的计划中发挥了重要的作用。正如鲁弗斯·安德森很久以前剖析的那样，从基督教历史的初期直到如今，同一宣教运动周而复始地不断迭现，而志愿委身的差会也只是宣教运动以现代西方的特有形式再现。从某种意义上说，修会就是志愿委身的宣教机构，而且"正是透过这类组织形式，福音才得以在欧洲大地上我们的先辈中传播开来。"[25] 在任何一个时代中，我们都有必要冲破既有的体制对福音的不合理限制，找出其它途径来传播福音。有人把天主教中"修会"引申为"动态架构"：即不同的基督徒群体为了传福音的共同目标而自愿组织起来，齐心协力，"运用一切可行的途径"，完成特定的传福音的任务。志愿委身的宣教机构如同从前的修会一样，在各自领域中带来了巨大的变革，我们今天同样需要建立众多"动态架构"的宣教机构，但也同样需要斟酌再思。

附注

1. 这个册子初次面世是在波士顿的《信仰杂志》（*Religious Magazine*），1837-38 号，之后数次发行。它最近再版于比弗编，*To Advance the Gospel: Selections From the Writings of Rufus Anderson* (Grand Rapids: Eerdmans, 1967), pp. 59-76，因此版本最容易获得，故本文参考出处均以之为准。

2. 同上，p. 61。

3. 同上，p. 64。

4. 同上，p. 65。

5. 有关背景情况，见 W. K. Lowther Clarke, *Eighteenth Century Piety* (London: SPCK, 1946); N. Sykes, Edmund Gibson, Bishop of London 1669-1748: *A Study of Politics and Religion in the*

Eighteenth Century (London: Oxford University Press, 1926)。

6. J. S. Simon, *John Wesley and the Religious Societies* (London: Epworth, 1921), and John Wesley and the Methodist Societies (London, 1923).

7. 见 W. K. Lowther Clarke, *A History of the S.P.C.K.* (London: SPCK, 1959)；及 H.P. Thompson, *Into All Lands: The History of the Society for the Propagation of the Gospel 1701-1750* (London: SPCK, 1951)。有意思的是，Thompson 的第一部分在记述了 SPG 的起源之后就开始讨论"1701 年至 1783 年之间的北美洲殖民地"，而"1783 年至 1851 年间的大觉醒运动"的头四部分则讨论了国内和加拿大的情况。SPG 的首要任务是关注英国的殖民者，Thomas Bray 是建立这个机构的灵魂人物，他有更为广泛的异象（比较 Thompson, p. 17）。但实际上像 Thomas Thompson（比较 Thompson, pp. 67ff）的杰出人物少之又少，他是马里兰的一位牧师，曾于十八世纪五〇年代亲自到西非去探访殖民地上的奴隶远在那儿的家乡。年轻的卫斯理在乔治亚作宣教士的时候曾希望向印第安人传道，但实际上他极少能够见到任何印第安人。

8. 比较 G. D. McKelvie, *The Development of Official Anglican Interest in World Mission 1788-1809, With Special Reference to Bishop Beilby Porteus*. Ph.D. thesis (University of Aberdeen, 1984)。

9. 1972 年出版了 Leicester，之后有几次再版。Carey Kingsgate Press (London, 1961) 出版了该书的复印版以及由 E. A. Payne 所写的该书简介。

10. 威廉·克里《简论基督徒以合宜途径向异教徒宣教的义务》，pp. 78f。

11. *An Humble Attempt to Promote Explicit Agreement and Visible Union of God's People in Extraordinary Prayer for the Revival of Religion and the Advancement of Christ's Kingdom on Earth, Pursuant to Scripture—Promises and Prophecies Concerning the Last Time* (Boston, 1747).

12. A. Fawcett, *The Cambuslang Revival: The Scottish Evangelical Revival of the Eighteenth Century* (London: Banner of Truth, 1971).

13. 威廉·克里，页 79。

14. 同上，pp. 79-80。

15. 同上，p. 80。

16. 同上，pp. 82-83。

17. 同上，pp. 8ff。

18. 同上，p. 84。

19. David Bogue 的讲章被 R. Lovett 摘要之后引用于 *The History of the London Missionary Society 1795-1895* (London: Oxford University Press, 1899), 1:55f。

21. 见 Michael Hennell, *John Venn and the Clapham Sect* (London: Lutterworth, 1958), ch. 5。

22. 比较 W. R. Shenk, *Henry Venn, Missionary Statesman* (Maryknoll, N.Y.: Orbis Books, 1983)。

23. 有关宣教士早期招募的情况，见本卷第 12 章，'Missionary Vocation and the Ministry.'

24. S. O. Biobaku, 'The Egba and Their Neighbors 1842-72' (Oxford: Clarendon Press, 1957); cf. J. F. Ade Ajayei, *Christian Missions in Nigeria 1841-1891: The Making of a New Elite* (London: Longmans, 1965), pp. 71-73.

25. 比弗，p. 64。

研习问题

1. 解释本文标题的含义。宣教机构从何种意义上说具有颠覆性？为什么说这种颠覆是良性的？

2. 运用"静态架构"和"动态架构"这样的术语，阐释作者所谓"宣教差会"的崛起。

3. 作者所说的"宣教运动的敌对者"指谁？为什么？

4. 请解释作者所说的"神跟那些自以为是、冥顽不变的信徒们开的一个神学玩笑"是什么意思。

第41章 现代宣教史话——
四位巨人、三个时代和两个过渡期

温德（Ralph D. Winter）

作者（1924-2009）任加州帕萨迪纳市前线差传团契总干事。曾在危地马拉高原的玛雅印第安人当中宣教十年，之后受邀担任富勒宣教学院的宣教学教授，又十年后，和妻子罗伯塔创办了美国普世宣教中心及威廉·克里国际大学。二者都服事那些从事前线宣教工作的人员。

马克思主义曾强势冲击世界各地高等学府的千万学子，其中一个原因在于它提出了一个"愿景"，宣称共产主义者不但已经掌握了历史的终局，而且还正在顺应那不可逆转的历史潮流。

近年来，福音派人士也热衷于研究历史趋势与未来事件之间的关联。一段时间以前，哈尔·琳赛（Hal Lindsey）有关未来事件的系列著作和电影不胫而走，在社会中引起巨大回响。由此可见，大众极其关注生命"何去何从"的问题。

相形之下，基督教的历史观其实比共产主义思想提供了更加长远的"愿景"，并且不乏大量史实和英武事迹的佐证；然而，基督徒通常无意深究圣经预言、未来事件与普世宣教之间的关联。诚然，他们认识到圣经里多的是有关人类的过去和未来预言，但是，就如布鲁斯·克尔（Bruce Ker）中肯的评析："宣教的主旋律始终回响在整本圣经中……而贯穿全书的主干脉络，就是神在历史中渐进地揭示出来并逐步实现的普世宣教主旨。"

我早年在教会上主日学时是否曾受过这样的思想薰陶？或许吧！不过还是在等到多年之后，我才领会到宣教的故事早在大使命之前已经展开。圣经清楚陈明：神指示亚伯拉罕将得到神的祝福，并且要成为地上万民的祝福（创12:1-3）。彼得在圣殿讲道时引用了这节经文（徒3:25）；保罗在写给加拉太信徒的书信中同样提到了这句话（3:8）。

然而，有些圣经注释者认为，只有这个应许的前一部分是可能即刻应验的；也就是说，亚伯拉罕可以立即开始得到神的祝福。不过，他们继而论证说，唯有两千年之后亚伯拉罕的后裔才能开始"成为地上万民的祝福"。他们指出，必须等到基督降世，颁布大使命之后，也就是，亚伯拉罕的后裔需要等待差不多两千年之后，才蒙召去到地极，成为地上万民的祝福，这样的看法可被称为"大使命蛰伏理论"。还有一位学者提出的看法更为偏颇，在其后几十年

中竟然从者如云。他认为，神在旧约中并不是要兴起宣教士去到世上万族当中，而是要这些族群前来以色列民中得到亮光；神是从新约时代开始扭转做法，想得祝福的族群无须前来，是要那些已经蒙福的人去把祝福带给他们。这种理论得到不少人的吹捧，部分原因在于该学者巧用"旧约的向心式宣教与新约的离心式宣教"这样的浮夸之辞哗众取宠。事实却是，这两种所谓"向心式"、"离心式"的宣教并存于新旧约两个阶段中，并不像有些强词夺理之人声称的，在新旧约两个阶段之间经历了转换。美国单单在洛杉矶一个城市中，就有一百卅七种使用不同语言的群体，显然，这些在新约时代之后的人依旧需要去就近神的光。

新近振奋人心的阐释见于本书第二章华德·凯瑟（Walter Kaiser）的著作（编注：中文版请见第一册第2章〈以色列的宣教呼召〉）。他注意到，早自亚伯拉罕时代，以色列民就有责任把神的祝福与地上的万民分享。同样，从保罗的时代开始，任何有一定数量的"因信成为亚伯拉罕后裔"的民族都肩负着同样的使命，只是以色列民和这些民族大都没有实践这样的大使命。

旧约圣经中最值得警惕的，莫过于以色列人只想得到祝福，而不愿意成为其他民族的祝福。不过我们需要谨慎地指出：**今日的基督徒普遍漠视大使命的程度，并不亚于他们；昔日以色列民对神在创世记第十二章1-3节中给亚伯拉罕应许中第二部分的漠视，我们更有过之而无不及！**为何我们对圣经的研究轻忽了不少贯穿于旧约圣经的关键经文？这些经句无一不是强调以色列民（包括我们）担负的宣教重任（例如：创12:1-3，18:18，22:18，28:14；出19:4-6；申28:10；代下6:33；诗六十七篇、九十六篇、一〇五篇；赛40:5，42:4，49:6，56:3、6-8；耶12:14-17；亚2:11；玛1:11）。

同样，当今这些特别蒙神祝福的民族，也可能抗拒神的命令，让成为其他民族祝福的天职悄然消逝。但这不是神乐意的，因为"多给谁就向谁多取，多托谁就向谁多要"（路12:48）。

既然如此，我们要问当今的教会到底有多少时候提到过大使命？恐怕比旧约中提及的次数更少！然而大使命从不失效，无论是从前还是现在都依然适用。笔者坚信大使命从颁布之日起就一直生效（创12:1-3），无论是信徒个人还是族群整体都肩负着"使地上的万民蒙福"的重托。

但是从使徒之后的诸多世纪中，教会都疏于履行这一使命。就算我们所属的更正教传统也是如此，两百五十年以来只顾自己，像昔日的以色列民一样只顾着自己蒙受祝福，直到一个大有信心和坚韧不拔的年轻人出现，这样的情形才发生改变。在本文中，笔者将集中笔墨描写这位非凡年轻人的事迹，他在十九到廿世纪期间开创了一个全新的时代。在过去两百年中，没有任何人像他这样为普世宣教倾注了如此巨大的动力。他就是神兴起来的四位颇有影响力的伟人之一。尽管这些人都有严重的缺点，但是因着他们的信心和顺服，宣教历史上诞生了三个不断针对新的边疆的时代（最后一个时代由两位伟人共同领航）。每一个时代都走过了宣教进展中的四个策略阶段。第一个时代的最后一个阶段与第二个时代的第一个阶段之间差异巨大，导致宣教策略出现了两个令人困惑的"过渡时期"。这些内容可用图示，但在此以故事来解说。

第一个宣教时代

威廉·克里（William Carey）未满三十岁时，就因为想要尽心实践主的大使命而招来一身麻烦。有一次在一群牧师谈话的时候，他抓住时机，问他们为何说大使命已经过时，挑战他们说出个理由。他们驳斥他说："若是神真想要赢得异教徒归信的话，用不着你我帮忙！"之后由于没有机会继续表达自己的看法，克里就耐心地将自己的见解付诸文字，就是《简论基督徒以合宜途径向异教徒宣教的义务》一书（参48章）。

这本小书说服了他的几位友人创立一个小型的宣教差会，这就是他在书中力主的"途径"。这个差会结构松散，力量薄弱，只能为他前往印度宣教提供微不足道的支援。但是克里的宣教举动在整个英语世界中激起层层涟漪，而他这部短小力作，竟成为更正教宣教运动的宣言。

克里并非更正教宣教的第一人。莫拉维亚弟兄会多年以来一直差人到格陵兰岛、美洲和非洲宣教。但是克里的这部力作连同福音复兴浪潮在大西洋两岸更新了人们的生命，唤起了他们的宣教意识。其影响力立竿见影：第二间差会在伦敦成立。其他宣教差会也如雨后春笋：两间在苏格兰，一间在荷兰，另有一间在英格兰。此时克里的宣教理念——只有通过差会这种有组织的方式，才能完成宣教使命——开始被人们接受为毋庸置疑的。

在美国，有五位大学生深受克里著作的鼓舞，为着神在他们生命中的带领而聚在一起祷告。这一不起眼的祷告会后来称为"干草堆祷告会"，"美部会"（ABCFM）应运而生，克里力促的宣教"途径"在美国开花结果。更重要的是，这几个学生还带动了一场声势浩大的学生宣教运动，成为后来许多学生宣教运动的先驱和典范。

在克里前往印度的最初二十五年中，大西洋两岸成立了十几间差会，更正教宣教史上的第一个时代欣然拉开了帷幕。不过实事求是地说，相比同时期大多数欧美教会全神贯注的事务，第一个时代的宣教差会实在可怜，资金短缺，规模有限。要众教会形成意识，愿意组织起来差遣宣教士谈何容易，不过最终还是得到了人们的接纳。

在克里的思想影响下，波士顿的一些妇女组建了为宣教士祷告的姊妹小组，结果她们成为传播宣教知识和推动宣教事工的媒介，甚至几年以后，有妇女以单身宣教士的身分投入了宣教工场！未婚的美国妇女们后来在1865年，建立了类似于罗马天主教女修会的基督徒妇女差会，只差派单身女宣教士，国内部门也完全由单身女性负责管理。

第一个宣教时代有两个醒目的特征，其中一个是宣教士展现出来的非凡爱心和牺牲精神。当时非洲是一个让人望而生畏的地方，在1775年之前，所有的宣教工作都以失败告终，无论是天主教的宣教，还是莫拉维亚弟兄会的努力都付之东流。在第一个宣教时代揭开帷幕之前，非洲大

> **在克里前往印度的最初二十五年中，大西洋两岸成立了十几间差会。**

陆上根本没有任何宣教士。疾病和死亡的结局令人毛骨悚然，但并没有吓倒英勇的宣教士们，他们在1790年之后的几十年中以牺牲生命为代价，汇聚成一股宣教洪流，这是人类历史上任何一个时代和人间任何事业都无法比拟的。在第一个宣教时代的最初六十年中，抵达非洲的绝大多数宣教士都在两年之内为主捐躯。感念宣教英烈们怀着如此竭诚为主之心，奔赴死亡之地，不禁让我热泪盈眶，谦恭自勉——试问我自己或弟兄姊妹们，今天是否愿意见贤思齐、起而效尤？今天如果我们尔班拿大会的学生们，知道从前几十年甚至上百年来，95%的宣教前辈几乎刚一踏上这片土地就倒下了，他们将会怎样投身宣教工场呢？

另外一个特征则是在宣教策略方面的真知灼见。这个时期出现几位卓越的宣教学者，他们清楚看到后方的宣教差会需要保持自己的独立性。例如，伦敦会做得非常成功，前所未有，"部分原因是差会不再隶属于教会管治，另一方面在差会的成员中，圣职人员和平信徒人数旗鼓相当"。至于宣教工场的结构，我们从亨利·维恩（Henry Venn）略知端倪（他与著名的克拉朋联盟）颇有渊源，其父还是"英行会"（CMS）的创办人。笔者下面引用他的一段名言，除了其中一些用语稍显过时以外，整个表述及思想至今还很应时：

从建立教会的角度来看宣教站的终极目标，应该就是建立按照自养体制（self-supporting）运作、由本土牧师带领的本土教会。我们需要谨记，宣教事工的进展主要取决于本土牧师的培养和所处的地位。换言之，何时宣教士四周包围着受到本土牧师造就的一群本土会众，那就表示"宣教站该响起熄灯号"了！宣教士要能够将所有牧养工作交托在他们手中，并且逐渐减少对当地牧师的监管，直到可以完全卸下肩上的责任。如此宣教区就转变成一个稳定的基督徒群体。之后，宣教士和所有的宣教差会都应当抽身再赴"更遥远之地"。

请留意：这里还没有涉及到本土教会向其他地方拓荒宣教的问题！不过，我们可以从这段话中看到宣教事工呈现阶段性的特征，国际事工差会（SIM）的哈乐德·富勒（Harold Fuller）简洁扼要地总结出四个阶段：

第一个阶段： 拓荒期——初步接触某个族群。

第二个阶段： 家长期——外来的宣教士培养本土的教会领袖。

第三个阶段： 伙伴期——本土同工与外来宣教士并肩而立。

第四个阶段： 参与期——外来的宣教士不再与本土同工比肩而立，只是应邀参与事奉。

总而言之，在第一个时代，众多可歌可泣的宣教士付出了艰苦卓绝的努力，虽然见效缓慢，但最终还是结出了果实。我们看到宣教事工逐步展开的各个阶段，他们在不毛之地上开荒拓土，精心养育出一个嗷嗷待哺的雏型教会，内外同心协力到最后协助参与的阶段，这间新诞生的教会终于成长为生命力丰厚的成熟教会。

美国改革宗宣教部的撒母耳·霍夫曼（Samuel Hoffman）说得好："宣教士会因着殷勤传福音和谆谆教导而深受喜爱和尊敬，不过他们一旦插手教会治理就可能自找没趣惹人嫌了。"

宣教士能在宣教工场上完整地经历到这四个阶段的是何等庆幸。只是更为常见的情况是，这几个阶段是由不同宣教士接连贡献的结果；还有的是某个差会早期在几个不同的地方展开工作，经过几年，发现这些地方的事工都不约而同地纷纷结出果实。且不问正确与否，这种接力赛式的发展在全球宣教运动中也不少见。因着宣教策略有所变更以及本土化，几乎所有差会领袖的思维模式都受到冲击，各大洲的宣教工场无论处于初期或后期都受到影响。

无论如何，到1865年，大西洋两岸的宣教士都同声相应，一致认为宣教士一旦完成任务就当告老还乡。由于第一个时代的宣教活动主要集中于亚洲和非洲的沿海地带，不意外地，当宣教士完全撤离就意味着内陆地区不会再有任何福音触及。这一时代后期的标志就是所有宣教士都撤

宣教事工发展的四个阶段及其差会和教会的关系

第一個階段：拓荒期

需要各种恩赐，特别是领导的恩赐。没有信徒，宣教士需要亲自领导。凡事要亲力亲为。

差會

第二個階段：家長期

需要教导恩赐。新一代教会与差会如同父母与成长期的儿童一样。作家长的要避免家长作风。

教會　差會

第三個階段：夥伴期

双方需要由父母与子女变为成人与成人的关系。改变会令双方感到为难，但这是教会成熟必经的历程。

教會　差會

第四個階段：參與期

一个完全成熟的教会可以负起领导责任。仍留下的差会应运用恩赐去巩固教会履行马太福音二十八章大使命的责任，同时也在别的地区开始第一阶段的工作。

教會　差會

离了夏威夷群岛，当时夏威夷还是一个独立的国家。无论是当时还是现今，人们都为得以高奏凯歌撤离宣教工场而感自豪，认为宣教士不负众望，圆满地走过宣教的各个阶段——殷勤撒种，勤于浇灌，最后结出累累硕果。

第二个宣教时代

1865年发生的第二件事情更具重大意义，因为它标志着第二个宣教时代的悄然来临。另外一个像克里一样年纪不足三十岁的年轻人完成了短期的宣教事奉之后，不顾周围人的反对和阻挠，毅然创立了一种新型宣教差会，专门针对内陆地区的福音工作。人们并没有把这个"标新立异"的后生放在眼里，只是嗤之以鼻。但他与克里如出一辙，深受统计资料、图表和地图启发，提议要向中国的内陆族群传福音，可是人们认为他根本无法去到那里，甚至还诘问他能否承担得起那些年轻人的血债？这些话语如同利剑刺痛他的心。有一次他在海滩上漫步，渴望得到神的光照。后来神果真对他说话，使他胜过了心中种种可怕的念头。神说："差遣这些年轻人去到中国内陆地区的不是你，而是我。"他终于如释重负。

这是一个只有经过医疗专科学校训练的年轻人，既没有受过正规的大学教育，也没有宣教方面的训练，过去在宣教工场上还不安分守己，表现得我行我素。但神就是使用这样一个软弱的器皿，让那些聪明能干的自愧不如。他早期反对传统的植堂策略，按照今天的标准来看，他的做法显然不对；然而，神却特别地看重他，因

为他一心记挂着世界上那些未闻福音的族群。这就是神兴起的、毅然向前的戴德生，圣灵帮助他避免了许多错误。他所建立的中国内地会（CIM）是一个最具合作配搭和仆人式服侍精神的差会，总共以各种方式招募、动员了六千多位宣教士，主要在中国的内陆地区展开事工。戴德生秉持向鲜闻福音的内陆地区宣教的方针，等到二十年后才为其他许多差会所推崇。

第二个宣教时代之所以进展缓慢，另有一个原因，就是许多人对前路感到迷茫。当时已经有不少差会存在，为什么还要成立更多的差会？戴德生一针见血地指出，所有现存差会都只局限在非洲、亚洲的沿海地区或太平洋群岛宣教。人们质疑："如果连沿海地区的工作都没有做完，为何要向内陆地区迈进呢？"

我不太确定现今的情形是否依然如故。第二个宣教时代显然不仅需要全新的宣教异象，更需要许多新型的宣教差会。戴德生不只是建立起一间英国拓荒差会，他还前往斯堪的纳维亚国家和欧洲大陆激励人们建立新的差会。在戴德生直接或间接的影响下，四十个新差会破土而出，都按照信心差会的模式运作，更确切地说这些可以称为拓荒差会，其中不少差会直到如今依然保持这样的名称：中国内地会、苏丹内地会、非洲内地会、非洲中心地带差会（Heart of Africa Mission）、未福音化之地差会（Unevangelized Fields Mission）、边陲宣教团（Regions Beyond Missionary Union）。

戴德生看重的是神国伟业，而不是自己的宣教生涯。在他生命的最后阶段，他花了一半时间不停奔走中国与欧美，投入

大后方的宣教推动工作。对戴德生而言，他最关注的仍是基督的宣教大工，而非他个人在中国的宣教事业。

与第一个宣教时代相仿，第二个时代刚刚萌芽时，神就掀起一波学生宣教的巨浪，其声势浩荡，远胜以往的任何学生宣教浪潮。这就是史上最具影响力的学生志愿宣教运动。十九世纪八〇到九〇年代的大学生人数只有当今的三十七分之一，但是学生志愿宣教运动就激励了十万人之众献身宣教，其中两万人后来奔赴到海外各地宣教工场，余下的八万志愿者留守国内，为着宣教事工添砖加瓦，建立稳固的根基。他们带动平信徒宣教运动（Laymen's Missionary Movement），并且强化了当时的妇女宣教差会。

然而，当第二个宣教时代的大学生在海外宣教工场上崭露头角时，他们想不通第一个时代的宣教士何以将领导责任转交给在当地社会中教育程度极低的本土教会领袖。当时，第一时代的宣教士已为数不多，大量受过高等教育的宣教新手根本不顾前辈们获得的宝贵经验和智慧。结果，在第二个宣教时代初期，这些受过高等教育的宣教新手没有向更为边陲的未得之地前进，只留下担任既有教会的领导职务。他们对宣教前辈留下的思想成果不加珍惜，常常迫使前辈宣教士及其辛苦培养的本土领袖退居二线。在一些宣教工场上，这样的做法导致宣教策略大步退后。

到1925年，史上最大的一波宣教运动全面展开。此时，第二个时代的宣教士终于学会重拾他们过往置之不顾的宝贵宣教经验，书写了宣教史上非凡的新纪录。他们在一千多个地方新建教会，多半在内

> 戴德生看重的是神国伟业，而不是自己的宣教生涯。在他生命的最后阶段，他花了一半时间不停奔走中国与欧美，投入大后方的宣教推动工作。

陆地区。到了1940年，遍布世界各地的"新一代教会"被普遍誉为"我们这个时代的杰作"。这些生机勃勃的教会令本土领袖以及宣教士相信，遍布世界各地的教会凭借常规的传福音方式，就可以在余剩的未得之地风卷残云般地完成大使命。不少人甚至开始猜想，究竟差遣宣教士是否还如此必要？如同之前的1865年一样，大家认为从世界各地召回宣教士乃是合理之举。

对于当今的我们来说，这两个宣教时代之间的交迭时期尤其重要。从1865年到1910年之间的四十五年（较之于近代的1934年到1980年）是一段重要的宣教策略过渡时期，从第一个时代在沿海地区的成熟期宣教策略，逐渐过渡到第二个时代在内陆开拓的进取性策略。

在1910年于爱丁堡召开的世界宣教大会之后不久，两场世界大战接连爆发，随后西方的殖民统治在全球一一崩溃。到1945年，许多海外教会不仅期待着西方列强的殖民统治终结，同时还期盼西方宣教士撤离。虽然当时并不像有人宣称的那样，出现了本土教会要"宣教士滚回家"的

抗议声浪，但是此时形势已经大不相同，就连支持宣教的本国信徒也能感觉到局势的变化。拓荒期和家长期的策略已经不合时宜，伙伴期和参与期的策略还算勉强。

1967 年，来自美国的专职宣教士总数开始缩减，下滑的趋势一直持续到今天。原因何在？就是基督徒普遍相信海外宣教的滩头阵地已经全部建立起来了。到 1967 年，超过 90% 的北美宣教士主要是与已经建立一段时间且颇为强健的本土教会配搭事奉。

实情却并非如此简单。一个新的宣教时代在不知不觉中悄然来临。

第三个宣教时代

这个时代的两位领航人物都出自学生志愿宣教运动。他们就是大名鼎鼎的金纶·汤逊（W. Cameron Townsend）和马盖文（Donald A. McGavran）。金纶·汤逊等不及完成学业就奔赴宣教工场，原本以"第二个时代"的宣教士身分前往危地马拉，在前人的基础上继续建造。危地马拉亦如其他许多宣教工场一样，有许多事工可以让宣教士与本地教会配搭完成。但是汤逊清楚认识到大部分危地马拉人不说西班牙语，他穿梭在乡村市镇派发西班牙语的单卷圣经时，猛然醒悟到西班牙语的福音材料根本不能带领危地马拉人归主。有一次，当地的一个印第安人反问他："如果你的神够聪明的话，祂为什么不能说我们的语言？"这让他对此愈发深信不疑。他与另外一群宣教前辈交往甚好，他们早就感到只有用当地印第安族群的语言，才能带领他们归主。当时汤逊年仅

二十三岁，就毅然决定用自己新发现的思路来开拓未来的工作。

在我们这个时代，能够与威廉·克里和戴德生相提并论的，非金纶·汤逊莫属。一如威廉·克里和戴德生，他看到世界上还有许多福音未得之地，就为这些备受忽视的部落族群发声，率先敦促老牌差会着手带领部落族群归主，一做就花了将近半个世纪的岁月。一如克里和戴德生，他先创建了自己的差会，即威克里夫圣经翻译会（Wycliffe Bible Translators），目标是不断向更为福音边陲的未得之地挺进。起初，汤逊以为全世界大约有五百个未闻福音的部族（根据墨西哥大量的部落语言来推算），之后这个数字不断被修正，从一千升至两千，如今这个数目已经跃升到五千。随着未竟之业的艰巨轮廓越来越清晰，汤逊的事工机构规模也逐渐扩大，至今，威克里夫圣经翻译会已经有四千多位同工。

正当汤逊在危地马拉为着语言障碍的艰巨反覆思索之际，马盖文开始辨认出印度有严重的社会障碍。如果说汤逊"揭示"了部落的特点；马盖文则识别出世界各地普遍存在的"同质单元"，也就是我们现今常说的"族群"（People Groups）。何保罗（Paul Hiebert）用"横向隔离"来描述各据一方的部族（Tribal Groups），以"纵向隔离"指非自由生活地域，而由固定的社会差异形成的不同"群体"。马盖文的用语包括了这两种类型，虽然他的本意主要是针对更为微妙的"纵向隔离"群体。

一旦福音传入这样一个群体，并且有宣教士在这个群体内殷勤地利用已经达成

现代宣教浪潮的三个时代

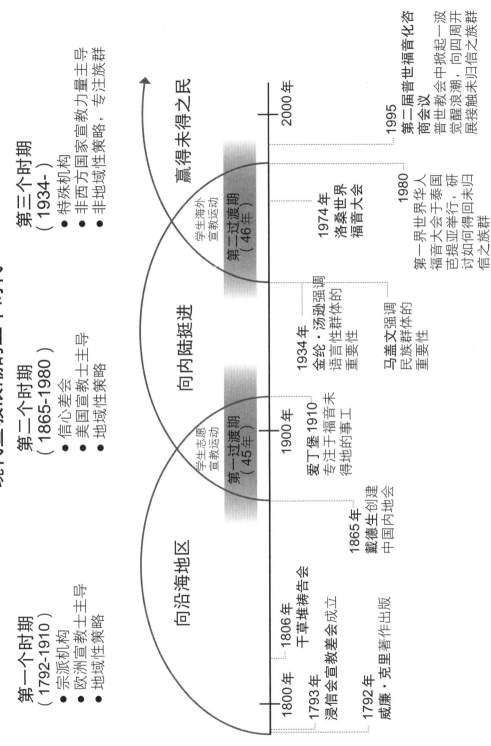

第一个时期
（1792-1910）
- 宗派机构
- 欧洲宣教士主导
- 地域性策略

第二个时期
（1865-1980）
- 信心差会
- 美国宣教士主导
- 地域性策略

第三个时期
（1934- ）
- 特殊机构
- 非西方国家宣教力量主导
- 非地域性策略，专注性族群

向沿海地区   向内陆挺进   赢得未得之民

1800 年

1806 年
干草堆祷告会

1793 年
浸信会宣教差会成立

1792 年
威廉·克里著作出版

1865 年
戴德生创建
中国内地会

学生志愿
宣教运动

第一过渡期
（45 年）

1900 年

爱丁堡 1910
专注于福音未
得地的事工

1934 年
金纶·汤逊强调
语言性群体的
重要性

马盖文强调
民族群体的
重要性

学生海外
宣教运动

第一过渡期
（46 年）

1974 年
洛桑世界
福音大会

1980
第一界世界大会于泰国
福音提亚芭举行，研
讨如何得回未归
信之族群

1995
第二届普世福音化咨
商会议
普世教会中掀起一波
觉醒浪潮，向四周开
展接触未归信之族群

2000 年

> 一旦在某个文化中建立起滩头堡，"突破性"的宣教任务就告完成，常规性的福音工作就可替代，而这个突破性任务是每个遵行神之吩咐的信徒都可以参与的事奉。

的福音性突破，那么神通向整个族群的——"福音桥梁"就告建成。反过来说，除非这个族群有突破性的进展，否则常规布道和建立教会的事工就不会奏效。

马盖文没有创建自己的差会（其实金纶·汤逊也是在现有宣教机构没有恰当地回应向部落宣教的需要之后，才作出这一无奈之举），他的积极推动及著述带来了教会倍增潮和拓荒宣教运动。前者致力于在福音已经传入的群体中继续拓展，后者则专注于向尚未听闻福音的群体宣教。

像克里和戴德生一样，汤逊和马盖文的努力，在起初的二十年鲜为人知，直到二十世纪五○年代，他们二人的先见和呼吁才广受注意。1934年之后的四十六年，也就是1980年，一场类似于1910年的大会再次召开，主题就是这两位领航人物所提出的向被遗忘的族群宣教。从代表世界各地差会的人数来看，1980年在爱丁堡召开的世界前线宣教大会（World Consulation on Frontier Mission）算是有史以来规模最大的宣教会议。最令人称奇的是，有五十七个第三世界的差会派出了代表参加这次大会。这是第三个宣教时代爆出的最大冷门！与此同时召开的国际学生前线宣教大会（The International Student Consulation on Frontier Mission）也为未来的宣教会议指明了方向，那就是让年轻族群参与的重要性。

和先前一样，不少新的差会在第三个时代破土而出。有些差会的名称明确地传达出这样的宣教重心，例如新部落差会（New Tribes Mission）。还有一些差会顾名思义，是利用新科学技术向世界各地的部落和与世隔绝的族群传扬福音，例如全球录音事工机构（Gospel Recording）和宣教飞行团契（Mission Aviation Fellowship）。同时，一些在第二个时代兴起的差会从未偏离向福音边缘地区宣教的宗旨，例如边陲宣教团，继续增加差会的同工，向更为偏远的地区、那些一直遭到忽略的族群迈进。

近年来许多人又渐渐意识到部落民族并非唯一被遗忘的族群；还有其他许多族群，甚至包括生活在部分基督化地区的一些群体，完全遭到差会的忽略。这些群体具有与现存教会主流文化传统迥异的民族和社会特征，也当称为"福音未得之民"，只有采取必要的宣教策略（而非仅是传福音），才能在其特别的文化传统内建立起本土化的教会。

如果说第一个时代的特征是在沿海地区宣教，而第二个时代是在内陆地区宣教，那么第三个时代的特征则难以界定。这是一个不受地域限定的类别，这些群体主要由于社会因素而彼此隔绝，我们称之为"未得之民"宣教。由于这一宣教概念极难加以界定，所以第三个时代的起步比第二个时代更为迟缓。汤逊和马盖文在四十年前就为着这些被遗忘的族群大声疾呼，但直到近日才获得关注。最令人悲哀的是，此时我们早已忘却了前两个时代的宣教前辈使用过的拓荒策略，也就是说，我们几乎需要从头开始学习如何切入未得之民的宣教方法。

我们知道有一万个左右的族群属于"未得之民"，分属相似的、大约不超过三千个族群版块。每一个族群都需要在其中建立起自己的福音阵地。数目惊人吗？任务能够完成吗？

我们能完成吗？

这一时代的宣教重任并非我们想像的那样艰巨。首先，这个重任不是单单落在美国教会或整个西方教会的肩头上，全世界各地的基督徒都可以踊跃参与。

更为重要的是，一旦在某个文化中建立起滩头堡，"突破性"的宣教任务就告完成，由常规性的福音工作就可替代，而这个突破性任务是每个遵行神之吩咐的信徒都可以参与的事奉。

其次，对福音"完全封闭的国家"已经不再是难题。现今各国越发相互依赖，共生并存，几乎没有任何国家完全禁止外国人踏入。即使如沙特阿拉伯等从前被视为"完全封闭"的国家，如今正敞开双臂从其他国家招募技术人才。事实上，他们热诚欢迎虔诚的基督徒去到他们的国家，而不欢迎的是花天酒地、寻欢作乐的世俗化西方人士。

在第三个时代中的宣教事工还有不少优势，可以激发全球性的教会网络参与宣教的核心要务。最令人振奋的是，这会是宣教的最后一个时代，毋庸置疑。当今每一位基督徒都须谨记，神不会呼召我们去完成一件不可行的任务，向地上使用各种语言的列邦万民宣教的重任必将大功告成！因此没有任何理由不去做神命令我们要完成的事情。我们是最责无旁贷的一代！

研习问题

1. 请阐述宣教事工进展的四个阶段。

2. 请简述每一个宣教时代的着力点，并且阐述两个时代交接的过渡时期中蕴含怎样的张力？

3. 请指出各个时代中的领航人物、各个时代头尾大约的年份，以及相关的学生宣教运动。

第42章　更新变革的历史

保罗·皮尔森（Paul Pierson）

耶稣基督的教会，特别是其中的宣教事工，都深知让社会发生变革是其使命的重要部分。诚然，宣教的重点一直都放在宣扬耶稣基督的福音，呼召人们悔改、信主，并且受洗加入教会；但是，基督徒一直都知道，只有教导万民"遵守……（基督）吩咐……的一切"，他们的使命才能够完成。人们顺服基督的命令，总是让人对福音化过程中能带来社会革新的目标燃起热切的盼望，并期望使社会环境局势、信徒身心和属灵生命都发生改变。这种革新有时候很显著，而在另一些时候则令人失望；然而，即便出现过很大的文化冲突和过失，引导个人和社会贴近神的国度一直都是宣教事工不可分割的一部分。

一般来说，宣教士所介入的文化，往往已经发生过变化；他们促成了一些积极的改变，有些是正面的，但有些会有抵触。宣教士通常会根据自己文化中所了解的形态，来设想一种社会革新模式；尽管如此，使社会更新变革总是宣教的重要方面，而且在大多数情况下都是有益的。[1]

修道主义：保存与革新

在第四世纪至十八世纪期间，几乎所有的宣教士都是修道士。大多数修道主义运动的目标就是宣教，只有少数不是；不过，几乎所有的修道主义运动都为社会带来了显著的更新与改变。

修道运动一波又一波，例如本笃会及其分支。例如涅斯多留派，他们的足迹从小亚细亚到阿拉伯半岛、印度，横跨中亚后进入中国。东正教的分支向北进入巴尔干半岛和俄罗斯。凯尔特人的教，在爱尔兰兴起，然后进入苏格兰和英格兰，随后进入欧洲大陆。后来出现的方济会、道明会和耶稣会则无须赘述。

本笃会并不是刻意要宣教。不过，他们和其他修会进入那些尚无基督教信仰的地区，在那里组建社区，向迁移到中欧和西欧的那些未开化民族作出榜样，同时教导他们认识信仰。修道主义最初的目的是为鼓励人们抛开对日常生活的担忧，培养一种满有自律和祷

作者是富勒宣教学院宣教学和拉美研究资深教授。1980 至1992 年担任该系系主任。他曾在巴西和葡萄牙从事传道工作，并担任过美国两间教会的牧师。也曾担任过美国两间教会的牧师。

告的生活；不久之后，女修道院也建立起来。这些修道院也成为自给自足的社区，日常生活包括工作和敬拜在内，都按照修会的院规有条不紊地进行。他们的工作既有体力劳动，又有心智锻练，他们既下田，又进图书馆；在古代，这是一种革命性的观念，因为当时的人认为只有奴隶才从事体力劳动。修道士同时也是学者，成为第一批将理论和实践具体结合于一身的人，也因此修道士被称为"指甲上带着泥土的知识分子"！这是一个有助于创建科学发展的良好环境，结果修道院成为信仰、知识和技术研发的中心。

修道主义运动对于知识的贡献是众所周知的，但是，对农业发展的影响则鲜为人知。在第七世纪，汉娜（Hannah）写到："正是这些修道士，他们拥有技术、资金和组织能力，承担起改造土地的巨大工程，并且对未来充满信心。反观奴隶体系下的乡村过度耕作，未开化部族的过度牧放，这些长期荒芜闲置的土地……，经过修道士们辛勤的开垦，一望无边的贫瘠荒野和沼泽地变成了一片片良田沃土。" 2

十二世纪，熙笃会的修士们远离社会，前往荒芜之地开垦。他们开创新的农业经营模式，成为欧洲最大的羊毛生产者，为纺织业提供原物料。

涅斯多留派在第五世纪至十三世纪很兴旺，他们横跨中亚，一直挺进到印度和中国。西方的基督徒对这个不同凡响的运动知之甚少，因为绝大部分事工成果已经失传了。然而，正像一位学者所描述的，"涅斯多留派宣教士将文字和知识引入先前没有文字的民族，其中包括突厥人、回

鹘人、蒙古人和满州人。据称这些民族的字母系统都来源于古叙利亚语，即涅斯多留派宣教士所使用的语言。" 3

东正教的修道士同样硕果累累。第四世纪，乌尔菲拉斯（Ulfilas）进入多瑙河北部，成为创建北欧语言文字的第一人，当然，其目的是为了翻译圣经。第三世纪，亚美尼亚人成为第一个全民族接受基督教的国家；公元406年，他们的语言也文字化了；这样，圣经以及基督教文献得以传播开来。康斯坦丁（即后来为人所知的西里尔〔Cyril〕和他的兄弟麦托丢（Methodius）来到巴尔干半岛，发明了两种字母表，用来翻译圣经和建立教会；直到现在，俄罗斯仍然沿用西里尔字母体系。

从英格兰回到爱尔兰之后，帕特里克（Patrick）发起了影响深远的凯尔特宣教运动，这一波宣教浪潮一直持续了数个世纪，成为宣教知识和热情的起源。帕特里克的属灵后裔从爱尔兰到达苏格兰，随后进入英格兰，后来又跨过英吉利海峡到达低地国家，最后到达日尔曼中部；凯尔特宣教士后来对斯堪的纳维亚各族归信基督教发挥了关键作用。这些宣教士身上汇集了对圣经知识的挚爱、严谨的属灵操练，以及火热的宣教情怀；结果，"在帕特里克的时代，爱尔兰首次成为有文化修养的国家。" 4 同属这一波浪潮的圣波尼法修于第八世纪在富尔达（Fulda）建造的修道院成为日尔曼的主要文化中心。

在查理曼大帝统治下的加洛林王朝文艺复兴时期，凯尔特修道院再一次成为教育和改革的中心。汉娜写到："总体来说，他们能够在一个粗俗的社会中像面酵

一般发挥自己作为基督徒的影响，建立并保存基督教文化，仿佛荒野中一个精心栽培的花园。"[5]

更正教宣教运动的先驱

在宗教改革后近两个世纪的时间里，更正教的宣教活动几乎没有跨出欧洲。然而，到了十六世纪后期，有多个宗教运动兴起，带动教会复兴，将宗教改革的精神由教义之争推进至信仰实践。这些宗教运动使新教的宣教浪潮推波助澜，包括清教徒、敬虔派、莫拉维亚派，以及卫理宗福音派的复兴。

清教徒重视归信的经历以及真实的信仰生活，他们还首次提出了更正教宣教神学。理查·巴克斯特（Richard Barxter）和约翰·艾略特（John Eliot）是其中两位最伟大的宣教宣导者。前者是一位出色的牧师和多产作家；后者则前往新英格兰，成为一位颇有果效的宣教士，他向美洲阿冈昆（Algonquin）印第安人宣教，将圣经翻译成为他们的语言，并且建立了很多基督徒村庄。罗伊（Rooy）是这样描述艾略特的：

> 或骑马，或步行，他竭力奔波，把福音带给当地人。他为阻止印第安人的土地被欺占而向法庭申诉，为遭到判罪的印第安囚犯请求宽容，为印第安人被贩卖为奴而抗争，为印第安人取得供他们使用的土地和溪流，为印第安人的孩子和成人建立学校、翻译书籍。这一切都显出他对救恩的关注之外，那深切的人道关怀。[6]

敬虔派为更大的变革奠定了基础，而且恰逢其时。十七世纪，三十年战争让德国成为一片废墟；德国上下弥漫着悲痛的气氛，阶级分化严重，基督徒的信仰知识水平和生活水准都非常低下。此时的信义宗教会完全被国家控制，信仰仅仅被视为教义空谈、伦理道德，而没有亲身体验和实践。教会对于人们来说无关痛痒，三十年战争使得绝望的情绪和无神论思想四处弥漫；在这样的情况下，基督教很快就丧失了其医治和革新的能力。[7]

腓力·雅各·施本尔（Philip Jacob Spener）在修习神学期间，深受清教徒著作的影响。他在德国法兰克福成为牧师之后，发现自己教区内信徒的景况十分可悲；于是，他开始邀请一些人到自己家中，谈论讲道内容、研读圣经、一起祷告、相互支持，由此发起了一场反对者称之为敬虔派的改革运动。他坚信，基督信仰不应只是知识，还必须实践；基督徒需要重生和过圣洁的生活，同时还要重视穷人的需要。

奥古斯特·富朗开（A. H. Francke）继承施本尔成为这个运动的领袖。他宣称重生应使人得到更新，而个人的更新最终会带来社会和整个世界的改变；在他看来，信心和行为是不可分割的。无论在哈勒（Halle）大学还是在所牧养的格劳豪（Glaucha）教区，奥古斯特·富朗开都竭力身体力行；发挥着巨大的影响，真正的敬虔是真诚地关心自己邻舍在属灵和物质方面的需要。因此，敬虔派信徒为穷苦人提供食物、衣服和教育；奥古斯特·富朗开为穷苦孩子创办学校，甚至还创办女子学校，这在当时是破天荒的！他还创办了一家孤儿院，以及其他救助穷苦人的机构，而这一切都是单单凭着信心；这种信心的持守后来成为英国布里斯托的乔治·谬勒（George Mueller in Bristol）和中国内地会的宣教楷模。

第一批到达亚洲的更正教宣教士就源自于敬虔主义运动。1706年，受敬虔派宫廷牧师的影响，丹麦的腓特烈四世（Fredrick IV）差派两人从哈勒到印度的殖民地——特兰奎巴，十八世纪差往印度的敬虔派信徒大约有六十人，齐根巴格（Ziegenbalg）和普吕超（Plutschau）是其中最早的二人，前者坚守工场直到1719年去世。他出色的宣教是整全性的：他研究印度教的教义和教规、翻译圣经、建立教会，宣导按立印度人作牧师。他开设了一家印刷出版社，创办了两所学校。

施瓦茨（C. F. Schwartz）是齐根巴里继承者当中贡献最卓著的。他不仅建立教会，创办孤儿院，而且还成为穆斯林君主与英国人之间的和平大使；自从1750年抵达直到1798年去世，施瓦茨都一直委身印度工场。一位伟大的德国宣教学者这样写道："敬虔派开创了向异教徒宣教之先河……不仅如此，他们还是后来基督教内所有针对信仰、道德和社会罪恶的救助机构的鼻祖……，这些绝妙的结合早先在奥古斯特·富朗开的身上已表彰出来。"[8]

莫拉维亚弟兄会的根源可以追溯到宗教改革之前的胡斯（Hussite）运动以及后期的敬虔主义运动，都是历史上最著名的宗教运动。他们以每天廿四小时、持续了一百年不间断的祷告守望而广为人知！莫拉维亚弟兄会的信徒高度自律，已婚的男人和女人过着像修道士那样的群体生活，

> # 敬虔派是基督教内所有针对信仰、道德和社会罪恶的救助机构的鼻祖。

投身于"为神羔羊挽救灵魂"。这个运动早期每十四个莫拉维亚弟兄会的信徒中就有一人成为宣教士，到最艰苦的地方去宣教。

引发更正教宣教浪潮的第四股力量，是英格兰的**卫斯理福音复兴运动**，和北美的第一次**大觉醒运动**。由于在许多方面北美第一次大觉醒都是从清教徒衍生出来的，所以我们要先来看发生在英格兰的福音复兴运动，约翰·卫斯理是其最著名的领袖。在早年，卫斯理兄弟以及牛津大学"圣洁会"（Holy Club）的其他成员就对穷苦人和囚犯格外关注；他们尤其追求属灵操练，而赢得了"循道派"（Methodists）美名。

卫斯理在1734年重生得救之后旋即开始了布道工作。他非常重视布道和牧养，尤其是针对遭到社会遗忘的贫苦人群。他这样写到："基督教本质上应该是一种社会性宗教；若将基督教变成一种遁世的宗教，其前途只有毁灭。"[9] 这一股复兴力量给英格兰带来的社会变革是众所周知的。罗伯特·雷克斯（Robert Raikes）为贫穷的孩子创办主日学，利用孩子们一周仅有可以不做工的那一天教导他们读书，在道德和信仰上给予他们指导。还有一些人在煤矿工人和煤船船员中间创办学校。约翰·霍华德（John

Howard）则为改变当地骇人听闻的监狱状况而尽心竭力，后来，终于推动议会通过了有关监狱改革的法案。

福音派竭力针对新兴的工厂童工问题推动立法，提倡将教育普及到大众当中。在伦敦郊区的克拉朋（Clapham），有一批富有的福音主义圣公会信徒，将时间、金钱及政治影响力投入与信仰和社会有关的活动；威伯福斯和其同仁们经过长期努力，终于成功结束了大英帝国内的奴隶贩卖制度。

1799 年，英国圣公会最伟大的差会——英行会（CMS）宣告成立，另外一些差会也在福音复兴运动的影响下纷纷成立。

更正教教徒宣教运动

尽管之前曾有不少人从事宣教工作，然而"更正教宣教之父"的尊称由威廉·克里当之无愧。1792 年，他创立了浸信会差会；翌年，他乘船到印度宣教。他的著作和典范在欧洲和美国仿佛催化剂，促成了许多类似的差会，开启了所谓的"伟大的宣教世纪"。克里的主要目的是引导人们归信耶稣基督，得到永远的救恩。但他发现兴办教育、农业以及植物学研究等工作，与这个目标之间并没有矛盾，甚至有成全的作用。

在抵挡社会恶势力方面，克里的努力为亚洲带来了很多变化，他为弃婴、自焚殉夫和虐待麻疯病人（他们常常被烧死或者活埋）等非人道行为，以及当时在重大宗教朝圣活动时所发生的无谓死伤英勇地抗争。他还创立了塞兰坡学院，训练牧师

和教师，同时提供基督教文学和欧洲的科学教育。事实上，他园艺家的身分比宣教士还更广为人知。

对宣教运动的误解

十九世纪许多宣教运动对社会改革的影响，绝大多数都没有引起人们的注意，只有几次遭人诋毁和否定。例如：1810 年，撒母耳·米尔斯（Samuel Mills）与那些来自干草堆祷告会的同工在安多弗神学院建立"美部会"。他们早期选择的宣教工场是夏威夷岛（时称三明治群岛），这些早期宣教士遭到詹姆斯·米奇纳（James Michner）的恶意诋毁；然而，事实的真相与米奇纳所描绘的景象迥然不同。这些宣教士主要的目的是带领男人和妇女归信基督，然后聚集起来成立教会；但他们也同时致力于保护夏威夷人免遭外来船员和商人的性侵犯和经济方面的剥削，竭力革除弑婴和其它残忍的陋习。数十年之后，这些岛屿上不但教会星罗棋布，还建立了很多学校，让夏威夷孩子在此接受本地教师的教育；几年之后，有人利用罗马字母为夏威夷语创造书写系统，用以翻译圣经和其他各种课本。到1873 年，他们一共出版了153 部书和十三种杂志，并且用当地语言写成了年鉴。

显著的对比

另有许多同样关注全人需要的杰出宣教士，相当鲜为人知，如威利斯·班克斯（Willis Banks）。他是一位名不见经传的长老会传道人，在巴西南部一带偏僻的村

落工作地区服事（沃尔塔格兰德，Volta Grande）。他把孩子接到家里生活，教导他们阅读与书写，然后让他们回去教导其他人。

班克斯也遵照一本家用医疗指南，为当地人治疗感染、肺结核、疟疾、寄生虫及营养不良等疾病。班克斯引进农业种植技术和家畜饲养方法，同时创建了当地第一家锯木厂，用来制造饲料切割机。该地区第一家砖瓦厂也是由他创办。

在班克斯去世廿年之后，一位人类学家来到此地考察，留下了社区发展景象的生动纪录。

他走访了两个属于同一民族，地理位置、自然环境和文化背景大致相似的独立村庄，发现有班克斯足迹的村庄大不相同。有班克斯的宣教和领导，这里建立起长老会的教会；居民住在砖木结构的房子里，饮用过滤水，有些人还有家用发电设备。他们有独木舟和汽艇，能够航行到附近的城市；又种植水稻、豆子、玉米、树薯和香蕉等传统农作物，还栽种蔬菜。他们有两群奶牛，牛奶、乳酪和黄油可以自给自足；他们都识字，订阅报纸，有圣经可读，还常常阅读其他书籍；村里的居民筹集资源兴建了一所学校，捐赠给政府，约定由政府提供师资，支付老师薪水。自然，这所学校成为优秀的小学，很多毕业生都继续到城里深造。即使牧师每个月只能来一次，他们仍然每周都举行三次礼拜聚会。

而另一个村庄——吉普乌拉（Jipovura）的居民则住在用泥巴和树枝建造的土房子里，家徒四壁。饮用水未经烧开和过滤，没有独木舟，用小煤油灯照明；绝大多数人是文盲。几个曾经在当地住过的日本家庭，捐赠了一所学校给他们；但是，他们丝毫没有维护这个学校，结果学校因门窗被盗而成为一片废墟。人们空闲时只会打牌、喝酒（当地的一种朗姆酒）消磨时间，酗酒在这里司空见惯。[10]

历史上大部分宣教运动都以各种方式关注社会的革新改变，认为宣教事工和活出福音是不可分割的。借兴办教育、卫生保健、农业等方面来改变社会，提高女孩、妇女、弱势及受压迫者的社会地位等等，通常是宣教运动的关注点。

兴办教育

兴办教育机构通常有三重目的：为教会培养领袖、借此改善社会、以及向非信徒学生传福音。

办学的成果可能不同，但以下这些例子有目共睹：

- 从十九世纪末开始，印度东北部的部落成为虔诚的基督徒，那里的识字率在印度排名第二位。
- 1915年，巴西的挂名罗马天主教教徒文盲比例大约为60%至80%，而更正教信徒（通常来自于穷人阶层）文盲率大约是前者的四分之一。[11]
- 非洲殖民时期绝大多数的学校都是由宣教士创办的。可惜，纽毕真（Leslie Newbegin）在二十世纪五〇年代指出，联合国一份厚达四百页关于非洲教育的档案中，丝毫没有提及90%的学校都是因为宣教士的努力而创立的。
- 亚洲许多出色的高等学府都是宣教的结

果，其中包括韩国首尔的延世大学和梨花女子大学。

- 1921年，菲尔普斯 - 斯托克（Phelps-Stokes）委员会对巴色会（Basel Mission）在加纳（黄金海岸）的教育工作提出汇报。报告指出："经过巴色会的努力，非洲最有活力和效率的一套教育系统已经在加纳建成……，首先，其机械厂培训并雇佣了大批当地人作熟练工人……；其次，这些商业活动延伸到人们的经济生活，影响深入到他们的农耕和衣食方面的消费。"
- 除了小学和中学教会学校以外，宣教士还创建师范学校，扩大民众受教育的机会。

引进医疗

在宣教运动早期，一般宣教士被要求具有一定医学常识。从十九世纪中叶开始，受过全备专业训练的医生也被差派到宣教之地。约翰·斯卡德（John Scudder）是美部会差派到印度的第一个正规医生；后来，他的孙女艾丹·斯卡德（Ida Scudder）医生在印度韦洛尔（Vellore）兴办了一个宣教医疗中心，这也许是所有宣教运动中最杰出的一个。伯驾（Peter Parker）医生将眼科手术引入中国，他的承继者嘉约翰（John Kerr）医生出版了十二本中文医学著作，建立了一家大型医院；同时，他还在中国创办第一所精神病院。在泰国，长老会创办了十三家医院和十二家医疗站。

帮助弱势及受压迫者

随着教育事工、医疗事工和农业事工的发展，一些人开始关注社会中的弱势群体和受压迫的族群。在印度，宣教差会承担一半以上肺结核病人的救助工作，基督教机构在治疗和培训医护人员方面都是引领者。在多个亚洲国家，宣教士也率先服务于麻疯病人，建立孤儿院，救助那些被遗弃的孩子。

一些宣教士不限于提供社会服务，还对殖民统治下的政治和社会等方面的不公正发起抨击。在十九、二十世纪之交、比利时统治下的刚果，发生一个轰动一时的事件。两位来自于美国长老会的宣教士深入调查了非洲橡胶业强迫使用劳工的现象之后，发表了一篇文章，将垄断性的经济剥削称为"二十世纪的奴隶制"。这篇文章引起了国际社会的广泛关注，这两位宣教士遭到起诉，控告的罪名是诽谤；最后，该诉讼被法院撤销。

关注妇女权益

基督教宣教运动最显著的成果之一，就是大幅改善了妇女的社会地位。在许多文化中，妇女的社会地位非常低下，几乎没有什么自己的权利；通常由单身女性宣教士向她们传福音，教导她们视自己为神的孩子。宣教士还鼓励这些女孩或妇女上学，培养自己的才干；部分宣教士还帮助她们进入教育和医疗等职业。

在一些文化中，男人不可能接触到许多妇女，宣教士就展开妇女的教育和医疗事工，以便接触到妇女，向这个群体传福音。不久之后，这些妇女就受雇为平信徒传道人，被称为"女传道"（Bible Women），这种情况在中国和韩国尤为常见。虽然这些忠心的同工尚未拥有与"男传道人"同等的地位，但是她们不仅对教会的增长产生有力的影响，同时也促成其他妇女地位的提升。在1884年至1885年间，第一批更正教宣教士到达韩国，当时的妇女没有社会地位，她们只不过是父亲的女儿、丈夫的妻子，或者长子的母亲。可是到二十世纪中期，韩国首尔拥有世界上最大的女子大学，该校校长金海伦（Helen Kim）博士是韩国公认的最伟大的教育家和教会领袖。

来自于美国的女宣教士在印度和中国率先发起针对妇女的医疗事工，创办女子学校、女子护理学院和医学院，这对妇女的医疗状况和社会地位都产生了极大的影响；结果，最享有声誉的医学专业在印度向妇女开放，今天，这个国家已经拥有数以千计的女医师。克拉拉·史旺（Clara Swan）医生于1870年抵达印度，她是第一位被派到工场的医疗女宣教士。比弗（Beaver）说得好，他说，史旺医生等医

基督教宣教运动已经在每一块大陆发挥着激动人心的正面影响，还要继续发扬光大。

护同仁将医疗工作和福音宣教工作结合在一起；他们对个别病人发自内心的爱心关怀，是传递神透过基督而彰显的爱，这与他们的医学专业知识和技能同样重要。妇女医疗宣教士的著作和言论都在在说明，她们以传道者自居。

这些故事说不完，基督教宣教运动已经在每一块大陆发挥着激动人心的正面影响，还要继续发扬光大。尽管很多宣教工作的主要目标是领人归信基督、建立教会；然而，在建立起教会的社会中，宣教工作的效果最终要在各个层面显出来。诚然，在历史长河中发生的事件毁誉参半，但是总体来说，基督教宣教运动正在逐步实现神给亚伯拉罕的应许，亚伯拉罕的后裔要将祝福带给地上的万族。

附注

1. Hutchinson, William. *Errand to the World*. Chicago, Univ. of Chicago Press, 1987.

2. 汉娜（Hannah, Ian），*Monasticism*. London, Allen and Unwin, 1924. pp. 90, 91。

3. Stewart, John. *The Nestorian Missionary Enterprise*. Edinburgh, T and T Clark, 1928. p. 26.

4. Stimson, Edward. *Renewal in Christ*. New York Vantage Press, 1979. p. 147.

5. 同注2，页86。

6. 罗伊（Rooy, Sidney），*The Theology of Missions in the Puritan Tradition*. Grand Rapids, Eerdmans, 1965。

宣教心视野
第二册：历史视野

7. Sattler, Gary. *God's Glory, Neighbor's Good*. Chicago, Covenant Press. 1982. p. 9.

8. Dubose, Francis (ed.) *Classics of Christian Mission*. Nashville, Broadman, 1979. p. 776.

9. Bready, John W. *This Freedom Whence*. New York, American Tract Society, 1942. p. 113.

10. Williams, Emilio. *Followers of the New Faith*. Nashville, Vanderbilt Univ. Press. 1967. pp. 181-185.

11. Pierson, Paul. *A Younger Church in Search of Maturity*. San Antonio, Trinity University Press, 1974. pp. 107, 108.

12. 比弗，*American Protestant Women in Mission*. Grand Rapids, Eerdmans, 1980. p. 135。

研习问题

1. 在第四世纪至十八世纪期间，修道运动为社会带来哪些贡献？

2. 清教徒、敬虔派、莫拉维亚弟兄会以及卫理宗以哪些重要方式为所处的社会带来了贡献？

3. 请举例说明，宣教士在兴办教育、医疗服务以及提高妇女社会地位等领域令人钦佩的服事。

第43章　宣教的社会影响

罗伯特·伍德伯理（Robert D. Woodberry）

当前，对于宣教存在很多争论。其中一些争论与最近的形势有关，例如，在中东、印度以及其他地区不时发生针对宣教的暴力抵制；然而，大多数的争论只不过是过去对宣教既有的流行观念复苏而已。其特点是将宣教运动视为殖民主义的爪牙、是威胁本地文化生存的敌人；这种看法实际上往往受到小说、电影、传闻以及主观猜测的影响，把帝国主义的含义强加给宣教活动。就算有些传闻得到澄清，还是会强化这些人的成见。若要全面审视真实面貌，我们需要从广泛的历史和统计的证据，才能还原宣教运动对世界日积月累的影响。

一、宣教士带来帮助还是伤害？

为了进行这样的审视，我（与一个学生团队）[1] 收集了十九世纪早期至二十世纪中期中叶有关更正教和天主教宣教运动的资料，也对当前有关宣教运动的历史研究进行了仔细查考。我们从历史记录中整理出反覆出现的模式，将宣教运动比较普遍的情形，与较少出现甚至根本没有的情形进行对比，有助于我们评估宣教运动所产生的社会影响。假如宣教士对于他们所到之处造成的是伤害，那么，我们应当会看到受宣教士影响较大的地方，其文化就会被伤害得越严重；然而，我们发现事实恰恰与此相反。在本章中，我们首先查考历史方面的证据，然后分析这些历史如何对社会发展带来长期的裨益。

宣教士对大众教育、出版及西医的推动

绝大多数宗教中的平信徒，即使没有阅读能力也可以参加宗教生活，但更正教信徒不是如此。更正教的宣教士希望人们都能用自己的语言阅读圣经，因此，无论宣教士走到哪里，都迅速地发展出当地语言的书写形式，创造文字、引进印刷技术，出版圣经、小册子和各种读物。在这个过程中，他们为大多数的语言创造了书写文字。宣教士通常是首先将印刷术引入到该地区的，是当地报刊出版

作者是德州大学奥斯汀分校社会学系助理教授，也是宗教与经济变革计划项目（Project on Religion and Economic Change）的主任。他主要研究欧洲以外国家的民主和经济发展的长期成因，特别关注宣教士和其他宗教团体在其中的作用。

假如宣教士对于他们所到之处造成的是伤害，……那么，受宣教影响较大的地方，其文化就会被伤害得越严重。然而，我们发现事实恰恰与此相反。

的先驱；他们大力推动扫除文盲的运动，这对于妇女、普通大众及奴隶能够接受教育尤为重要。

殖民地政府、随殖民迁移的居民、商人通常对大众教育很警觉，因为他们仅愿意和一小部分受过教育的社会精英打交道，才容易掌控他们。这些人认为，普通百姓充其量只能在实用技能方面受到一些教育，比如石匠和木匠那样的技艺。例如，法国殖民者在东南亚关闭了当地的学校，禁止更正教的教育工作，还阻止东南亚人在其他国家接受教育；他们的政策很明确，只为少数当地人提供小学以上的教育，只要够殖民地政府所雇用就行了。若不是宣教士后来说服殖民政府，英国殖民者极少投注大众教育；一些英国殖民政府阻止宣教士进入的地区，例如，尼日利亚的内陆、英属索马利兰、尼泊尔和马尔代夫，只有少数社会精英的孩子受到教育。

更正教宣教在教育方面的工作，往往激发其他宗教团体也开始推展大众教育。天主教为了与更正教竞争，他们的宣教士就提供更全面的教育，并且常常建立最好

的学校；但是，在1965年梵蒂冈第二次会议之前，或是在没有更正教竞争的地区，天主教主要还是投资于为神父和社会精英提供教育的学校。印度教、伊斯兰教及佛教的情形也相仿。

早期宣教士的努力，让人看到教育为经济带来多少益处，从而也刺激了一般社会对教育的重视。宣教士还著书、译书、修建校舍、培训教师，让后来推广教育更为容易；到了后殖民时期，当地政府通常将宣教士创办的学校充归国有，而建立起公立教育体系。建立高品质的教育体系往往需要花费很多时间和金钱，故此，越早开始这么做、越广泛推动教育的国家，获益就越大。我们考察殖民时期识字率相当的地区后发现，经过更正教宣教士推动识字、提高文化，现在那里的识字率高出其他地区许多（例如西非、大洋洲以及中东地区）。再把同一个国家的不同地区进行比对，得到的结果也非常相似（例如印度、尼日利亚以及加纳）。

更正教宣教士成为国际间大众出版的主要推动者。例如，亚洲和北非的许多国家尽管拥有自己语言的出版物，但其出版业两三百年来都掌控在外国人和少数精英手中，到了后期才开始自行出版。起初，犹太人和天主教宣教团体只印刷少量的资料；后来，贸易公司和殖民地政府开始印刷条约和行政档案，可是没有人仿效他们的做法。倒是每一次都是在更正教宣教士大量印刷资料之后，当地人就跟着开始印刷资料；例如，第一批前往印度的英国宣教士，在到达之后短短的卅二年间，就用四十种语言出版了二十一万两千部书籍，促使当地穆斯林和印度教徒争相仿效。

中国和韩国虽然远在欧洲人之前就已有活字印刷术，然而，依然是更正教宣教士与所带领归主的当地信徒出版了第一份的报纸，这从根本上为大众创造了接触文字资料的机会，可以说为出版业和大众教育带来了一场革命。究其原因，并非由于技术、知识或者经济成长，而是基督教信仰带来一种完全不同的观念，就是人应当拥有阅读和掌握文字资料、知识资讯的权利。如果没有宗教信仰的催化作用，哪怕旺盛的市场需求和技术知识，都不足以促使出版和大众教育的迅猛发展。

在推广西医、医学教育以及志愿性改革社会的组织方面，宣教士也发挥了重要的影响。诸如宣教士引进新的农作物、

新技术，以及政治和经济领域的新思想。这些方面，请见笔者另文更为详尽的论述。[2]

宣教士促进殖民地区的改革

宣教士常常被指责与殖民主义国家挂钩。这在有些情况下属实，特别是如果殖民地政府掌控了宣教士的委任和财政支持的时候；然而，如果宣教士不受国家掌控而独立行事，他们与殖民政府的关系则完全不一样。事实上，在大多数主要的殖民地区的改革运动中，是那些不受国家掌控的宣教士发挥了影响。

多半宣教士不想强烈反对殖民，只想与殖民主义和平共处；事实上，他们并不

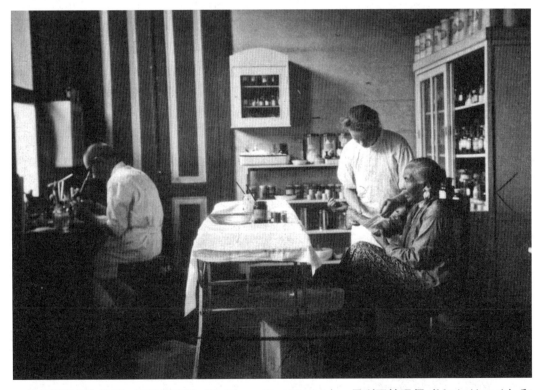

一间老旧的综合诊所，有马修医师（Mattheus Carl Vischer）、马利亚护理师（Maria Horsch）和一位病人。摄于印尼加里曼丹省瓜拉卡普阿斯，1929年。

> 十九世纪和二十世纪早期的人，对宣教士的非议全然相反，尤其是人类学家，往往指责宣教士太过于"尊重"当地人了。

那么关心政治。一旦来自殖民的压迫激起了当地人民对西方的仇视，而基督教与西方国家有着千丝万缕的牵连，宣教士的工作就难以开展。从宣教士的著述中我们看到充满对殖民主义的抱怨，殖民常常对他们的辛勤努力造成破坏；所以（1）宣教士有充分理由反对殖民作风的误用；（2）宣教士在世界各地直接接触到殖民政府官员的恶习；（3）宣教士在许多宗主国有大批的支持者；（4）宣教士有强大的宗教媒体网络，能够推动信徒反对那些阻碍宣教、又伤害殖民地当地人民的政策，因为宣教士是真正爱当地人民。于是，宣教士成为反对奴隶制度、抵制强迫劳工等不人道情事的中坚力量；他们兴办海外援助机构、创建国际救助组织、禁止鸦片贸易、保护本地人的土地权，还有其他改变社会的贡献，不一而足。[3]

宣教士抵制"科学"的种族观

十九世纪到二十世纪早期的宣教士，最遭人诟病的是他们的民族优越感，这种印象恐怕是时代的产物，那时无论是基督徒还是世俗主义者，都认为西方文明高人一等。的确有一些宣教士的史料当中若隐若现地强调其他宗教和文化存在的问题，让许多现代读者难以忍受。然而这些问题，应当与当时在学术界和欧洲殖民者当中流行的所谓"科学"的种族观，放在一起来看。宣教士对其他民族的批评主要集中在宗教和文化方面，并不涉及种族问题。威廉·克里指出，英国人在基督教到来之前不也是蛮夷之邦吗？福音能使英格兰人开化，也同样能够更新其他文化。

十九世纪和二十世纪早期的人，对宣教士的非议全然相反；尤其是人类学家，往往指责宣教士太过于"尊重"当地人了。人类学的鼻祖詹姆斯·亨特（James Hunt）就是其中一例。此人创造了"人类学"一词，并且创办了第一个人类学协会，编辑最早的两期人类学学报。在他看来，深色皮肤的人属于不同的物种，在智力方面比白种人低下，无法利用教育使他们改变成为"文明人种"。他还论证说，人类学家必须反对宣教士，才能确立自己的学说。他在1866年的一期《人类学评论》（*Anthropological Review*）中这样写到：

> 要努力使人类学获得更广泛的认同，我们就绝不能掩饰自己的观点。从根本上说，有两个庞大的阵营与我们所持的观点截然相反。这两大有影响的阵营竟然一致反对，甚至公然抨击人类学理论。他们之所以这样做，因为我们的人类学理论与他们所主张的人类生而绝对平等的核心原则相抵触。我们所说的这两大阵营，一是宗教方面的正统教会，尤其是更正教，二是政治方面极端的自由主义和民主党派。

这篇文章还充斥着更多不敬之语和种族主义观念，但是，上面所引述的部分内容已经足以作为代表。许多现代世俗的人类学家与宣教士的关系依然紧张，只是各有不同的原因。我们应当注意，若是要批判宣教士的民族中心论，就应该把他们与同时代的其他人（如早期的人类学家）相比较，而不是以现在的标准去衡量；否则，这种做法本身就是一种民族中心论。正如哈佛大学历史学家威廉·哈奇森（William Hutchison）所述："如果以现代观点来看，宣教士的确欠缺对于外来文化的敏感性。然而，综观与其同时代的大多数人，无论是在国内还是国外，十九世纪及二十世纪初的宣教士则明显优秀得多。"（哈奇森，1987:1）

二、有什么日积月累的影响？

也许有人会质疑我在上面的论述中，只不过选取一些轶事来以偏概全，好符合我的观点。或许别人也可以同样挑选另外一些传闻，同样以偏概全地把宣教士描绘得更加丑陋。我们到底应该怎样来客观地评价宣教日积月累的影响呢？统计学是一个好用的方法。

统计学的研究显示，在更正教宣教士较早到达、又广泛深入的地区，研究表明该地区的繁荣指数通常较高，这些指数包括文化程度、教育水准、婴儿存活率、平均寿命、经济发展、清廉程度以及政治的民主化程度等等。[4] 无论是对不同国家还是对同一个国家的不同地区进行研究（例如印度、中国、尼日利亚、加纳），结果都是一样的。假如宣教产生的影响多半是

> **在更正教宣教士较早到达、又广泛深入的地区，研究表明该地区的繁荣指数通常较高。**

破坏性的，那么应该不会得出这样的结果。

下列统计资料可以证明上述观点：在南半球国家中，以1923年人口为基数，每一万人中，每多一位宣教士，其1960-1985年之间的入学水准就增加四·三个百分点，2000年的平均寿命就增加一·三年（比控制组平均水准高）。对印度各邦的统计结果也得出类似的结论：以1923年人口为基数，每一万人中，每多一位宣教士，其2001年的识字率就增加一·一个百分点。历史上许多国家、地区的民主程度及其他成果，与更正教宣教士的活跃程度关联紧密。从我的研究结果看出，为何南半球（非西方）国家民主程度悬殊，一半以上的原因归功于更正教的宣教，而非原本以为造成此差异的其他因素。

让统计资料来说话，远比用宣教士带来些什么正面结果来证明要容易得多。宣教士大可去已经发展得不错的地方啊！若是大多数宣教士都到气候良好的地方，那么这些地方的健康情况就不会显出宣教工作的贡献。因此，为了找出更正教宣教对当地发展的影响，我在统计上将气候、地理、流行病、殖民者、欧洲殖民地以及殖民地之前的情况等因素加以设定；[5] 结果，这些因素没有一个能改变之前认为宣

教与发展呈正相关的结论。在对所有这些因素进行统计设定的研究之后，前一段中表明的正比系数仍然保持不变；可见，宣教与各方面安康福祉之间的相关性不容否认。

这种正面结果与地理位置的关系，也发人深省。在尼日利亚，英国殖民政府限制宣教士进入北部区域，现在那里的文字普及率低于沿海地区；肯尼亚禁止宣教士进入沿海地区，结果内陆地区的识字率相对较高；在印度，喀拉拉邦、那加兰邦、米佐拉姆邦以及果阿邦的识字率最高，这些地区之间几乎没有什么相同之处，唯一相似之处就是历史上都曾经有宣教士的活动，基督徒人口也较多。那加兰邦和米佐拉姆邦主要是以狩猎采集为业的原始社会，在十九世纪后期宣教士到来之前，他们甚至还没有文字。因此，无论人们如何评价殖民主义、帝国主义以及当今的跨国公司对南半球的整体影响，如果之前没有宣教士前往这些地区带来正面的影响，这些国家现今的状况可能会更糟糕。

附注

1. 有关宗教和经济变革计划项目（Project on Religion and Economic Change）的详情，见www.prec-online.com。
2. 有关对不同地区人类社会繁荣程度的研究的详情，见伍德伯理 2004 和 2006。
3. 有关宣教士如何影响殖民地的改革运动和外交政策，见伍德伯理 (2004; 2006); Etherington (2005); Grant (2005); Turner (1998) 及 Oddie (1978)。有关废奴主义的情况，见 Turner (1998) 及伍德伯理 (2006)。有关印度的土地改革情况，见 Oddie (1978)。有关抵制强迫劳动的运动，见伍德伯理 (2004) 及 Grant (2005)。
4. 十九世纪和二十世纪早期天主教宣教与这些结果之间的关联属于次要的关系（即在统计学上可忽略不计）。这完全有可能，因为在梵蒂冈二次会议(1965)之前，天主教的宣教更多是在政府的控制之下，不太可能投资到大众教育当中。只有当他们与更正教的宣教直接竞争时才另当别论。
5. 在这部分讨论中，我依据了以下参考值：殖民者、纬度、岛屿地区、内陆地区、欧洲人的百分比、穆斯林的百分比、与宣教士接触之前有文字、主要产油国之一。在与民主有关的分析中，我还依据了额外二十四个参考值，这些参考值关系到气候、殖民地的死亡率、欧洲人开拓的过程，以及殖民化的程度。本章内容中所讨论的系数是这些参考值的净值，所解释的变差百分比（R的平方）没有依据这些参考值。

照片来源

mission 21 / Basel Mission Image Archive（www.bmpix.org）

参考资料

Etherington, Norman (ed.). 2005. *Missions and Empire.* New York: Oxford University Press.

Grant, Kevin. 2005. *A Civilised Savagery: Britain and New Slaveries in Africa, 1884-1926.* New York: Routledge.

William R. Hutchison. 1987. *Errand to the World: American Protestant Thought and Foreign Missions.* Chicago: Universityof Chicago Press.

Oddie, Geoffrey A. 1978. *Social Protest in India: British Protestant Missionaries and Social Reforms 1850-1900.* Columbia, MO: South Asia Books.

Turner, Mary, 1998. Slaves and Missionaries. Kingston, Jamaica: University of the West Indies Press.

Woodberry, Robert D. 2004. *The Shadow of Empire: Christian Missions, Colonial Policy and Democracy in Post-Colonial Societies.* Ph.D. dissertation, University of North Carolina, Chapel Hill.

_____. 2006. 'Reclaiming the M-Word: The Consequences of Missions for Nonwestern Societies.' *The Review of Faith and International Affairs.* 4(1): 3-12.

研习问题

1. 本文作者描述了基督教宣教对全球社会产生的积极影响。宣教士在哪五个方面的贡献最为显著？

2. 本文作者提到一种观念，将宣教运动视为殖民主义的爪牙和侵略本地文化的元凶。本文如何说明事实正好与此相反？

3. 十九世纪及二十世纪初的宣教士是民族中心主义者吗？请简述你的观点。

第44章 欧洲莫拉维亚弟兄会
——宣教先驱

科林·格兰特 (Colin A. Grant)

作者曾参与英国浸信会传道会 (British Baptist Missionary Society) 在斯里兰卡的宣教事工十四年。他也曾担任福音派宣教联盟 (the Evangelical Union of South America) 的国内部主任。本文摘自Europe's Moravians: A Pioneer Missionary Church, Evangelical Missions Quarterly, 12:4 (October 1976)。他也曾担任福音派宣教联盟 (Evangelical Missionary Alliance) 的主席和南美福音派联盟 (the Evangelical Union of South America) 的国内部主任。本文摘自Europe's Moravians: A Pioneer Missionary Church, Evangelical Missions Quarterly, 12:4 (October 1976)。

早在威廉·克里启程前往印度的六十年前、戴德生首次踏上中国一百五十年之前，有两个人就已经抵达西印度群岛的圣多马 (St. Thomas) 岛，他们就是陶匠窦博 (Leonard Dober) 和木匠尼其曼 (David Nischimann)，在那里传扬耶稣基督的福音。1732年，欧洲中部萨克森山区一个规模不大的基督徒群体将他们差遣出去，他们成为莫拉维亚弟兄会向外差派的首批宣教士。之后这些宣教士跋山涉水，二十年间足迹遍及格陵兰 (1733年)、北美的印第安领地 (1734年)、苏里南 (Surinam, 1735年)、南非 (1736年)、北极萨摩耶人地区 (1737年)、阿尔及尔 (Algiers) 及锡兰 (1740年)、中国 (1742年)、波斯 (1747年)、阿比尼西亚 (今埃塞俄比亚) 及拉布拉多 (Labrador, 1752年) 等地区。

这仅仅是一个开始，在紧接着的一百五十年里，莫拉维亚弟兄会竭力宣教，至少差派了2,158位宣教士到海外！斯蒂芬·尼尔 (Stephen Neil) 所形容的："这个小小的教会始终笼罩着激昂的宣教热诚，宣教之火从未熄灭过。"

被称为弟兄会的这群人创立了新约时代至今无人能及的普世宣教记录，我们确实应当认真研究这场宣教运动，从中学习神给我们的功课。

欣然顺服

首先，**莫拉维亚弟兄会的宣教士心甘情愿地顺服宣教呼召**，哈理·博尔 (Harry Boer) 描述得栩栩如生："就像一个健康的有机体秉其生命规律而发的自然反应一样"。神的灵在一小群逃离故土的更正教信徒中间作工，成为这场宣教运动的原动力。十七世纪，他们从波希米亚和莫拉维亚反对宗教改革的迫害中逃脱，得到了福音派信义宗贵族亲岑多夫 (Nicolas Zinzendorf) 的帮助，在他的庄园中受到庇护。

1722年，他们高唱着诗篇第八十四篇，木匠传道克里斯提安（Christian David）砍下了第一棵树，为这群福音难民建造后来被称为"赫仁护特"（Herrnhut，德语，意思是"上主看顾"）的栖身之处。五年之后，神的恩典和慈爱如同潮水般涌流在他们中间；当中一位如此写到："神亲自与我们同在，这里就是祂的圣所。放眼望去和听到的都是极大的喜乐和平安。"这正是神为以后的一切所做的预备。

1731年，亲岑多夫去丹麦参加国王克理斯提安六世（Christian VI）的加冕典礼期间，结识了一位来自圣多马岛的非洲奴隶安东尼（Anthony Ulrich）带回那里的呼声，窦博和尼其曼因而受到激励想要去西印度群岛宣教。于是，他们两人毛遂自荐，从而成了最早派往那里的宣教士；对于他们而言，这是基督徒生命以及顺服主的自然流露。

汤普森（A. C. Thompson），这位十九世纪莫拉维亚早期宣教历史的重要学者如此评论：

> 他们的观念已经根深蒂固，认为向外族人传福音完全是自己当尽的本分，任何人参与这项工作都是极其正常的事……用不着为宣教广作宣传，仿佛有什么了不起。

这种默默付出的宣教热诚与现在大肆宣扬的差派场面相比，形成了何等鲜明的对比！十九世纪英国莫拉维亚差会前秘书长，伊格内修斯·拉筹伯牧师（Ignatius Latrobe）这样写道：

> 我们犯的一个大错误就是：宣教士受到委任之后，受到太多的关注、推崇和赞誉之声。在还没有进到宣教工场之前，就以殉道者、宣扬真理的楷模形象出现在大众面前。我们宁愿悄悄地差派他们出去，而勉励众人以炽烈的祷告支持他们就好了。

没有大声疾呼，没有豪言壮语，也没有大肆宣传，只有一颗炽热、朴实的心，渴望在未得之地宣扬基督之名。这种精神已经融入到莫拉维亚教会的日常生活和宗教仪式之中，他们聚会中的公祷和赞美诗都不断回旋着宣教的主题。

热忱为主

其次，**这股澎湃的宣教热诚最根本的驱动力是对基督耶稣深切而持久的爱**。亲岑多夫本人的生命就流露出这份爱主之心。他于1700年出生于奥地利一个贵族家庭，受到虔诚的家人影响，很早就接受了基督的救恩，早在求学时期就对宣教充满热忱。他和几个同学成立了"芥菜种会"（The Order of the Grain of Mustard Seed），立志向全世界传扬基督的国度。

亲岑多夫不仅接待了莫拉维亚信徒，而且还成为他们的第一任领袖，为了福音的缘故，他多次造访其他国家。"我为着基督大发热心，只为基督、全为基督！"这就是他生命的主旋律，贯穿于他所写的两千多首赞美诗之中。

英国社会改革家、福音派伟人威伯福斯这样描述莫拉维亚信徒：

他们坚定而真实地爱著基督，积极热诚地服事主，在基督里连接成一个身体。也许人间再也没有任何团体可以与之相比。这份热诚爱主之心因深思熟虑而持久，因顺服谦卑而柔和，因勇敢顽强而无畏，因确信无疑而永存。

在宣教领域中，仅仅具备充分的神学思想和信仰认识是不够的，如果没有把对基督的爱作为核心和动力，我们不过是摇着铃铛到处游荡，在我们所走过的路上喧嚣一时。

冒险犯难

正如威伯福斯所言，莫拉维亚弟兄会还有一个特征：**以非凡的勇气面对难以预料的困难和危险**。他们坦然接受困苦，与主基督差遣他们前往服事的人们感同身受。保罗说："对怎么样的人，我就作怎么样的人。"（林前9:22）他们对这话身体力行，在宣教史上无人可比。

早期绝大多数被差派出去的宣教士都是带职宣教，大多是工匠或农夫，像陶匠窦博和木匠尼其曼，都是自食其力；因此，他们所需的主要经费就是出发时的盘缠。在白人统治的一些地区（如牙买加和南非），白人已经养成了一种优越感，这批宣教士却谦卑地从事艰苦的手工劳动，以此见证自己的信仰。例如，早年一位在南非东部省份工作的宣教士莫内特（Monate），曾经亲自切凿两块巨大的沙岩，帮助当地人建造了一座玉米磨坊；这不仅令他服事的对象惊诧不已，而且他还

能在做工的同时与他们"闲聊"福音！

当时宣教士去到苏里南和西印度这样的地方，等于直接面对疾病，甚至是死亡的威胁，许多人在宣教之初不久就牺牲了。在圭亚那（Guyana），一百六十位宣教士之中就有七十五位因染上热带病或中毒而捐躯。在第一批到达格陵兰的宣教士中，有一位写了一首赞美诗，其中一节诗句表达出他们义无反顾的宣教心志，令人感动："看啊！我们踏遍冰雪之地，为主寻回失丧的灵魂；欢喜吧！我们不畏饥寒艰难，为被杀的羊羔奋勇前行。"

在没有现代工具的帮助下，莫拉维亚宣教士坚毅地学习新语言；他们当中不少人对当地的语言非常熟练精通，好像拥有与生俱来的天赋。我们今天也许面临不同形式的考验，但是来自于神的坚毅和勇气是我们同样需要的。是否当今安逸富裕的生活环境，反而制造出"畏首畏尾"的基督徒呢？

百折不挠

最后，我们看到很多**莫拉维亚宣教士，表现出一种矢志不移、百折不挠的高贵情操**。尽管在面对某些特殊困境时，他们有时不得不匆忙放弃任务而离开。例如，1854年，一场淘金热引发当地人之间的冲突，宣教士不得不突然放弃在澳大利亚土著人当中已经开启的初期宣教工作。

莫拉维亚宣教士中有一位颇富盛名，有"西方艾略特"（Eliot of the West）之称的大卫·蔡斯伯格（David Zeisberger），自1735年起逾六十二个春秋，蔡斯伯格一直在

北美东部休伦 (Huron) 人以及其他部落中间工作。1781年八月的一个主日早晨，蔡斯伯格刚刚结束以赛亚书第六十四章8节的讲道，教会及院落周围就遭到一群印地安劫匪的攻击；他所有的圣经翻译手稿、赞美诗和印地安语法的详尽笔记在一片大火当中化为灰烬。然而，蔡斯伯格只是谦恭地低下头，静静地降服于神，调整自己的心绪，着手重建毁于一旦的宝贵工作；而多年之后，威廉·克里在印度也因为一场大火惨遭同样的损失。

今天，我们在宣教方面是否欠缺了这种不屈不挠的毅力呢？我们是应该肯定短期宣教工作的价值，并从中看到神的旨意；但是，请问那些愿意为传扬神而"破釜沉舟"、把自己摆上义无反顾的人在哪里呢？横摆在我们面前的，的确有宣教士子女教育、宣教策略的创新再思等等问题。但是，如果真要赢得别人的灵魂、信徒得到牧养、教会充满基督的生命，我们确实需要更多这类"坚韧不拔、百折不挠的宣教士"！

当然，这些莫拉维亚宣教士也有自己的弱点。由于他们过分关注传福音而忽略了在当地建立教会，因而在基督徒领袖栽培方面的工作就比较薄弱。他们集中力量建立"宣教站"，用一系列圣经地名来命名，例如示罗、撒勒法、拿撒勒以及伯利恒等等。又因为他们自发顺服、马上行动，早期的宣教士大多从"木匠岗位"上直接出发，缺少充分的装备。事实上，直到1869年他们才在距离"赫仁护特"二十公里的尼斯凯 (Nisky) 建立了第一所宣教士培训学校。

尽管如此，我们今天应该从莫拉维亚弟兄会学习什么呢？文里克 (J. R. Weinlick) 的话一针见血："在更正教的教会中，莫拉维亚教会率先将宣教视为**整个教会的义务**（也是我个人的责任），而不是把这个责任推给社会或者其他对宣教特别感兴趣的人。"

他们确实是一个稳固而合一的小型教会群体。我们会认为，他们规划的宣教架构自然比较简单。然而，我们怀疑今天的教会若非以此为借口只维持一种低水准的宣教工作，就是把宣教架构搞得过于复杂，甚至相互竞争。真正的问题是，我们可曾听见宣教的呼声，又乐意勇于遵行呢？

研习问题

1. 从莫拉维亚弟兄会表现出来的诸多特质中，你发现今天教会最缺乏的特质是什么？最可以发挥的又是什么？
2. 对于本文最后一句提出的问题——"我们可曾听见宣教的呼声，又乐意勇于遵行"，你如何回答？为什么？

第45章　妇女与宣教

玛格丽特·克拉夫特（Marguerite Kraft）、梅格·克罗斯曼（Meg Crossman）

玛格丽特·克拉夫特曾在尼日利亚北部的 Kamwe 族从事宣教工作。她也曾在拜欧拉大学跨文化研究系担任人类学和语言学教授多年，现已退休。著有 *Worldview and the Communication of the Gospel* 和 *Understanding Spiritual Power* 等书。

梅格·克罗斯曼推动教会前往海外未得之民、难民和移民群体中开展跨文化事工。她主要参与各种课程的安排和开发。文摘自梅格·克罗斯曼所编辑的 *Pathways To Global Understanding*，2007年。版权使用承蒙许可。

两位宣教士长途跋涉了两天，终于看到了路的尽头，她们来到了巴兰高人（Balangrao）居住的地方。巴兰高人从前是一个猎人族，现在仍然向那些邪恶而贪婪的精灵献祭，因为他们相信这些灵会带来疾病、死亡和挥之不去的惊扰。这两位单身女宣教士接受了翻译圣经的训练之后，就前往巴兰高人中间开始工作。

她们刚刚到达，就受到一群当地土著的欢迎，那里的男人下身只围着遮羞布，女人腰间围着自织的粗布。但当地人恐怕比这两位女性宣教士更为吃惊，因为巴兰高人一直希望有美国人生活在他们中间，为他们的语言创造文字，但是他们作梦也没有想到，盼来的竟然是两个女人！

有一位年老的男人主动愿意以父执辈的身分照顾她们，后来的确悉心地呵护她们。这两位女宣教士除了翻译圣经之外，开始为当地人提供医疗援助，了解他们对灵界的看法，并且解答他们有关生命和死亡的问题。其中一位女宣教士名叫乔·谢尔特（Jo Shetler），在那里住了二十年，完全融入当地人的生活，赢得他们的心，完成了新约圣经的翻译。因着她的舍己奉献，现在有数以千计的巴兰高人承认耶稣基督为主。[1]

乔原是一位充满梦想又略带羞涩的农家女孩，她在巴兰高人当中的故事却激励着许多人。其实还有更多的妇女，同样顺服神的呼召，到遥远的地方服事主，只是她们的故事没有被记录下来。很多妇女甚至完全没有料到神如此奇妙地使用她们的恩赐和忠心，在这样一些处境中成就了大事。

早期的女宣教士

使徒行传记载了百基拉的故事，她是蒙神特别使用的女信徒，至少在罗马、希腊以及小亚细亚三个不同的民族中传福音；这个具有犹太信仰的妇女来自小亚细亚东部，与丈夫亚居拉住在罗马城，直到犹太人被驱逐出去。这对夫妇在哥林多遇见保罗的时候，可能已经是基督徒了，他们带领一个家庭教会，并且接待保罗；后来他

45-1

们受保罗的委托，训练能言善辩并且忠诚跟随主的埃及犹太人亚波罗作门徒，"把神的道更准确地向他讲解"（徒18:26）。

使徒保罗看重和赏识他们的恩赐，于是他们就与保罗一同前往以弗所为主作工。因为百基拉的名字几乎总是排在前面，所以一些学者认为"这位妻子的事奉更出色，对教会的助益更大"。[2] 最值得了解的是，百基拉在跨文化服事、领导及教导方面所发挥的作用似乎在当时的教会中已经习以为常，因而使徒行传的作者对此并未多加着墨；想必百基拉在教会中扮演的角色深孚众望，广为人们接受，因而没有什么特别要记一笔的。

在基督教开始传播的最初三个世纪中，许多妇女因着爱耶稣而殉道。西西里岛的露西亚（Lucia）生活在大约公元300年，经常参与基督徒的慈善工作；后来，她嫁给了一位富有的贵族，被她的贵族家人禁止周济穷人，但是她不肯屈服，因而被关进监狱，受尽逼迫，最终处以死刑。梅兰尼亚（Melania）出生在罗马一个富有的家庭，在地中海沿岸拥有不少房产，她用自己的财富周济穷人，又在非洲和耶路撒冷建造修道院和教堂；公元410年，由于哥特人的入侵，她逃离了罗马成为难民，开始走上宣教旅程，她和其他许多妇女在伟大的宣教运动中发挥了重要的作用。其中一些妇女被北欧人掳掠，后来嫁给劫匪，就向他们传福音。[3] 在十三世纪初，当时的基督徒渐渐忽略周济穷人的慈善工作；柯赖尔（Clare）成为一位改革家，她在意大利创立了方济赤足女修会（Franciscan Order of Barefoot Nuns）。[4] 修女们选择守独身来服事主，生活在修道院，好用更多时间在教会体系中传扬福音。按照天主教的传统，修士、主教及修女都致力于建立教会和医院，但她们还创办学校和孤儿院，借此坚固天主教的信仰。

早期宣教运动

十六世纪的更正教改革使女性在基督教世界中扮演的角色发生了变化。宗教改革家再次强调女性的角色应该是在家中支持男人。葛伟骏（Arthur Glasser）写道："宗教改革家也接受了妇女应该受限制的观点，认为妇女唯一得到公认的职业就是婚嫁持家。随着女修道院的解散，女性失去了服事教会的机会，被局限在只有丈夫、家庭及孩子这样狭小的生活圈子之中。"[5] 随后，在更正教主义之下，又产生了探讨女性是否有权回应圣灵的感动，宣讲神的道等议题。

在更正教宣教运动发展的早期，大多数女性都是以宣教士妻子的身分前往宣教工场；然而，有些观察敏锐的男宣教士很快就发现，在非西方社会他们不可能接触妇女。故此，宣教士的妻子们毅然承担起这样的责任，不但照料家庭和孩子，还要想方设法地与当地妇女和女孩接触；她们虽然殷勤负重，但付出的辛劳却很少得到承认。

起初，单身妇女去到宣教工场只能够照料宣教士的孩子，或者服事宣教士的家庭。然而，渐渐地宣教工场涌现新的机会。皮尔斯·比弗（R. Pierce Beaver）将辛西娅·法勒（Cynthia Farrar）在印度、伊莉莎白·阿格纽（Elizabeth Agnew）在

锡兰（今斯里兰卡）以及其他创办女子学校的单身宣教士的事奉事迹付诸笔墨。[6] 她们先是在妇女深院闺房中默默无闻地做一些帮助人的工作，之后借医疗服务服事的门路渐渐开启，工作很有果效，不过却鲜为人知。

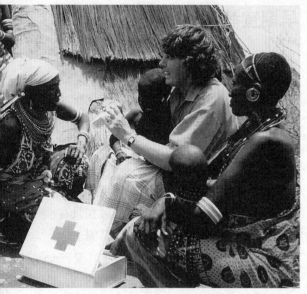

然而，基督教的一些重要领袖如慕迪（D. L. Moody）、宣信（A. J. Simpson）、戈登（A. J. Gordon）却认为，应该鼓励女性运用自己的恩赐参与公开服事。中国内地会创办人戴德生及协同会（TEAM）创办人范岚生（Fredrik Franson）都看到，招募及差派女性从事跨文化福音工作是必要的。1888年，戴德生写道："我们的宣教站配备了女宣教士。"[7] 从内地会早期的历史来看，戴德生创办的内地会期望女性（无论是单身还是已婚）能够参与到所有的宣教事工中，包括讲道和教导。

珍·亨特（Jane Hunter）对宣教工场殷勤服事的女性所写的书信及出版的文章进行研究，发现"绝大多数女宣教士都是出于对主深深的委身而投身宣教工场，远超过追求个人声望或权力"。[8] 这些来自宣教工场上振奋人心的报告激励着本国教会的女性，以一种积极、充满动力的眼光望向世界，自愿奉献钱财、时间、精力、组织才能，并且以代祷支持宣教。像安妮·阿姆斯特朗（Annie Armstrong）和海伦·巴雷特·蒙哥马利（Helen Barret Montgomery）等女性领袖甘愿奉献自己，积极推动本国基督徒支持宣教工场上的各项事工。[9]

新的差派方式：女子差会

美国内战成了一种催化剂，大幅改变了教会向外差派女宣教士的方式。美国内战之后，很多男人都阵亡了，妇女不是成了寡妇就是再婚无望；这种情况迫使许多妇女不得不承担起异乎寻常的责任，她们经营商业、银行、农场，创办学校。在随后的五十年间，她们的发挥超越男人，成为宣教运动的主力军。[10]

由于传统差会仍然拒绝直接差派女性出去宣教，于是许多女性直接成立自己的差会。女子宣教联会（Women's Union Missionary Society）是最早成立的女性差会；在随后的几年里，许多女性差会相继成立。这些差会募集的资金增长迅速，远超过一般宗派的差会，这意味着这些差会在宣教后方掀起的宣教热情成绩卓然；她们创办女子学院，对从事宣教事工的女性进行特殊训练。除了鼓励女性去海外宣教之外，还有总数超过十万的众多妇女宣教团体活跃在当地的教会，形成了无可匹敌的祷告和筹款基地。

1900年，已有四十多个宗派性的女

性团体相继成立，三百多万女性积极地募集资金。她们在世界各地创办医院和学校，支付本土女传道人的薪金，差派单身女子作为宣教医生、教师及传道人出去事奉。[11] 在二十世纪初期的数十年间，女子差会成为美国最大的女性运动组织，而且投身宣教工场的女宣教士的数目多于男宣教士，比例超过了二：一！[12] 可惜在二十世纪二〇年代至三〇年代，这些女性差会被说服与各宗派差会合并，女性渐渐失去了主导宣教工作的机会。

英姿飒爽的女宣教士

总体来说，大约有三分之二的宣教人力是妇女，过去是这样，现在仍然如此。很多宣教差会的管理者都承认，工作越困难、越危险，妇女越是愿意承担！韩国牧师赵镛基从过往的经历中得出这样的结论："对于艰难的拓荒工作，女人是最好的选择；我们发现在艰难的情形下，女人从来不会放弃。男人善于建立事工，而当男人气馁的时候，女性却仍然锲而不舍"。[13]

由于穆斯林世界的独特性，在那里宣教极其困难，有些人认为西方女宣教士在他们当中恐怕无能为力。在非洲撒哈拉沙漠以南的穆斯林游牧部落中，一位单身女子却在用圣经教导那里的伊斯兰教师伊玛目（Imam），而且很有果效。当地的人认为她"不过是一个弱女子而已"，不会对他们构成威胁。她很有智慧，不直接回答那些伊玛目的问题，只基于个人关系和圣经知识，引导他们在神的话语中自己去寻求答案。神肯定了她所做的，赐给那些

权高位重的人异梦和异象，这些人归信了主，转而培训更多的人。这位姊妹被他们尊为富有爱心的大姐，是她给他们带来了最大的福祉。

吉姆·雷索姆（Jim Reapsome）在《世界脉博报》（World Pulse）1992年十月九日的社论中，大力提倡栽培和支持更多的女性。他即刻收到了一位在东南亚穆斯林世界中工作的宣教士寄来的感谢信，来信说道：

> 通常人们都强调要栽培和器重男性，然而真正的事实会让你觉得稀奇：在我们的宣教工场上，最棒的传道人竟然都是女性，另外的三位重要同工也都是女性（她们的确在最前线事奉）。以这里的美国人来算：只有一位单身男性愿意奉献自己来到这里，但已经有四位女性在这里，还有三位女性正准备启程过来。面对伊斯兰教男性至上的沙文主义，我要提醒大家，真正的基督教没有沙文主义，上帝对男性和女性同样发出平等、令人振奋的呼召；无论男女都可以过一种全新而丰盛的生活。[14]

特殊领域的机会

女性在宣教工场上的宣教策略是关怀全人的，她们既重视传福音，又重视满足人身体的需要。她们尤其关注妇女和儿童的福祉，表现出强烈的责任感；又推动教育和医疗设施的建设，反对缠足、童养媳、杀婴堕胎等恶习，以及社会、宗

教、经济等社会结构方面的种种不公。这种关注全人的宣教策略，给人的身心带来医治，长期以来，医疗宣教事工几乎一直是由女性主导。女性很少介入宗派性的活动，而是专注在人的需要上，所以更容易本着基督教的普世仁爱情怀，甘愿冒险与人合作，实现共同的目标；以致很多普世性的宣教差会都是由妇女率先创立的。

近年妇女在一些特殊的宣教领域更显重要。多年来，威克里夫圣经翻译会（Wycliffe Bible Translators）注意到，单身女子所组成的翻译团队其成果远超过由单身男士所组成的翻译团队。曾在二战期间担任空军飞行任务的伊莉莎白·葛林妮（Elizabeth Greene）是宣教飞行团契（Mission Aviation Fellowship）的创始人之一。在乔伊·里德霍夫（Joy Ridderhof）的异象推动和积极努力下，成立了全球录音事工机构（Gospel Recordings），为基督徒提供多种语言的录音带及唱片；他们用本土语言朗读圣经，而不必等到圣经

的翻译出版工作完成。由于路得·西门斯（Ruth Siemens）的创新理念的激励，全球契机团队（Global Opportunities）得以成立，帮助普通信徒在海外"织帐篷"带职宣教。在基督教宣教事工中，女性信徒得以参与到更为广阔的领域中，包括传福音、教会栽培、翻译圣经以及在神学院任教。

现今的女性基督徒应该知道她们承袭的是何等宝贵的属灵产业，而为此欢欣鼓舞。我们应该学习那些竭诚事主的伟大女性，并且以她们为榜样：只身到非洲拓荒的马利亚·斯莱瑟（Mary Slessor）、在缅甸的耶德逊夫人（Ann Judson）、在中国的罗莎琳德·戈福思（Rosalind Goforth，译注：即古约翰师母），她们都是身为妻子，又全职事奉的榜样；在印度的贾艾梅（Amy Carmichael）、在戈壁沙漠的蜜德蕊·凯伯（Mildred Cable）、立志去中国的小妇人艾伟德（Gladys Aylward），在利比里亚宣教的黑人妇女伊莱莎·大卫斯·乔治（Eliza Davids George）、翻译员盛拉结（Rachel Saint）、医生海伦·罗斯维尔（Helen Roseveare），宣教推动作家杨宓贵灵（Isobel Kuhn）、伊莉莎白·艾略特（Elisabeth Elliot），宣教教育的领军人物穆乐蒂（Lottie Moon）、中东朴素的菲律宾家佣、各宗派教会办公室的女行政人员、中国不为人知的女传道人……群星闪烁，不一而足，在天上有荣耀的冠冕为她们存留。

然而这名单不过是挂一漏万，我们期待现在和未来出现一代又一代甘愿事主的女性，不断加入这荣耀的行列。当今属神的女性享有的自由和机会是这些先贤无法

想像的。现在，绝大部分的美国小型企业是由女性经营；在政界、商界、法界及医界，有许多女性身居要职。"多给谁就向谁多取"，属神的女性应该如何抓住这样的机会，按照神的旨意去收割庄稼呢？

女性为着摆在眼前的天国重任而奋起，以她们特有的技能、知识、温柔、机敏、热忱、亲和力，甘愿为主作工。宣教史上女性敢于创新开拓的精神，甘愿奉献的心志，勇往直前的忠贞，已经为我们树立了美好的典范。这艰巨的宣教重任，需要神所有的子民共同努力才能完成！

附注

1. Shetler, Joanne, *The Word Came With Power* (Portland, OR: Multnomah Press, 1992).
2. Jamieson, Fausset and Brown, *Commentary on the Whole Bible* (Grand Rapids, MI: Zondervan Publishing House, 1961), pp. 1, 117, 对使徒行传 18:18 的注释。
3. Malcolm, Kari Torjesen, *Women at the Crossroads: A Path Beyond Feminism and Traditionalism* (Downers Grove, IL.: InterVarsity Press, 1982), pp. 99-100.
4. 同上，p. 104。
5. Glasser, Arthur, 'One-half the Church—and Mission,' *Women and the Ministries of Christ*, eds., Roberta Hestenes and Lois Curly (Pasadena: Fuller Theological Seminary, 1978), pp. 88-92.
6. 比弗，*American Protestant Women in World Mission* (Grand Rapids, MI: William B. Eerdmans Publishing Company, 1980), pp. 59-86。
7. 比弗，*All Loves Excelling* (Grand Rapids, MI: Eerdmans, 1968), p. 116。
8. 路得塔可（Tucker, Ruth）著，王仁芬译《基督的园丁——现代女宣教士事略》（*Guardians of the Great Commission*）（美国台福传播中心，2003），页 38。
9. 同上，页 102-110。
10. 对温德的个人访谈，1991 年九月。
11. Robert, Dana L., *American Women in Mission: A Social History of Their Thought and Practice* (Macon, GA.: Mercer University Press, 1996), p. 129.
12. 同注 8，页 10。
13. 赵镛基于 1988 年三月在亚利桑那州凤凰城市的 El Shaddai Pastor's Fellowship 午餐会上的发言。
14. 1992 年十月廿五日给 Jim Reapsome 的私人信件。承蒙许可使用。

研习问题

1. 为什么单身女子组成的翻译团队所做的圣经翻译工作更加成绩斐然？
2. 在男性为主导的社会文化中，何以女宣教士的事奉可以有特别的果效？
3. 女性在什么时期、以何种方式在宣教工场上中扮演主导角色？

第46章 非裔美国信徒普世宣教事记

大卫·哥尼流 (David Cornelius)

数百年来人们对普世宣教的热情总是起起落落，然而 "宣教" 这个主题一直都是回响在非裔美国教会中的主题曲。打从在美国为奴的非洲人归信基督之时就心系普世宣教了，他们对普世宣教的参与可以追溯到十八和十九世纪。那时非裔美国信徒不单到非洲宣教，还在加勒比群岛地区宣教。这样优良的宣教传统和热情，神在今天依然要巩固与发扬。

二十世纪的大部分时期，北美基督徒整体上觉得非裔美国信徒似乎对普世宣教没有什么兴趣。他们之所以这么认为，主要是当时北美基督徒中极少有非裔美国信徒作长期全职宣教士；以非裔美国信徒为主的大多数教会都选择在本国遵行大使命，而将绝大部分海外宣教的重任留给了 "白人基督徒"。

这种观察固然没错，然而得出的结论却未必正确。事实上，非裔美国基督徒对普世宣教非常关注，深感自己有责任去实现主的命令——"你们要去使万民作我的门徒"。殊不知在普世宣教史[1]中，非裔美国信徒付出了高昂的代价。

普世宣教的非裔美国先驱

非裔美国信徒参与普世宣教的历史可以追溯到十八世纪。"在黑人浸信会教会中，他们制定海外宣教计划通常比本国宣教还要早。"[2]自从身为奴隶的黑人接受基督教以来，他们就立志不但要把基督的福音传回自己的祖国，还要传向世界其他地方；据史料记载，十八和十九世纪的非裔美国宣教士不但到达非洲，还去了加拿大和加勒比地区。

五旬宗宣教先驱

最大的非裔美国五旬宗教会 "主基督神的教会"（成立于1907年的 Church of God in Christ），到二战结束之前仍然将主力放在国内

作者曾参与美南浸信会国际宣道部（简称 IMB）在尼日利亚的宣教事工。有九年时间，担任植堂者和城市布道顾问。自1992年起，他在 IMB 美国办公室工作，目前是 African American Mobilization 的顾问。

宣教。直到民权运动时期，他们开始在非洲和加勒比地区开展普世宣教事工。[3]

卫理公会宣教先驱

早在十九世纪，非裔主教制卫理公会（African Methodist Episcopal）和锡安非裔主教制卫理公会（African Methodist Episcopal Zion）开始在非洲开展宣教事工。十九世纪初，这两个宗派在非洲西部的宣教工作相当稳定；到十九世纪后期，开始在非洲南部宣教。

一直担任马里兰州巴尔的摩伯特利美籍非裔卫理公会主任牧师的丹尼尔·科克尔（Daniel Coker），后来成了美籍非裔卫理公会派往非洲的第一位宣教士，在普世宣教史上赫赫有名。科克尔在美国殖民地协会（American Colonization Society）[4]的帮助下，于1820年乘船抵达塞拉利昂，比浸信会宣教士罗特·克里（Lott Carey）牧师离开美国弗吉尼亚州去利比里亚宣教还要早数个月。1911年，美籍非裔卫理公会第三大宗派——基督教卫理圣公会（Christian Methodist Episcopal）与南部主教制卫理公会（Christian Methodist Episcopal Church, South）联合，正式开启了在非洲南部的宣教工作。他们选择刚果作为第一个海外宣教工场，从此以后一直主推在非洲南部、西部以及加勒比地区的普世宣教事工。

浸信会宣教先驱

卫理公会在非裔美国基督教界是历史悠久的宗派，但是浸信会的普世宣教事工规模却更为广泛深入，乔治·列奥（George Liele）和普林斯·威廉姆斯（Prince Williams）是领航宣教的先驱。

南卡罗莱纳州的乔治·列奥牧师原是一位获释的奴隶，作了传道人，于1783年离开美国前往他的出生地牙买加宣教。1784年在牙买加首都金斯顿（Kingston）建立了第一间浸信会教会。后来，就像新约时期福音因教会受到逼迫而流传开来，列奥也是因为害怕受到逼迫（重新沦为奴隶）而再度离开故乡。

普林斯·威廉姆斯牧师是另外一位南卡罗莱纳州获释的奴隶。他在美国革命战争（Revolutionary War）之后离开了佛罗里达的圣奥古斯丁市，大约在1790年，威廉姆斯建立了一间浸信会教会；1801年，他买了一块地，建了一间用来敬拜的小房子。[5]

罗特·克里的异象

1790年，大卫·乔治（David George）、赫克托·彼得斯（Hector Peters）和桑普森·卡尔弗特（Sampson Calvert）纷纷踏上了非洲，开始在非洲西海岸宣教；然而直到罗特·克里投入宣教工场之后，组织化的海外宣教模式才告出现。克里出生于1780年，年轻时在里士满烟草行里工作。后来得到白人爱心人士的资助，筹足了钱，再加上自己的积蓄，赎出自己和家人，获得自由。之后有机会就读于里士满第一浸信会执事威廉·克兰（William Crane）管理的夜校，学会了读书、写字。

原先克里的祖母被带出非洲为奴时成为基督徒。她一心盼望福音能够传到自己的家乡，并且相信自己的孙子克里会被神所用，成为一位宣教士；克里后来果然成为一位大有能力、广为人知的传道

人。1815年，克里领导成立了非裔浸信会海外差会（African Foreign Missionary Society），这是非裔美国信徒在美国成立的第一个海外宣教差会。[6]

在威廉·克兰和里士满浸信会差会的协调下，成立于1814年的美国浸信会海外宣教总会（由于每三年举行一次会议，因而简称为"三年大会"）同意支持罗特·克里和科林·笛格（Colin Teague）出去宣教。笛格是一位自由的非裔美国宣教士，他与克里一样，渴望去非洲传扬福音，为实现自己在非洲传扬福音的梦想。经过多年的准备，1821年一月十六日，克里和笛格终于和他们的家人一起踏上了开往利比里亚的航船。

他们的旅费有几个来源，包括自己的收入（克里卖掉自己的农场得到大约一千五百元美金），非裔浸信会海外差会、美国殖民地协会以及一些支持克里宣教的白人的资助。到达利比里亚不久，他就成立了普罗维登斯浸信会。[7]

克里殷勤作工，创立了一个信徒聚居区。他在这里成为主要的行政长官，身兼宗教、军事首领以及医疗官员来服事该社区的人；不管面临的重重困难，克里仍然坚信非洲是最适合他和家人生活的地方（任何黑人都不希望因为肤色阻碍了自己的发展）。很遗憾，由于克里在许多议题上与殖民统治者持不同立场，招惹了他们，1828年他在一次爆炸事件中不幸遇害。[8]

在《解放黑人奴隶宣言》（The Emancipation Proclamation）颁布以前，非裔美国基督徒就一直努力参与普世宣教事工。在十九世纪1863年之前的这段时期，最

初获得自由的非裔美国信徒曾经多番努力，想建立一个全国性的机构，以更有效地在国内和海外开展宣教事工；然而，（主要）因为资金匮乏，终究无法成功。偶尔，非裔美国信徒向白人基督徒及其所属机构寻求帮助，但不一定都能得到帮助，甚至遭到拒绝；他们对于是否应该加入白人管理的差会来做他们自己的宣教工作，存在不同的看法。虽然有时白人和黑人可以携手工作，但黑人多半宁愿选择自己来。因为当双方同工时，白人总是在合作关系中占据着主导的地位。一切抉择都唯白人是听，丝毫不顾黑人同工的想法。黑人对此感到顾虑。

1843年到1845年，南、北方基督徒因为奴隶问题（北方绝大多数反对奴隶制度，南方则支持奴隶制度）而造成的长期紧张关系终于爆发，导致卫理公会与浸信会内部双双分裂为两大对立阵营：一方支持奴隶制度，另一方则坚决反对。就浸信会而言，这表示从"三年大会"建立起来的南北方脆弱的联盟关系终告破裂。于是，1845年五月八日成立了一个新的浸信会大会——美南浸信会（South Baptist Convention）。

起初，就整个宗派而言，美南浸信会表现出不论个人和所属教会对奴隶制度持什么立场，仍极关注黑人和奴隶属灵福祉的态势。在成立大会期间，他们组织了两个委员会，一个是国内差传委员会，主要向美国国内居民传福音，包括黑人和印第安人；另一个是海外差传委员会，主要支持美南浸信会在海外的宣教事工。

1846年，即美南浸信会海外差传委员会成立第二年，他们就委派两位非裔美

国信徒作宣教士。这二人就是约翰·戴伊（John Day）和琼斯（A. L. Jones）。在随后的四十年中，海外差传委员会至少委任或资助了六十二位非裔宣教士。

黑奴解放之后的浸信会

在1863年一月一日《解放黑人奴隶宣言》生效之后不久，刚刚得到自由的非裔美国信徒就离开了白人的浸信会，开始组建自己的教会和联会。为了能够快速又有效地在非洲传福音，黑人浸信会一直为着筹组一个自己的联合会而努力不懈；然而，由于地方主义思想的阻碍以及其他一些原因，黑人联合会迟迟没有办成。直到1895年，黑人浸信会信徒才终于成功筹组了一个持久的黑人教会联合会。

在1863年至1895年期间，非裔美国信徒一直在试图"实践"神所赐的命令，差派宣教士到非洲宣教。不少优秀的非裔美国宣教士投身到这场宣教运动之中，[9] 其中有一位出生于弗吉尼亚的传道人，他就是威廉·柯利（William W. Colley）。

柯利的宣教热情

柯利是公认唯一既得到白人差会又得到黑人差会任命的宣教士。1875年，威廉·柯利受美南浸信会海外差传委员会（SBC）委派，以大卫（W. J. David）助手的身分在非洲西部服事，大卫是从密西西比州来的一位白人宣教士。1879年十一月，柯利回到美国，带着坚信应该有更多的黑人参与到普世宣教事工的负担，特别是在非洲的宣教；他往返于美国各地，极力劝说黑人浸信会信徒参加专门为黑人的

宣教事工培训课程，并且成立自己的差会。[10] 这个努力终于在1880年十一月廿四日促成了浸信宗海外宣教差会（BFMC）的成立。到1895年，浸信宗海外宣教差会与另外两个教会联会合并成立了美国浸信会全国联会，这是美国黑人浸信会第一个具有实质意义的全国性联会机构。[11]

柯利名列1883年浸信宗海外宣教差会任命的第一批宣教士之中，他带着妻子与普雷斯利夫妇（Joseph and Hattie Presley）、约翰·科尔（John J. Cole）和亨德森·麦凯尼（Henderson McKinney）一起前往非洲西部宣教。

那个年代流行一个说法："非洲是白人的葬身之地"，因为到非洲服事的白人宣教士染上疾病、客死他乡的比例实在太高。不过，也有这样一句话流传着："非洲是黑人的葬身之地"，因为浸信宗海外宣教差会首次差派到那里的十二位宣教士，其中十一个人不是丧命就是得了重病而不得不返回美国。事实证明，非裔美国信徒不比白人更能忍受非洲艰苦的生活条件。

从1880年至1895年，即浸信宗海外宣教差会启动海外宣教事工的这段时期，他们的宣教热情以及对宣教士的支持起伏不定。早期在非洲的宣教事工令人鼓舞，然而随着时间的流逝，灾难和困苦不断袭来，一个又一个宣教士黯然离开工场，宣教热情也随之消退。在浸信宗海外宣教差会运作的期间，那些在工场上有自己宣教士的教会似乎更乐意资助差会的工作；当然，差会得到的支持减少还有其他因素。[12] 结果，只有后来创立的美南浸信会全国联会以及罗特·克里的宣教差会才持

一旦非裔美国信徒挣脱了奴隶的枷锁，他们就迫不及待地奔向海外，去宣扬福音。

续地致力于差派美国黑人浸信会信徒到海外从事宣教事工。

克服困难，不断前进

从历史上看，妨碍非裔美国信徒完全投身到普世宣教事工的因素不少。因而长期以来，非裔美国信徒在海外宣教事工中，既无法达成自己的宣教愿望，又没能发挥出自己的潜能；但现今许多妨碍非裔美国信徒宣教的因素都不复存在，只是还有另一些障碍。即便如此，非裔美国信徒仍然斗志昂扬，继承前人的宣教传统，继续向前迈进。

在为奴的艰难岁月中，很多切望到海外宣教的非裔美国信徒受到的限制显而易见；一旦非裔美国信徒挣脱了奴隶的枷锁，他们就迫不及待地奔向海外，去宣扬福音。非裔美国信徒一直寻求与白人基督徒合作，但也建立了自己的联会和宣教机构：有些时期，是白人基督徒不希望自己的海外宣教工场上有过多的非裔美国信徒；[13] 在另外一些时期，甚至政府也采取一些措施阻碍非裔美国信徒参与海外宣教，例如拒绝签证或者收取不合理的高额签证费。某些非洲国家的殖民政府甚至对非裔美国信徒手中持有的合法有效签证置

之不顾，拒绝让他们进入。但是无论情形何等艰难，神都赐下力量帮助他们作祂的宣教士！

在黑奴获得解放，非裔美国基督徒积极开展非洲宣教工作之际，他们在美国本土的福音工作还是受到限制。不久之后，美国种族隔离法席卷全国；该法案促使黑人教会开始领导一场反对种族歧视的抗争。

在美国国内，种族隔离法助长了种族隔离和种族歧视恶习；加上南北战争的创伤，许多美国黑人的生活境况甚至比奴隶时期还糟糕。这时候非裔美国信徒唯一可以当家作主的黑人教会不得不挺身而出，领导人们在自己的出生地展开反种族歧视、争取人权的抗争。在这场抗争中，早期黑人基督徒领袖所持定的普世宣教异象渐渐淡化；结果，大部分非裔美国信徒都忽视了普世宣教事工。尽管如此，他们的宣教热情和对失迷的世人的责任感并没有减退。

十九世纪的许多艰难险阻已经成为过去，一切都在朝积极的方向发展，但是仍然有些方面不尽如人意。有些社会领域，肤色种族仍旧是一种阻碍；有人还在树起各式各样彼此疏离的壁垒。普世宣教事工在诸多挑战之中仍然有巨大的发展，基督的身体不断地学习合一，携手并进，真正地实现在基督里成为一家人！

努力向前，实现使命

从以上的概述我们可以看到非裔美国信徒在普世宣教事工中，并非初出茅庐的新手；只需稍稍略览当前的光景，就会看

到神借着非裔美国信徒所做的奇妙大事，禁不住惊叹神的伟大。放眼未来，我们应当如何迈步向前呢？

在过去三十多年间，很多差会机构相继成立，不断推动更多非裔美国信徒参与到普世宣教事工中。与此同时，以白人信徒为主的宗派和差会也开始积极招募黑人信徒，与白人宣教士一道开展海外宣教事工；非裔美国宗派领袖面临的新挑战是：为他们的会友寻找更多、更值得参与的普世宣教契机。

上帝正在非裔美国教会中兴起新一代

牧师带领他们的教会，能够更多参与海外宣教。美国及海外的黑人教会、差会、团契以及宣教大会之间的联手合作进展迅速，参与短期宣教事工的非裔美国基督徒人数也在持续攀升，愿意长期委身于海外宣教事工的非裔美国信徒的数目整体上也在不断提高。

在普世宣教事工方面，非裔美国教会是一个沉睡的巨人，正因着神的呼唤而逐渐苏醒过来。当这个巨人在普世宣教事工中逐渐发挥潜能的时候，只有神才知道他们至终会将神国的地界拓展到什么地步！

附注

1. 本文使用"普世宣教"一词，而不是常用的"向外国（海外）宣教"。虽然二者可以互换使用，但笔者还是倾向于使用"普世宣教"，主要是因为"外国"一词多年以来引入一些负面的含义。作者只在指示专用名词或组织名词时，才使用"外国"。
2. Leroy Fitts, *A History of Black Baptists* (Nashville: Broadman Press, 1985), p. 109.
3. C. Eric Lincoln and Lawrence H. Mamiya, *The Black Church in the African American Experience* (Durham: Duke University Press,1990), p. 90.
4. 显然美国殖民地协会的动机带有种族主义私欲，并且只是为了满足自己的目的（他们想把获得自由的奴隶送回非洲，免得他们给在美国的白人奴隶主带来麻烦），但是类似科克尔这样的人仍然接受了他们的帮助而回到非洲，他们更为关注在非洲人中传扬福音。这个协会甚至进而与非洲的首领谈判，以获得一些土地给那些回去的人用于信徒聚居地。
5. 同注2，页110。
6. William J. Harvey, III, *Bridges of Faith Across the Seas* (Philadelphia: The Foreign Mission Board of the National Baptist Convention USA, Inc., 1989), p. 16.
7. 他们与威廉·克兰和另外一些人在启航到非洲之前，就在里士满组建了普罗维登斯浸信会（Providence Baptist Church）。直到如今，这个教会仍然在利比里亚的蒙罗维亚（Monrovia）继续进行卓有成效的事工。
8. 据史料报告，这个爆炸是一个意外事件，发生于他在准备防御部落入侵时，但是有人相信克里是遭人暗杀。持这个理论的人认为他们也有支持自己观点的证据。
9. 有关这些人的记录，可从位于弗吉尼亚州里士满的国际宣教部国内总部的档案馆中查到。
10. 其他人有Solomon Cosby和Harrison N. Bouey。Bouey是受南卡州浸信会教育、宣教与主日学协会所委任的。该机构现在称为浸信会南卡罗莱纳州教育及宣教协会（Baptist Educational and

Missionary Convention of South Carolina）。

11. 有关不同原因及其解释，以及对柯利宣教事工更为广泛的讨论，见 Sandy D. Martin's book, *Black Baptists and African Missions: The origins of a Movement 1880-1915* (Macon, GA.: Mercer University Press, 1989), pp. 49ff。

12. 美国全国浸信会联会（National Baptist Convention USA, Inc.）于1895年九月组建。这是由三个较小的协会合并而来：浸信会海外宣教差会（Baptist Foreign Mission Convention，建立于1880年）、美国浸信会全国协会（American National Baptist Convention，建立于1886年）和浸信会教育事工全国协会（Baptist National Educational Convention，建立于1893年）。有关建立这一联会的决议在某处如此说道："美国浸信会应当只有一个全国性的组织。在这个组织之下当设一个海外宣教差会，有权根据美国海外宣教联会设定的精神和目的来制订计划和实施外国宣教工作。"换句话说，新设立的联会的主要工作就是实施浸信会海外宣教联会所制定的外国宣教重点。

13. 早在1886年，对BFMC的支持逐渐减少的趋势已经初见端倪；到1888年，联会的工作遭到严重的削弱，九〇年代，联会的工作实际上已经不复存在。以下几个因素可能导致了支持的下降：

    (1) 在BFMC建立之前，好几个州已经委任和差派自己的宣教士出去。即使在联会建立之后，这一做法仍然在延续。

    (2) 有些人选择到白人的宣教差会工作，认为这些机构是浸信会进行宣教工作更为"正当"的管道，因为这些已经建立起来一段时间了。

    (3) 在十九世纪八〇年代后期，非裔美国人的经济状况尤其糟糕。除了当时全国的经济大环境处于萧条的状态，种族隔离和歧视对非裔美国人更是雪上加霜。

    (4) 工场上的宣教士埋怨没有按时收到工资，或是根本没有收到任何报酬。这些情况可能让黑人浸信会对联会管理层的信心下降。

    (5) 当BFMC没有宣教士在工场上的这段时期，对宣教的财务支持明显减少。到1894年，联会已经没有任何宣教士在工场上；毫无疑问，这种情况为给联会的支援带来毁灭性的影响。

14. 有些非裔美国人一直愿意，并且期盼与白人弟兄姊妹一起在宣教工场上并肩事奉，即使如此仍然有拦阻。在十九世纪，那些在白人管理之下的差会中事奉的非裔美国人，通常需要先找到白人上级才能被差派到工场上。直到二十世纪中叶之后，大多数白人管理的差会（尤其是那些宗派性的差会）才接纳非裔美国人的预备宣教士。这些拦阻现已不复存在。即使在克里之前，仍然有一些黑人基督徒感到神已经把将福音带回非洲的主要责任给了黑人这个种族。这使命是建立在州、地区和全国性的许多机构的主要动力，这种愿望是如此强烈，好几位领袖试图让黑人浸信会加入白人浸信会的工作，以推进工作迅速进行（尽管他们对在为奴前后在白人教会中遭到的恶待仍然记忆犹新）。反对这些联盟的人竭力辩论，认为美国白人基督徒已经忽视了非洲，除非黑人自己开创在非洲的宣教，那么白人的宣教工作会冲淡，甚至阻碍黑人在非洲的福音工作。

研习问题

1. 在努力成为宣教士、建立本族差会的过程中，非裔美国信徒遇到了什么困难？
2. 非裔美国信徒在海外宣教事工中有哪些令人鼓舞的新发展？

第47章 波澜壮阔的学生宣教运动

大卫・豪尔（David M. Howard）

作者是著名的宣教士、讲员、作者和教师。他在哥伦比亚和哥斯大黎加宣教十五年后，担任拉美宣教会主席，也曾担任世界福音联盟国际理事长十年之久。他担任美国基督徒学生福音团契的宣教主任，以及1973和1976年的尔班拿宣道会主任。本文摘自*Student Power in World Missions*一书（1979年）。版权使用已蒙本文作者许可。

　　神会使用各种年龄和背景的人实现祂的旨意，而圣经中的许多重大事件都有年轻人参与其中。我们看在最近几个世纪中大学生做的大事，成就大使命，不足为奇。

追根溯源

　　最早在普世宣教运动发挥决定性影响的要算十七世纪几位德国大学生，这也许是学生投身宣教运动的肇始。这七位来自德国吕贝克（Lubeck）的学生当时在法国巴黎攻读法学，一同蒙召献身海外宣教；其中至少有三位乘船前往非洲，可是后来只有一人生还，名叫彼得・海陵（Peter Heiling）。海陵在阿比西尼亚（今埃塞俄比亚）宣教近二十年，把圣经翻译成阿姆哈拉语（Amharic），最后也为主殉道。

　　海陵后继无人，他开启的宣教工作无从延续。然而他所翻译的阿姆哈拉语圣经却在声势浩大的埃塞俄比亚归主运动中影响巨大，代代相传，经久不衰。

　　值得一提的是，海陵是在与其他学生一起投入学生工作、同心为着教会的海外宣教事工祷告时，受到激励而自愿把福音带到世界的其他角落。

莫拉维亚宣教运动

　　在普世宣教史上，亲岑多夫以莫拉维亚宣教运动的创始人和领袖而举世闻名。莫拉维亚弟兄会是世界上最早的差会，也是持续时间最长、大有果效的差会。亲岑多夫从小深受敬虔主义运动影响，年仅十岁就立志要终其一生向世界传扬耶稣基督的福音！

　　自1710年至1716年，亲岑多夫就学于奥古斯特・富朗开（Francke）在德国哈勒（Halle）创办的寄宿中学。在学习期间，亲岑多夫与另外五位男生成立了芥菜种会，常常聚在一起祷告；他们，决心要见证耶稣基督的大能，吸引其他基督徒一起聚会，帮助那些为信仰受苦的人，并且把基督的福音传到海外。亲岑多夫在德国就读威登堡（Wittenberg）大学和到荷兰乌特勒支（Utrech）大学游学期间，也一直持定自己的异象。

亲岑多夫卅一岁时结识了一位来自西印度群岛圣多马岛的人，这人名叫安东尼·乌尔里奇（Anthony Ulrich）。安东尼告诉亲岑多夫伯爵，他多么盼望在西印度群岛的同胞能够听到福音。亲岑多夫看出自己学生时代芥菜种会的异象，不正就是安东尼对西印度群岛的切望吗？于是，前往西印度群岛的宣教队伍起航了，这是莫拉维亚弟兄会最早的宣教工作。

由此可见，现代更正教宣教运动，在德国哈勒学府中一群为着普世宣教祷告的学子心中萌芽，其源头可以追溯到1732年的莫拉维亚弟兄会。

剑桥七杰

1882年，美国布道家慕迪（D. L. Moody）访问英国剑桥大学；所举行的布道会果效远远超过预期，带给剑桥大学极大影响。慕迪结束访问不久，很多学生立刻向英行会申请去海外宣教，而且申请的人数不断增加。

与此同时，另外一个新的宣教机构引人注意，那就是戴德生刚刚创办的中国内地会。1883年至1884年期间，神的灵感动七个大学生（其中六位来自剑桥大学）去中国宣教，后来都申请加入了中国内地会。

这七个人都是受过良好教养、才华横溢的天之骄子，无论是在学术还是运

> **现代更正教宣教运动，在德国哈勒学府中一群为着普世宣教祷告的学子心中萌芽。**

动方面，样样都卓尔不凡。其中斯塔德（Charles Thomas Studd）家境富庶，生活阔绰舒适；他还是当时公认的最佳板球运动员。章必成（Montagu H. P. Beauchamp）是汤玛斯爵士和毕茜夫人的公子，也是一位成绩优异的高材生。盖士利（William W. Cassels）是商贾士绅之子。何斯德（Dixon Edward Hoste）曾在英国皇家炮兵部队服役，后来他接任戴德生的工作领导中国内地会。杜明德（Arthur Polhill-Turner）和杜西德（Cecil Polhill-Turner）两兄弟的父亲是国会议员。司米德（Stanley P. Smith）的父亲是伦敦医术高超的外科医生。

他们七人都有共同的目标和志向，愿与自己的同窗分享内心的异象。毕业之后，他们巡回于英格兰和苏格兰各地，拜访许多教会和大学；他们对宣教事工产生的巨大影响，超越这短短几个月的辛劳奔波。1885年二月，这七人毅然决然乘船前往中国；直到多年以后，他们的壮举还不断地激励更多的学生，将自己奉献给主耶稣，到世界各地宣教。

由此，教会宣教运动因着年轻人的投入，持续向前、蓬勃发展。无论是亲岑多夫和哈勒学府的学生，还是牛津大学的卫斯理兄弟，抑或剑桥大学的斯塔德和他的

同工们，圣灵都在不断地激励莘莘学子成为宣教先锋，唤醒教会承担起普世宣教的责任。

撒母耳·米尔斯

在北美大陆，教会对于海外宣教事工的关注也直接源自学生的影响，更确切地说，是受一位学生的影响——他就是撒母耳·米尔斯（Samuel J. Mills Jr.）。米尔斯来自美国康乃狄克州一个公理会牧师敬虔爱主的家庭。据悉，他的母亲说过："我把这孩子分别为圣，献给神成为一位宣教士。"这个心志很不寻常，尤其是那个时代的教会还没有宣教意识，在美国也没有任何海外宣教的管道（尚未出现类似差会这样的组织）。后来，米尔斯十七岁时亲身经历了1798年开始的美国大觉醒运动，并决志归主；这场属灵大复兴也影响了他父亲的教会。从归信基督那一刻开始，无论是求学阶段还是后来从事公开事奉，米尔斯献身普世宣教的赤胆忠心从未改变！

干草堆祷告会

1806年，米尔斯就读于马萨诸塞州威廉学院（William College, Massachusetts）；每个周三和周六下午，他都照常与其他同学一起在湖塞克（Hoosac）河边祷告。1806年八月的一天，米尔斯与另外四位学生如常聚会之后往回走，突然遭遇了一场暴风雨，他们慌忙躲进一个干草堆中避雨；[1] 在等待暴风雨过去时，他们不住地祷告。那一天，他

们特别专注为唤醒学生的海外宣教热情祷告；米尔斯带领大家讨论，又为各自在宣教事工中的职责祷告。他当时勉励同伴的话，后来成为他们的口号："只要愿意，我们就能做到！"（We will do this if we will!）

他们向神祷告，愿意奉献一生到神差遣的地方去服事；这些学生，后来成为美国第一批志愿从事海外宣教事工的先锋。这股委身奉献的精神催生了美国第一个学生宣教差会，著名的普世教会发展史学者赖德烈（K. S. Latourette）说："这次干草堆祷告会成了美国教会海外宣教浪潮的第一波推动力。"[2]

1806年干草堆祷告会中的布赖恩·格林（Bryan Green），于1854年重访威廉斯镇，确认了当年与同伴们一起祷告的那个干草堆；1867年，就在当年他们祷告的原地建起一座纪念碑。"美部会"的总干事马克·霍普金斯（Mark Hopkins）在奉献礼上盛赞道："为一次祷告会树立纪念碑，这是世界历史上绝无仅有的奇事！"

美国海外宣道会（美部会）

1810年，米尔斯就读于安多弗神学院（Andover Theologieal Seminary），他与包括（后来到缅甸宣教著名的）亚多尼亚·耶德逊（Adoniram Judson）在内的几位学生，联名向美国公理会年会提交了一份申请，建议成立一个海外差会。六月廿九日，美国公理会向大会提议"从本届美国公理会年会开始，我们要千方百计推动向未得之地传福音的宣教事工，不遗余

力"。尽管直到1812年才正式成立了董事会，但是他们在那次大会之后就迅速地展开行动；"美部会"基本上跨宗派，得到许多教会的支持，招募了很多志愿者，提供他们各种先期的准备。

1812年二月十九日，耶德逊与撒母耳·纽厄尔（Samuel Newell）都偕同妻子乘船前往印度；五天之后，撒母耳·诺特（Samuel Nott）、戈登·霍尔（Gordon Hall）和路德·莱斯（Luther Rice）也登上了前往印度的另一艘船；这些最早抵达印度的美国宣教士，与威廉·克里一起在印度配搭宣教一年。随后，在耶德逊和莱斯的推动下，北美浸信会（Baptists of North America）成立了自己的差会，成为美国第二个海外差会。

由此，在干草堆祷告会之后的四年里，也是在这些学生的感召下，第一个北美的差会成立了。一年半之后，第一批志愿者就踏上了前往亚洲宣教的旅程。

学生志愿宣教运动

在北美教会的普世宣教事工中，也许是学生志愿宣教运动（SVM，Student Volunteer Movement）所产生的影响最为深远持久。这个运动的几位领航人物如穆德（John R. Mott）、罗伯特·怀尔德（Robert C. Wilder）和罗伯特·斯皮尔（Robert E. Speer），代表着千百个不辞辛劳、竭尽全力投身

> "就在我们这一代，福音要传遍全世界！"这一学生志愿宣教运动的口号非常有感召力，激励了莘莘学子毅然投入海外事工。

宣教的年轻人，不胜枚举。

"就在我们这一代，福音要传遍全世界！"这一学生志愿宣教运动的口号非常有感召力，激励了莘莘学子毅然投入海外宣教事工。莫特这样写道："我可以坦言，除了决志求基督成为我生命的主并且一生带领我之外，再没有任何崇高的理想和人生的目标，没有比这句口号更深震撼我，拓宽了我的视野，让我认识神国度的丰富！"

如果我们往前追溯，就会发现学生志愿宣教运动与1806年的干草堆祷告会的关系密不可分；而威廉学院的学生宣教运

动又促成安多弗神学院弟兄会的诞生。多年之后，也就是1846年，干草堆运动后期的一位成员罗义尔·怀尔德（Royal Wilder）乘船前往印度宣教；1877年，他回到美国，在新泽西州普林斯顿定居下来，由其子罗伯特·怀尔德（Robert Wilder）成立了普林斯顿海外宣教会（Princeton Foreign Mission Society）。这个协会的每一位成员都认定，"只要神允许，我甘愿到世界任何未闻福音之地。"这些学生每周都在怀尔德家聚会，为世人的属灵需要迫切祷告；罗伯特和妹妹格蕾丝又一起为能够招募到一千位志愿者恒切地祷告，祈求神兴起这群素未谋面的人到海外宣教。

同年，路德·魏夏德（Luther Wishard）被任命为新成立的基督教青年会（YMCA）的大学分会秘书；早期的基督教青年会充满活力，在世界各地热切开展宣教事工。魏夏德听到米尔斯和大学生带动宣教的动人事迹，深受鼓舞，他亲自走访威廉学院，在干草堆纪念碑前跪着祷告说："主啊，求祢再行大事，让这活水的泉源涌流不息！"

魏夏德深愿自己能够成为宣教士，然而也确信自己若留在美国可以推动学生去海外宣教，可以带出更大的影响。1885年，魏夏德说服慕迪在马萨诸塞州的黑门山主持为期一个月的夏季圣经班，两百五十名学生参加了这次大会。正如魏夏德、怀尔德父子和许多人热切祷告的，许许多多大学生回应愿肩负起普世宣教的大使命。圣经教师皮尔森（A. T. Pierson）博士发表了一场令人难忘的演讲，提出了学生志愿宣教运动的口号："就在我们这一代，福音要传遍全世界！"这口号就是从此开始的。在皮尔森的挑战和整个大会的感动之下，上百名学生踊跃献身成为海外宣教的志愿者，后人尊称他们为"黑门百子"。

这年夏天，学生志愿宣教运动打下良好根基；1888年，这推动学生志愿委身宣教的组织正式建成。1886年至1887年，两位普林斯顿人——罗伯特·怀尔德和约翰·福尔曼（John Forman）走访167所学校分享普世宣教的异象。那一年，他们目睹2,106位学生参与宣教事工，其中就有施为美（Samuel Zwemer）和罗伯特·斯皮尔（Robert E. Speer），这二人对后来几十年的宣教运动产生的影响无法估量。

1888年，学生自愿运动组织正式宣告成立，穆德任其总干事，宣布了这运动的五项目标：

1. 引导学生在慎重周全考虑之下，决志把海外宣教事工作为个人终身职志。
2. 培养学生从志愿参与宣教学习和活动而有坚定的宣教心志，直到他们在差会的带领下从事宣教工作。
3. 联结所有志愿者，投入目标一致、组织有序、积极活跃的宣教运动中。
4. 提供合格志愿者给不同的差会，满足他们人力上的需要。
5. 对于留在国内的学生，持续培养他们对海外宣教事工的热情，认同并关心宣教，积极传递负担、金钱支持、热切代祷，作海外宣教事工强有力的后盾。[3]

受到普林斯顿海外宣教会"宣教誓言"的启发，学生志愿宣教运动也制定自己的宣言卡，目的是用"在我们这一代，福音要传遍全世界"这句口号挑战每一位学生。宣言卡上这样写着："我今立志，若神许可，我愿成为一位海外宣教士。"学生在这张宣言卡上签名响应普世宣教的挑战，回应神清楚的宣教呼召，或是决志让神引导他们去任何其他地方事奉。

成长及外展

在随后的三十年，学生志愿宣教运动的发展如野火燎原；1891年，学生志愿宣教运动在俄亥俄州克里夫兰（Cleveland）召开了第一届国际学生宣教大会。为了持续不断推动学生投身宣教，他们定每四年举行一次国际学生宣教大会；直到1940年为止，这已经成为了一种惯例，期间只有一次因第一次世界大战而中断。这第一届国际学生宣教大会，出席的有来自151个高等学府的558位学生、31位海外宣教士以及32位各宣教差会的代表；[4]那时学生志愿宣教运动宣教的种子已经远播到英国、斯堪的纳维亚地区以及南非，展开类似的学生工作。

就这样，神使用这每四年一次的宣教大会、文字宣传、巡回演讲以及其他活动，在大学校园中兴起了成千上万的学生志愿投身到海外宣教工场。"以保守的估计，截至1945年共有来自基督教国家的两万零五百位学生签署了宣言，由差会和教会宣教委员会纷纷差派出去，前往宣教

"主啊求祢再行大事，让这活水的泉源涌流不息！"

工场。"[5]他们带着普世宣教的热诚、稳固的圣经根基，心诚意笃地追随宣教领袖们去实践主的宣教使命。

混乱和衰落

1920年，学生志愿宣教运动的变化趋势逐渐露出不妙的端倪。由罗义尔在1887年创办的期刊《世界宣教学报》（*The Missionary Review of the World*），曾如此剖析了学生志愿宣教运动那年的得梅因（Des Moines）大会：

> 很明显，得梅因志愿者大会……抗拒"宣教前辈"的领导工作。参加这次大会的代表人数虽多，但是普遍缺乏宣教异象和目标，只关注改革观念和领导问题。他们相信，人的自私和愚昧把整个世界卷入可怕的战争和暴力血腥之中，基督徒必须尽快掌控教会和国家的局势，努力改善这一切，以致空谈世界和平、社会公正、种族平等、经济发展等问题，消蚀了基督教的根基和属灵事奉的基本理念。

果然学生志愿宣教运动从1920年的颠峰急转直下；1921年有637位志愿者前往宣教工场，1934年只有38位。1921

年出席得梅因宣教大会的代表人数高达6,890位，而1934年在多伦多举行的同样四年一度的宣教大会，只有465位代表参加。

曾经是一场轰轰烈烈的学生志愿宣教运动，对校园和教会普世宣教产生不可估量的影响，但是"到了1940年，无论是在学生的信仰生活，还是推动教会宣教方面，都不再发挥重大的作用。"[6]

学生志愿宣教运动销声匿迹

1959年，学生志愿宣教运动与其他基督教学生团体合并成基督徒大学生联会（University Christian Movement，UCM），UCM的事工重点放在关心校内基督徒大学生的属灵需要。名义上仍然沿袭前身，可是目标却与学生志愿宣教运动在马萨诸塞州黑门山所提出的口号相去甚远。1969年，UCM宣告解散。

当年在马萨诸塞州黑门山那群学生中间，神的灵如火如荼兴起他们，这波教会历史上最伟大的学生宣教浪潮却在八十三年之后销声匿迹了！

不过，学生志愿宣教运动留下的属灵传统对当今的我们仍然意义深远，其衰败也成为我们的前车之鉴。这场运动秉持的重要原则，依旧帮助今天的学生宣教运动不致偏离核心方向；包括个人对耶稣基督的委身、相信神话语的权威、渴慕学习圣经、在这个时代将福音传遍全世界的责任感、信靠圣灵，以及为实现这些目标，让学生发挥的主动性和领导力。

近期的发展

二十世纪三〇年代中期，尽管教会的宣教意愿消退，社会受到经济大萧条的重创，战争乌云弥漫欧洲上空，自由派与基要主义之间争论不休，教会萎靡不振，但还是有一群大学生矢志不移地坚信不能坐视不管、眼睁睁地看着教会放弃向外差派宣教士。于是，他们决定成立一个新的组织。

因此，学生海外差传团契（Student Foreign Missions Fellowship，SFMF）于1938年宣告成立，发展得也非常迅速，

于1945年十一月成为校际大学生基督徒团契 (Inter-Varsity Christian Fellowship, IVCF) 一个部门。1946年十二月，新合并的SFMF与IVCF在加拿大多伦多大学召开了第一届国际宣教大会，有575位学生参加；1948年，第二届大会在伊利诺伊大学尔班拿校区举行。从此以后，尔班拿学生宣教大会每三年举行一次。第二次世界大战之后，人们重新关注普世宣教；一些退役军人经历过太平洋和欧洲的战争，也回到校园参加，期盼能回到从前作战的地方与不久前还是敌国的人们分享福音。他们以完全不同的眼光看待世界、生命和死亡，这是学生们从未见过的；神使用他们激励年轻学子明白自己肩负的宣教责任。二十世纪四〇年代末至五〇年代初，越来越多的学生去海外宣教，为数之多是历史上任何时期都无法相比的。

未料，二十世纪六〇年代，学生群体明显受到激进主义、暴力倾向和消极遁世思想的影响；他们这种反抗政府、反体制、反家庭、反教会的态度也表现在对宣教的态度上。像二十世纪六〇年代的学生那样对宣教兴味索然，真是少有。

到二十世纪七〇年代有一个意想不到的逆转。学生们开始意识到消极和否定的态度并不能解决世界上的问题；应该采取积极的态度，努力在 "体制" 内作出改变革新。这种戏剧化的改变，在尔班拿学生宣教大会上尤为明显！校际大学生基督徒团契 (IVCF) 使用 "普世宣教决志卡"，激励学生委身宣教。1970年，7%的尔班拿学生在普世宣教决志卡上签名；三年之后，有28%的学生在决志卡上签名；而在1976年，在普世宣教决志卡上签名的学生达到了50%。从此以后，签名学生的比例一直保持在50%以上。

今天，学生的宣教热情和宣教浪潮依然风起云涌。近年来，夏季培训会和短期海外宣教活动增长迅速，非常引人注目。美国世界宣教中心 (The U. S. Center of World Mission) 的 "宣教心视野课程" (The Perspectives Study Program) 激励着成千上万的人，加入普世宣教大业之中。1980年在大学生中发起的迦勒计划 (Caleb Project)，激励无数年轻人担负起普世宣教的责任；有好几十位正准备踏入海外宣教工场的年轻人，为鼓励其他大学生一起参与普世宣教事工，还延迟出发的时间，分成一个个团队到美国各地大学校园传递负担、推动宣教。自1980年以来，在学生志愿宣教运动 (SVM) 的精神感召下，这些宣教推动团队每年都感动数以千计的学生出去宣教。千禧年到来之际，另外一些学生领袖成立了 "宣教推广团" (The Traveling Team) 到处动员参与宣教，每年向成百上千间学校的学生发出挑战；后来类似的学生宣教动员方式陆续在韩国、南非、澳大利亚、新西兰、加拿大，以及拉丁美洲的部分地区都有蓬勃的发展。

今日的学生站在前辈的肩膀上，鉴古励今；一方面为神过去的作为感恩，一方面对未来充满希望，相信神必大大使用学生宣教运动，让福音传遍世界！

附注

1. 十九世纪，牲口一般先吃草堆底部的草，而上半部分少有触及，结果形成差不多齐肩高的一个躲避之处。1806年的"干草堆"祷告会实际上就发生于这样的一个草堆里。
2. 赖德烈，*These Sought a Country* (New York: Harper and Brothers, 1950), p. 46。
3. 穆德(John R. Mott)，*Five Decades and a Forward View* (New York: Harper and Brothers, 1939), p. 8。
4. 王尔德，*The Student Volunteer Movement: Its Origin and Early History* (New York: The Student Volunteer Movement, 1935), p. 58。
5. Ruth Rouse and Stephen C. Neill, *A History of the Ecumenical Movement, 1517- 1948* (Philadelphia: Westminster Press, 1967), p. 328.
6. William H. Beahm, *Factors in the Development of the Student Volunteer Movement for Foreign Missions*, unpublished Ph.D. dissertation, University of Chicago, 1941.

研习问题

1. 请对学生志愿宣教运动追根溯源，理出历史脉络。
2. 如果现在兴起另外一场学生宣教运动，你认为与本文提及的学生志愿宣教运动相比，其源流、特征和果效方面，会有什么相似之处和不同之处？哪些因素对推动学生宣教运动有利？哪些因素会阻碍发展？
3. 请用你自己的话阐明学生志愿宣教运动"衰落的原因"，而当代学生可以从中学习到什么鉴戒？

Part 2
普世宣教运动先锋

第48章　简论基督徒以合宜途径向异教徒宣教的义务

威廉·克里（William Carey）

本文摘自《简论基督徒以合宜途径向异教徒宣教的义务》(*An Enquiry Into the Obligations of Christians to Use Means for the Conversion of the Heathens*，本文简称《简论》)原文，原书共八十七页·1792出版，1991修订。版权使用承蒙许可。

1792年，一位一贫如洗的英国青年牧师、兼职教师及鞋匠——威廉·克里，毅然提起笔来将自己对大使命的认识写成一本小册子，反击当时盛行"基督徒不再需要履行大使命"的观点。他并没有什么写作天赋，只不过是当时一个非国教派小教会中的一员，平时为人也很低调。然而，威廉·克里所写的这篇文章及其躬亲实践，在其后四十年间引发了一场关乎基督教会发展前景及宣教工作的重要变革。正像他所强调的，克里为更正教建立起必要且有效的宣教"组织"架构。

克里与一位同工于1793年受刚成立的浸信会差会差派，一起乘船前往印度宣教；最后，他们在加尔各答附近的丹麦属地——塞兰坡安顿下来。克里、马士曼及威廉·沃德成为闻名遐迩的"塞兰坡三杰"；他们翻译和出版了好几种亚洲文字的圣经部分书卷译本，并且创办印度基督徒培训学校。克里虽然没有接受过太多的正规教育，但是却以惊人的毅力和坚定的信念，克服财务危机、自然灾害、家人疾病以及来自英国的批评指责，在宣教事工、语言学、自然科学以及教育等方面都有卓越的成就。他这样鼓励自己和他人："望神行大事，为神做大事。"

今天，克里被公认为"更正教宣教之父"，历史学家将其《简论》一书出版之日，立为更正教现代宣教新纪元的起点。培恩（E. A. Payne）博士评论说："凡读过《简论》一书的人，首先都会对其严谨充实的内容、充满时代气息的行文感到惊讶！克里在书中用超过四分之一的篇幅，用表格的方式详细罗列世界不同国家的领土面积、人口数量以及主要宗教信仰等情况。全书条理清晰、观点明确、一丝不苟，有如一本蓝皮书或者一个委员会报告书，不仅是向基督教会富有预见性的呼声而已。克里在书中并不想以犀利的雄辩和动人的情感赢取读者的心，也没有为证明自己的观点而从圣经中引经据典，更没有涉及无谓的神学争论，只有经过深思熟虑而铺陈的事实。文章的标题就是作者独特风格的反映。"1885年，乔治·史密斯（George Smith）发表文章，称其为"第一本，也是迄今为止最伟大的英文宣教专论"。

§　§　§

正如配得称颂的主教导我们的祷告，我们要祈求神的国降临、神的旨意行在地上如同行在天上；但不能仅仅将冀望神国度和神旨意的成就停留在口头上，而是要用一切适当的方式与途径传扬神的名。因此，我们应该对世界上的宗教信仰状况有所了解。这应该成为我们努力追求的目标，而且不仅要为此宣扬救主的福音，还要有发自良知的人道关怀。这种人溺己溺、仁爱怜悯的积极行动，正是我们自身蒙受恩典的有力明证；这一切也显出我们与神那无限仁爱、满怀慈悲的性情有分。

自从亚当的堕落，罪进入了人类当中，罪的危害越来越广泛；随着时代的变迁，罪以成千上万种不同的形式出现，一直不断地阻挠神的旨意和计划。在亚伯拉罕时代，凡有人类的地方都充满罪恶。亚摩利人罪大恶极，只是他们的罪孽还没有满盈；后来，偶像崇拜愈演愈烈，七个深陷偶像罪恶之中的民族惹动神的怒气，不为神所喜悦，以致于神除灭了他们。也许人们以为，人类会对大洪水淹没全地的灾难永远引以为鉴，会警惕不要悖逆造物主的旨意；不过，人类是如此的蒙昧无知，罪恶依然愈加盛行，以色列人竟然与其他民族同流合污，一起违抗以色列人的神。

神仍然不断地显明自己的旨意，祂最终要胜过一切邪恶，毁灭撒但所做的工作，建立祂的国度、庇护自己的子民。虽然撒但的势力在全世界不断蔓延，但是神的国也在全地不断拓展。为此，弥赛亚降到世上为全人类受死，如此成就神的公义，使一切相信的人得以称义。救主受死和复活之后，差派祂的门徒向万民传福音，竭尽全力带领失丧的世人归向神；这些门徒遵照神圣的大使命勇往直前，他们的辛勤工作果然有成。无论是文明开化的希腊人，还是未开化的野蛮民族，都归到基督的十字架之下，接受这唯一的拯救。自从使徒时代以来，许多人一直不断地努力传扬福音，硕果令人钦佩；然而还有相当可观的人数仍然深陷于异教的黑暗之中。多少人努力仍嫌不够！如果所有基督的教会都能够一同热切关心大使命，那么成果将无法估量；可是，很少有人会思想这个问题，若不是对这个世界的情况不甚了解，就是贪爱财富胜过爱世人的灵魂。

为了对这个主题作出严肃的思考，我提出如下问题：主赐给其门徒的大使命是否不再需要我们遵行？让我们简略回顾一下以往所发生的事情、分析当前世界的形势，从而帮助我们思考如何实际地付诸更多行动，比从前更加有所作为，更完全地履行基督徒在大使命中的职责。

主赐给门徒的大使命对于今日的我们是否仍然有效？

我们的主耶稣基督离开世界之前，命令祂的使徒 **"往普天下去传福音给万民听"**；或者，用另一种说法：**"往普天下去，传福音给凡受造的听"**。这个大使命是主门徒的责任，要分散到世界上凡是

有人居住的地方，不受限制地向所有的人传福音，它涉及的范围无所不包，无一例外。当他们顺服主的命令出去传福音，神的能力就明显地与他们同在。从那时开始，很多人努力效法他们去传福音，也有不少成果。但是后来，除了少数例外，极少人仍然带着初期信徒那样高涨的热情和坚韧的精神去传福音。很多人似乎认为使徒和先贤已经完成了大使命，我们只需要关注本国的同胞是否得救就已足够；并且，如果神真想拯救这些异教徒，祂总有办法把他们带来接受福音，或者把福音带给他们。于是坐在原地袖手旁观，丝毫不关心远方那些人数远比本国更多、因为无知而迷失、崇拜偶像的罪人。还有些人存着奇怪的想法，认为使徒的位分特殊，很多事情只有他们能够做，没有人有正当性足以继承其志。故此，所颁布的大使命不是我们应当直接承担的。对于持这样思想的人，我愿意提出如下一些见解。

第一，设若基督颁布的向万民传福音的大使命仅限于使徒，或者只给直接被圣灵感动的人，那么洗礼也是一样，所以任何宗派（除了贵格会之外）用点水礼施洗都是错误的。

第二，设若基督颁布的向万民传福音的大使命仅限于使徒，那么所有竭力将福音带给异教徒的普通宣教士，都是未经许可就擅自行事。不错，他们认为神已经应许借着福音，将最荣耀的盼望赐给异教徒；然而，他们同时又认为，无论谁率先或者真正走出去传福音，除非从天上另外有新的特别使命赐给他，否则他一定是没有得到授权而擅自行事。

第三，设若基督颁布的向万民传福音

的大使命仅限于使徒，那么毫无疑问，神与传福音的人同在的应许，就一定非常有限。但是，这样的观点是站不住脚的，因为基督的用语明白无误："这样，我就常常与你们同在，直到这世代的终结。"

也许有人辩称，我们自己的国家中仍然有很多需要听到福音的人，而且生活在我们能触及的范围内，他们与远在天涯海角的人一样愚昧无知；因此，在本土就有足够的事情要做，不需要再到其他地方去。是的，我非常赞同这一事实，我们本土确实有成千上万的人仍然远离神；这应当更加激励我们，以十倍的勤奋去作工，更加努力地向他们宣扬神的福音，这是不争的事实。然而，以此取代向海外传福音的责任，恐怕是无凭无据的！我们的同胞有得到神救恩的途径；只要他们愿意，也可以听到别人传讲神的话语。本国的每一个地方几乎都有忠心的传道人，只要教会的会众积极热心，他们的牧养范围可以扩展得很广。但是，海外的人情况却截然不同，他们没有圣经、没有文字（许多人至今还没有文字）、没有传道人、没有开明的政府，缺乏我们拥有的许多便利条件。他们需要怜悯之心和人道关怀，更重要的是基督信仰，这都急迫地催逼我们，当竭尽所能地将福音带到他们当中！

前人带领异教徒归主的事迹简述

使徒行传的历史告诉我们，神的道在教会初期如何成功传扬开来。史料也告诉我们，这个时期福音如何在许多地方被传扬。彼得论及巴比伦的一个教会，保罗打算前往西班牙，人们普遍认为他曾到过那里，可能他还去了法国和不列颠。安德烈在黑海北部向斯基泰人（Sythia）传福音。约翰可能去过印度传道，我们确知他到过爱琴海的拔摩岛。腓利曾在亚洲北部、斯基泰和弗吕家宣教。巴多罗买在印度恒河一带、弗吕家和亚美尼亚宣教。马太在阿拉伯半岛或靠近亚洲的埃塞俄比亚及帕提亚宣教。多马在印度的足迹遍及柯洛曼德尔（Coromandel）海岸，据说他甚至到过锡兰岛（Ceylon）。迦南人西门在埃及、古利奈、毛里塔尼亚、利比里亚以及其他非洲地区宣教，后来抵达不列颠。据说，犹大主要在小亚细亚及希腊宣教。

他们宣教的地域显然非常广阔，而且很成功。使徒们过世后不久，年轻的普林尼（Pliny）在写给他雅努（Trajan）皇帝的一封信中，提到基督教不只是在城镇传播，而且在整个农村地区也影响广泛。事实上，在此之前的尼禄皇帝时期，就曾因为基督教传播太广泛而颁布谕令，命令地方总督及政府官员，遏制基督教的发展，消灭基督徒。

世界现况概览

下面笔者根据常规的划分方法将世界分为欧洲、美洲、非洲及亚洲四个区域，

欧洲

国家	领土面积		人口	宗教信仰
	长度（哩）	宽度（哩）		
大不列颠	680	300	12,000,000	基督教各宗派
爱尔兰	285	160	2,000,000	基督教及天主教
法国	600	500	24,000,000	天主教、自然神论者及基督教
西班牙	700	500	9,500,000	天主教
葡萄牙	300	100	2,000,000	天主教
瑞典，包括瑞典本土、哥特兰（Gothland）、绍宁（Sbonen）、拉普兰德（Lapland）、波的尼亚（Bothnia）及芬兰	800	500	35,000,000	瑞典人通常是信义宗信徒，但大多数拉普兰德人是异教徒，而且非常迷信异教
哥得兰岛	80	23	5,000	
——伊斯尔（Oesel）	45	24	2,500	
——伊兰（Oeland）	84	9	1,000	
——达戈（Dago）	26	23	1,000	

美洲

国家	领土面积		人口	宗教信仰
	长度（哩）	宽度（哩）		
秘鲁	1,800	600	10,000,000	异教及天主教
亚马逊	1,200	900	8,000,000	异教
特拉菲尔马（Terra Firma）	1,400	700	10,000,000	异教及天主教
圭亚那（Guiana）	780	480	2,000,000	同上
特拉麦哲伦（Terra Magellanica）	1,400	460	9,000,000	异教
旧墨西哥	2,220	600	13,500,000	异教及天主教
新墨西哥	2,000	1,000	14,000,000	同上
美国	1,000	600	3,700,000	基督教各宗派
拉布拉多（Terra Labrador）、新斯科舍省（Nova Scotia）、路易斯安那、加拿大、及从墨西哥至哈德逊湾各内陆国家	1,680	600	8,000,000	基督教各宗派，但北美印地安人多为异教

非洲

国家	领土面积		人口	宗教信仰
	长度（哩）	宽度（哩）		
比利都格勒（Biledulgrerid）	2,500	350	3,500,000	伊斯兰教、基督教及犹太教
萨拉，或笛萨特（Zaara, or the Desart）	3,400	660	800,000	同上
阿比西尼亚（今埃塞俄比亚）	900	800	5,800,000	亚美尼亚基督教
阿别兹（Abex）	540	130	1,600,000	基督教及异教
内格罗兰（Negroland）	2,200	840	18,000,000	同上
卢安哥（Loango）	410	300	1,500,000	同上
刚果	540	220	2,000,000	同上
安哥拉	360	250	1,400,000	同上
本格拉（Benguela）	430	180	1,600,000	同上
马塔曼（Mataman）	450	240	1,500,000	同上
阿赞（Ajan）	900	300	2,500,000	同上
赞格巴（Zanguebar）	1,400	350	3,000,000	同上
莫诺马齐（Monoemagi）	900	660	2,000,000	同上

亚洲

国家	领土面积		人口	宗教信仰
	长度（哩）	宽度（哩）		
锡兰群岛（*Isle of Ceylon*）	250	200	2,000,000	除荷兰人为基督徒外，都属于异教
——马尔代夫	1,000以内		100,000	伊斯兰教
——苏门答腊	1,000	100	2,100,000	伊斯兰教及异教
——爪哇	580	100	2,700,000	同上
——帝汶	2,400	54	300,000	同上，小部分基督徒
——婆罗洲	800	700	8,000,000	同上
——司亚斯（*Ceieoes*）	510	240	2,000,000	同上
——布塔姆（*Boutam*）	75	30	80,000	伊斯兰教
——卡庞特（*Carpentyn*）	30	3	2,000	基督教
——欧拉册（*Ourature*）	18	6	3,000	异教
——波路劳（*Pullo Lout*）	60	36	10,000	同上

（原图见附录一）

统计一些国家的领土面积、人口、文化及宗教等情况。都是尽我所能提供有关这个主题的论据，以表格方式全面说明本人的观点。（编者按：这里的列表只是克里《简论》一书中廿四份表格中的四份。）

以上清单中尽可能罗列我可获得的资料，反映出世界诸国的现状。许多国家没有准确可靠的人口数量，例如土耳其、阿拉伯、大鞑靼地区（Great Tartary）、非洲、美洲地区（除了美国之外）以及大部分亚洲岛屿。其中的资料都是每平方英哩的平均人数的概略计算结果，根据具体情况而定，与实际情形多少有些出入……所有这一切都仿佛在向基督徒，特别是向传道人大声疾呼，催促他们在各方面竭尽所能，努力扩大宣教工场。

向异教徒传福音大有可为且切实可行

把福音带给异教徒的过程中，一定会遭遇重重阻隔和困难，例如路途遥远、原始野蛮的生活方式、遭到杀害的可能性、缺乏生活必需品或者语言不通。

第一，是**路途遥远**的问题。在人类尚未发明航海指南针之前，我们可能因为路途遥远而拒绝往远方宣教；但如今这已经不是什么理由，反而成了堂而皇之的借口罢了。现在，人们大可信心十足地横跨大洋，如同穿越地中海或者其他更小的海洋一样；是的，神眷顾我们，祂似乎力邀我们去经历考验，我们都知道，多少贸易公司在很多未开化的地方展开商贸活动……

第二，异教徒尚不开化，**生活野蛮原**

48-6

始。这仍然不能构成拒绝宣教的理由，无非是许多人不愿意割舍自己安舒的生活，不愿意为着他人的福祉而忍受宣教生活的种种不便。

对于使徒以及跟随他们脚踪而行的人来说，这些都不是理由。他们去到野蛮的日尔曼人、高卢人当中宣教，而且还向蛮夷的不列颠人传福音！他们没有等到这些国家的人们开化之后才向他们传福音，只是单单带着十字架的福音信息前往，难怪特土良能够自豪地说："那些经历了战争考验、没有屈服在罗马军队的铁蹄之下的不列颠人，如今都被基督大能的福音征服了。"这些理由对于后来的艾略特或布雷纳德（Brainerd）来说都不是问题。他们勇往直前，历经千辛万苦，结果意想不到不仅欧洲人诚挚欢喜地接受了福音，他们还因此得与欧洲人保持着最长久的友好交往；若没有福音，这可能永远办不到。商人从来就不考虑这些困难！他们不过是为着几张水獭皮的利益，而克服所有困难吗？而我们是看重一同受造的人类、爱远方同为罪人的灵魂，有什么困难不能战胜？

第三，担心去到他们中间宣教**可能遭杀害**。确实是这样，任何一个去宣教的人，都须将自己的生命交托给神，并不受属血气的人影响。然而，想到这美善的属天事业、同为神的受造之物将面临灭亡的境地，和身为基督徒肩负的重任，这一切无不在向我们大声疾呼，呼吁我们甘愿承担一切风险、想方设法为他们带来福祉！保罗和巴拿巴为主耶稣基督的名将生死置之度外，并没有人指责他们太草率，反而因为勇敢宣教而备受称许；相反地，约翰马可因为身处险境时胆怯离开而受到谴责。

总之，对于我们所担心的，我提出合理的怀疑：是否大部分蛮族对到访的人的野蛮行径，并不像我们所想像的是出于主动性的攻击冒犯，很可能是他们的一种自我保护行为，并不能说他们就是凶残成性。就算一些水手轻率的行为也会触怒单纯的蛮族，引起他们愤怒的攻击；但是，艾略特、布雷纳德及莫拉维亚宣教士一直很少遇到这样的侵扰。事实上，一般信奉异教的人，通常都乐意聆听神的话；当然也毫不掩饰对那些挂名基督徒恶行之厌恶，进而仇视基督教。

第四，所去之地**缺乏生活必需品**。表面上看这是个大问题，实则不然。尽管我们无法获得欧式食物，我们仍旧可以得到那些本地人赖以生存的食物……。

无论如何，至少需要两个人一同前往。我认为最好是两位已婚弟兄，以免为了日用所需而占用他们过多的时间；若有两、三个人带着妻子和家人一同前往，互相协助，可能会更好。在很多国家，他们有必要耕种一小片土地，供应他们物质的需要，以防一旦供应匮乏，也能自给自足。总之，我们可以事先想好一些对策；不过工作一旦展开，许多事情就会自动浮现出来，现在我们很难预先估计。

第五，至于**学习语言**，我们可以从两国的人民之间从事商贸活动所采取的方法得到借鉴。在有些地方能够找到翻译人员，可以雇佣他们一段时间；如果找不到翻译人员，宣教士就必须有足够的耐心，与当地人一起生活，直到学会他们的语言，能够与当地人沟通，交换想法。大家都晓得，学习语言并不需要特别的天分；只要花上一年时间，或者至多两年时间，人就能学会地球上任何民族的语言，足以用对方明白的方式表达自己的感受。

基督徒的普遍责任以及推动大使命的可行方法

如果有关基督国度扩展的预言是真实的，而主耶稣赐给门徒的大使命，也是我们义不容辞的责任；那么就表示所有的基督徒都应该发自内心地与神同工，推动神荣耀计划的实现，因为**凡与主联合的，也就是合而为一了。**

首先我们最重要的职责，就是**热切且同心合意地祷告**……我相信，我们为福音复兴而举行**按月的祷告会**，绝不是徒然的。诚然，我们的祷告常常掺杂着妄求的成分，不过即使这些祷告喋喋不休、软弱无力，但我们相信神仍然已经听到了，并且会以某种方式回应这些祷告……如果所有的基督徒都怀有这种圣洁的热情为救主的国度代求，那么在不久的将来，我们看到的就不仅仅是世界**敞开福音大门**，而是许多人为此**欣然奔走，认识神的知识有增无减。**我们不断努力地运用神赐予我们的各种途径，神就会使异乎寻常的祝福从天上沛然降下。

虽然很多人认为自己除了祷告之外不能做什么，然而唯有祷告能够使所有宗派的基督徒热切、毫无保留地联合在一起。在这样的祷告中，我们能够合而为一、同心合意战胜一切。

尽管是这样，我们还是不能仅仅满足于祷告，而不竭尽所能地去**运用各种方法**

> # 惟愿光明之子能效法当代世俗之子的聪明，他们为争名夺利会调动每一根神经，专心致志，从不偷懒取巧。

和途径努力实现自己所求的。惟愿**光明之子**能效法世俗之子的**聪明**，他们为争名夺利会调动每一根神经，专心致志，从不偷懒取巧。

一般贸易公司拿到政府的许可证后，会倾全力去运作：管理股份、筹组船队、精选船长及船员，以便实现预定的目标。但是，他们不会就此停下来，他们会为了成功在望竭尽全力，不计代价，想方设法结交每一位可能提供信息的朋友，哪怕只能从中获得一丁点儿利润……。

同样，我们可以邀请一群虔诚的基督徒、传道人以及志同道合的朋友，组成一个团体，制订一些规则，比如：如何管理计划、聘请哪些人作宣教士、如何支付费用等等。这个团体的成员必须愿意全力以赴，严肃看待信仰，有锲而不舍的精神。甄选必须严格，不合上述条件者宁舍勿用，或搁置申请再经考核。

这个团体必须成立一个**委员会**，负责搜集与目标相关的信息，接受奉献，查核宣教士候选人的品格、性情、能力及信仰观点，并且为他们的事工提供必要的支持。

假如我能稍稍对我的弟兄和众基督徒产生任何影响，特别是对我自己的宗派；我会提议在浸信会里成立一个这样的团体

和委员会。

我这样的提议绝不是把宣教团体，局限于某一个宗派里。我衷心希望每一个真心爱主耶稣基督的人，都能够以某种方式参与宣教。但是，就目前基督教世界内部宗派林立的现状来看，各宗派单独行事似乎比联合事奉更为可行。

至于支付各项费用的**奉献**，毫无疑问我们需要金钱的支援……如果会众每周愿意根据各自的情况为此奉献一便士或更多的金钱，积存起来作为传扬福音的基金，就可以筹募到很多资金。

圣经劝勉我们要为自己**积聚财宝在天上，那里没有虫蛀锈蚀，也没有贼挖洞来偷**；还指出，**人种的是什么，收的也是什么**。这些经文教导我们，将来在永恒里要享受的福乐，与我们现今所做的，犹如收获与播种之间，有种有收。虽说这一切成果都是神的恩典；但是想到将来更多诸如保罗、艾略特、布瑞内德这样的人要得到何等大的属天**赏赐**，收获何等丰盛的生命**硕果**，我们就不禁心潮澎湃，深受鼓舞！日后我们还要看到因他们的辛劳付出，无数的异教徒和不列颠人得以认识神，那又是怎样的一幅天堂美景！这无比**喜乐的冠冕**，当然值得我们今天热切向往，也值得我们奉献自己的一切，去努力推动基督的伟业和国度。

研习问题

1. 请特别留意克里书中的统计列表。"所有这一切都仿佛在向基督徒、特别是向传道人大声疾呼，催促他们在各个方面竭尽一切所能，努力扩大宣教工场……。"今天的基督徒是否会受到这些统计资料的激励而采取行动？为什么？
2. 克里在书末列出了自己所提倡的一些"方法和途径"。请扼要说明他对于这些"方法和途径"的定义。

第49章　献身中华

戴德生 (J. Hudson Taylor)

中国内地会创始人戴德生开创了更正教宣教的新时代。在其自传《献身中华》一书的〈事奉的呼召〉部分，戴德生记述了自己如何在属灵、学识及实践方面为去中国传福音做预备。他加入中华传道会（Chinese Evangelization Society）在中国事奉七年之后，由于健康每况愈下，不得不于1860年返回在英国的家乡。在〈需要新的机构〉一章中，戴德生详细记述了自己慢慢成长的信心，确信神呼召自己担起责任，成立一个宣教机构，专门服事中国内地省份的数百万人。同时代宣教领袖的普遍反对给他带来了重重压力，但是与此同时，戴德生书房中他称为"问罪的中国地图"一直萦绕在自己的心头，挥之不去。1865年夏天的一个周日，戴德生漫步在布莱顿（Brighton）的海滩上，做出了一个重要的决定。

§　　§　　§

在重生得救后几个月后，一个悠闲的下午，我把自己关在房间里，用了好一段时间与神相交。我恳求祂给我一点工作，好让我表达我对祂的爱慕和感激。无论这工作多么卑微，不管它多难受、多琐碎无趣，只要叫神欢喜，我便乐意舍己，为祂而做，因为祂为我成就了万事。我记得很清楚，当我将自己、我的生命、我的朋友、我的一切毫无保留地献在坛上，那浸溢我灵魂的庄严感受，给我一个明显的确据，就是神已接纳了我的献祭。神的同在有说不出的真切，而且满有祝福。那时我还未满十六岁，我记得我趴卧在地上，四肢张开，静静地俯伏在神的面前，心中有一股不可言喻的敬畏和喜乐。

对于事奉的内容，我却一无所知，但我深刻意识到，我已不再属我，这种感觉至今仍未能磨灭。

在我定意献身事主后数月，有一异象深深印入我的心灵，这就是神要在中国用我。这工作看来要付出很大的代价，甚至要付上我

本文摘自作者所写《献身中华》（A Retrospect）中〈事奉的呼召〉（The Call to Service）一文。版权承蒙宣道出版社许可使用。

的生命，因为当时的中国并不像今日那样开放，当时的宣教团体罕有宣教士在中国工作，而有关在中国宣教的书籍亦不多见。但我知道在本市公理会教会的传道人手上，有一本麦都思（Medhurst）所著的《中国》（China），便登门造访，借书一读。他欣然答应，并问我为什么要读这本书；我告诉他，神要在那地方用我一生。"你打算怎样去？"他问道。我回答说我一点也不知道，似乎只好跟十二使徒和七十个门徒在犹太地的做法一样，腰袋不带金钱，行路不带口袋，只靠差我的主供给我一切的需要。牧师慈爱地把手放在我的肩膀上说："啊！年轻人，等到你年纪较大的时候，你便会比现在聪明一点，这种想法，基督在世的时候还可以行得通，现在却不行了。"

我现在可大得多了，但不见得比那时更聪慧。我愈来愈深信，我们若照着主给门徒的指示和保证去做，在今日的世上一样是行得通的。

麦都思的《中国》一书强调以医疗传道的重要，因此我决定研究医学，作为日后工作一项重要的准备。

我的父母对于我传道的决心，既不反对，也不鼓励。他们勉励我，当以信心尽力锻练自己的身体、意志和心灵，以祷告的心等候主的引导。祂若向我启示，是我弄错了，我就顺服祂的引导；祂若在适当的时候为我开路，我就遵命去传道。这忠告对我很重要，日后我常有机会经历和证实。自此，我开始多做户外运动，增强健康，我将羽绒被褥及其他舒适的家具尽可能拿走，为将来刻苦的生活做准备。我更按照自己的能力，去做基督徒当做的工作，诸如派发单张、教主日学、慰问贫苦和有病的人。

学习信靠神

为了有更充分的准备，我在家中读了一阵子书，之后便跑到赫尔市（Hull）接受医学和手术的训练。我在那里充当一名医师的助手，这医师与赫尔医学院有联系，而且是多间工厂的外科医生。所以，诊所里面经常碰上许多工伤的病例，让我有机会观察并进行一些简单的外科手术。

我花上更多的时间灵修，研究神的话语，我又探问穷苦的人家，以及在夏夜参与福音的工作。以我从前的生活方式来说，这是不太可能的。在这些工作中，我遇上许多困苦的人，才发现自己目前的生活，实在可以更加节省。而且我所能捐助的，远超出我起初所定下的比例。

大约在这个时候，有一个朋友把我的注意力引到主耶稣基督再来的问题上。他列举了一系列有关的经文，建议我思考这个问题，不过他给我的经文并没有附上任何诠释和笔记。所以有一段日子，我花了颇多的时间来研读有关主再来的经文。在圣经的亮光引导下，我领受到，在全卷新约圣经中，主的再来乃是其子民最大的盼望，至于在奉献和事奉方面，主的再来亦构成强大无比的动力，对于在试炼和痛苦中的信徒来说，更是莫大的安慰。我亦明白，主并没有向祂的子民显明祂再来的时日，为要叫他们日复一日，时复一时，过着儆醒等候主再来的生活，这种生活并非是物质的生活。换句话说，无论主是否在某个特定的时间再来，最重要的是要尽一己之力，做好迎接主的准备，以便祂出现时，我们能以喜乐而不是悲伤的心情向祂交帐。

这种蒙福的盼望在生活上带来具体而实质的果效，它教我在自己小小的图书室中，仔细地寻找，看看有没有什么书籍是不需要的，或是对我将来的事奉没有裨益的；又叫我查验我自己的小衣橱，好确定在主回来的那一刻，里面没有任何东西足以让我感到歉疚。结果，我的藏书明显地减少了，一些贫穷的邻居却因而得到一点好处，然后我心灵的获益，比他们更大更多。我又发现，若依着这方法处理我的一些衣物，对人对己都可以发挥更大的益处。

在我一生中，每当我在环境许可下而这样做的时候，我都感到得益不浅，每逢我抱着这个念头自地窖走遍阁楼，没有不叫我感受到莫大的属灵喜乐和祝福。我相信我们所有的人都陷于囤积的危机——有可能是出于无心之失，或是基于职业的压力，积存了一些对别人有用却对自己不需要的东西，以至丧失许多属灵的祝福。如果神教会的全部资源，能够好好地加以运用，我们所能成就的，想必比现在更为远大！有多少穷人可以得着饱足？多少赤裸的可以得到蔽体？多少未闻福音的人可以听到福音？

需要新的机构

对我来说，因为健康不佳而要放弃在中国为神工作的机会，那简直是一场灾难；更何况工作刚刚比以往更有果效，突然要离开宁波那一小群极需照顾和教导的

基督徒，心内倍添愁烦。我的忧伤并没有因为返抵英国而减少，因为医疗报告显示，至少在未来数年内，我不可能重返中国。我当时一点也不晓得，神要我与中国长久分离，对于建立神将要祝福的工作乃是必须的。后来的事实证明，祂确实赐福了中国内地会。身在宁波的时候，四周的呼求压得我透不过气，叫我无从想及中国内地其他地区有着更大的需要！即使能够想及，也肯定不能够做些什么。在英国的数年间，我每天注视着挂在书房墙上的巨大地图，辽阔的中国内地和我曾经为主工作的小小地方，都与我同样接近。祷告是唯一可以减轻我内心重担的方法。

长期离开中国已是无可避免的事，随之而来的问题便是如何在英国仍能够对中国做出最佳的服事，这导致我与中华传道会（CMS）现在已经辞世的高富牧师（F. F. Gough）一起工作了几年，为大英及外国圣经公会（British and Foreign Bible Society）修订宁波语的新约圣经。在进行这项工作的时候，我因为目光短浅，除了看见圣经本身及其中的注释的价值外，我看不到这件工作对宁波的基督徒还有什么意义。但现在我才明白，若没有在这些日子得着神话语的喂养，以我当时的属灵基础，实在无法成立像中国内地会那样的差会。

研读神的话语叫我明白到，要得到合神心意的工人，并不是靠煞费苦心的呼吁。相反的，**首先要恳求**主打发**祂的工人**，然后强化教会的属灵生命，好叫信徒面对广大的需要，不可能再待在家里无动于衷。我发觉使徒古时传道，并不是先筹措一笔金钱，或订下一套方法，而是马上

153

起来做工，他们信靠神信实的话语："你们要先求祂的国和祂的义，这一切都必加给你们。"

这时候，神答应了我的祷告，差遣祂的工人到浙江去，首先密道生（Meadows）先生和他年轻的太太借着我们的朋友白嘉（Berger）先生的合作和帮助，于1862年一月出发到中国去；第二位是一位女士，她得到外国传道会（Foreign Evangelization Society）提供旅费，于1864年前往中国；第三和第四位一同在1865年七月抵达宁波；第五位亦跟随他们的脚踪，在1865年安抵宁波。于是我们所祈求的五名工人，全数蒙主答应，而我们更得到激励，为更大的事仰望神。

数月来恳切的祷告，以及经历过无数次的徒劳和失败，我深信要推行中国内地的宣教工作，极需成立一个特别的机构。在这段日子里，我不但得到我的挚友和同工——高富牧师——每天为我祷告，与我一起磋商，还得到白嘉夫妇宝贵的意见和支持。我和我的妻子（在这个关头，她的判断与敬虔具有无穷的价值）与他们夫妇俩在不少日子里，一同以祷告的心商议此事。这个计划可能会受到本国宣教团体的干预，其中的困难是可预见的。但我们的结论是要单纯地倚靠神，祂或许会成立一个适当的组织，并且看顾它，使现行的工作不会阻拦。我同时有一个越来越强烈的信念，就是神要我向祂寻求所需的工人，并且要与他们共同进退。但因为不信的缘故，我过了一段颇长的时间，仍未敢踏上第一步。

不信的人时常三心二意，我若奉主耶稣基督的名求更多的工人，便应当不怀疑祂会将他们赐给我。我也相信，神既听了我们的祷告，就必会为我们工作提供所需要的一切。中国的大门也会为我们敞开，引导我们到那没有人去过的地方传福音。但那时我却不晓得信赖神保守的能力和恩典，怪不得我不能够把预备与我前往中国的同工，交托给祂保守。我恐怕工作中将遇上危险、困难和试炼，会令一些稚嫩的基督徒吃不消，因而怪责我硬拉他们去承担他们无法应付的工作。

那么我可以做些什么呢？心里的罪疚感越来越强烈，由于我不愿向神求取工人，故没有人前往中国去，而每天却有成千上万的人葬在没有基督的坟墓中，沉沦的中国常常令我忧心如焚，日间难以安宁，夜里不能休息，以至健康日坏，我就来到布莱顿（Brighton）小住几日。

1865年六月廿五日星期日，我因不忍看见礼拜堂里一千多位基督徒为着自己得救的安稳而高兴快乐，但外面千百万未闻福音之人正走向灭亡之路，所以独自一人来到沙滩，内心十分痛苦。

在那里，神降服了我的不信，我把自己交在祂手里，供祂使用。我告诉神，我已把所有的重担交给了祂，我是祂的仆人，要遵行祂的命令，跟随祂的指引，愿祂照顾和引导我，以及与我同工的人。不用多说，也可想像平安立时在沉重的内心涌流。就在此时此地，我求主差遣廿四名同工到中国去，当时在内地有十一个省份没有宣教士，我就求主每一个省派遣两人前去，另两个则往蒙古。我将这个请求写在随身携带的圣经里，回到家里，一片释然，是多月来未曾体会过的。我深深感受到神的保证，祂一定会赐福祂自己的工作，而我在其中亦得以分享这福气。先前我曾经向神祈求，求祂打发工人到那十一个省份，并且供应他们所需，但我却未顺服，没有求神使用我成为他们的领袖。

　　大约这时候，在太太的帮助下，我写了一本小书《中国属灵需要的呼声》(*China's Spiritual Need and Claims*)，书中每一段话都浸润在祷告中。借着白嘉先生帮助整理稿件，并且负担了印刷费用，这书印刷了三千本，很快便人手一册。一有机会，我便公开宣讲所提议的宣教事工，特别是1865年于珀斯－迈尔德梅 (Perth and Mildmay) 举行的培灵大会上，我不断地为此祷告，很快便有年轻人愿意献身传道。经过一段书信来往之后，我邀请他们到自己家中。那时我在伦敦中部，当一栋房子容不下他们的时候，隔壁的邻舍搬走了，我便把它租下来。当再次容纳不下的时候，神在附近为我们预备了地方。不久，有不少的青年男女接受训练，投身于传福音的工作。在某程度上，这可以给他们一个考验，看看他们是否能够成为抢救灵魂的工人。

研习问题

1. 你能看出戴德生所写的"事奉的呼召"与他后来得出"需要新的机构"的结论有什么联系吗？
2. 请用自己的话解释，为什么戴德生在准备成立新宣教机构时感到犹豫。

第50章　中国属灵需要的呼声

戴德生 (J. Hudson Taylor)

戴德生所著的《中国属灵需要的呼声》一书，记录了自己在布莱顿所做的重要决定：为中国内地会招募同工。戴德生在此对于该书首次出版所产生的影响，以及中国内地会第一年的事工进行了回顾和总结。戴德生一生以及他所创立的差会，一起见证了他一贯的主张："有一位永活真神，祂赐下真道，说到做到，必将实现自己所应许的一切。"

§　§　§

这是一个至关重要而又极其严肃的真理：我们今世的所作所为（也包括我们的不作为）都直接关乎我们自己及他人将来的福祉，并且意义重大！我们信徒，无论做什么都要奉主耶稣基督之名。我奉主耶稣基督之名，以炽热的祝福祷告，完成如下的篇章；各位阅读这些内容的时候，也要奉主耶稣基督之名，以祷告的心阅读。笔者深深地感到，作为一名忠心的传道人，我有责任借着这本书把事实呈现在有爱心和良知的神子民面前。我也坚信，这些事实必将在每一位阅读此书的基督徒心中结出果子来。毋庸置疑，这些果子带出的绝不会是毫无情感的空谈，而是炽热且有果效的祷告，为拯救活在黑暗之中的中国人而努力，甘于自我牺牲。若是没有结出这样的果子，笔者甚愿催促读者仔细思考以下经文：

被拉到死地的人，你要拯救；
将要被杀戮的人，你要挽救。
如果你说："这事我不知道。"
那衡量人心的不明白吗？
那看顾你性命的不晓得吗？
祂不按照各人的行为报应各人吗？
（箴言24:11-12）

在主耶稣的事奉中，祂一开始就教导那些跟随自己的人，要作

本文摘自作者所写的《中国属灵需要的呼声》（*China's Spiritual Need and Claims*）（1895年）的原文。

光，不仅是耶路撒冷、犹太全地、犹太民族，而且是**世上的光**。此外，主耶稣还教导他们如何祷告：不要像教外人求什么，只是重复无意义的话；也不要像属世的人那样，因为这些人最想得到的、切要寻求的是自己的益处和需要。耶稣如此教导他们：

你们祈求以先，
你们的父已经知道你们的需要了。
所以你们要这样祈祷：
我们在天上的父，
愿祢的名被尊为圣，
愿祢的国降临，
愿祢的旨意成就在地上，
如同在天上一样。

（太 6:8-10）

我们应当先如此祷告，然后才为个人祈求，为"我们每天所需的食物，求祢今天赐给我们"这样非常具体的事祈求；然而，我们常常将这种次序颠倒了，难道不是这样吗？基督徒常常切实地感到，并且也是这样做的，仿佛他们一定要以"我们每天所需的食物，求祢今天赐给我们"来开始祷告；然后，实际上以"如果应许了这些，愿祢的名被尊为圣"来结束祷告，难道不是这样吗？马太福音六章 33 节告诉我们，"你们要先求祂的国和祂的义，这一切都必加给你们"，可是很多信徒首先祈求的是"这一切"（食物、衣服、健康、财富、安慰），之后才寻求"神的国和神的义"，岂非如此吗？我们只是将满足自己所需之后的剩余零星时间奉献给神，而不是把我们时间和物质上"初熟的

果子"恭敬地奉献给神，不正是这样吗？既然我们拒绝将十一奉献交到神的府库，以此试验神的信实，那我们又怎么能怪神不打开天上的窗户，将我们所渴慕的祝福倾倒下来呢？

在"先求神的国和神的义"方面，主耶稣基督的降生和受死都是我们的绝佳榜样。而祂从死里复活、升天之前，命令祂的子民凭着对祂必然动工的信心，将那全然又无价的救恩大好消息传遍天下。祂赐给我们的这项大使命，毫不含糊、明确清楚，祂这样说："你们到**全世界去**，向**所有的人**传福音"。可惜教会并未忠心地去完成主的大使命，真令人痛心；尤其想到当今十九世纪即将结束的时候，我们说是基督教的时代，不过世界上还有那么广阔的地方，完全没有机会认识恩典、得着救恩之道。

为了让读者能够了解中国大清帝国的土地到底有多辽阔，在此且与我们所熟悉的邻近国家做个对比。

整个欧洲大陆的面积为 9,834,848 平方公里，而中国的满洲、蒙古、西北属地及西藏的面积就达到了 10,233,380 平方公里。在这片辽阔无边的大地上生活着数以百万计与我们一样的人，然而除了在新疆有四位宣教士之外，他们当中再没有其他宣教士。这些百姓被人遗忘，他们正在走向灭亡！没有宣教士长驻当地告诉他们"智慧的利润胜过银子的利润，智慧的收益胜过黄金的收益"这样的智慧箴言。这片广阔的领土比整个欧洲大陆还要大，可是除了上面提到的几位宣教士之外，欧洲和美洲所有的更正教会都没有派出过一位基督的使者到他们那里，告诉他们与神和

好的真道，替基督请求他们："跟神和好吧！"这样的光景要到几时呢？

想像一下，中国的七个省份中有超过八千万人没有接触过圣经，宣教士在那里的工作任重而道远。再想想，中国的另外十一个省份中有超过一亿人，仅有的几位宣教士根本无法企及。我们再想想，两千多万人口居住在满洲、蒙古、西藏以及西北各属地，这片辽阔无边的大地超过了整个欧洲大陆，而总计中国有两亿多人口，这些远远超过目前所有宣教差会的能力所及，那么，如何才能够让"他们尊神的名为圣，愿神的国降临，愿神的旨意成就在他们中间呢？"

他们从来没有听说过神的名、神的属性，他们也不知道神的国度，更不知道神的旨意！

你是否**相信**，这数以亿计的人当中的每个人的灵魂都极为宝贵？而且相信"除了祂以外，别无拯救，因为在天下人间，没有赐下别的名，我们可以靠着得救"？你是否相信，**只有**主耶稣是"羊圈的门"；**只有**主耶稣是"道路、真理、生命，如果不是借着耶稣，**没有人**能到父那里去"？如果是这样，想一想这些还没有得救的人的境况，以神的眼光认真审视一下我们自己，看看我们是否已经**竭尽全力**去宣扬神的名。

至此我们已经简要地将中国的状况和需求呈现在诸位面前，想要更深入、更详细地了解，就需要花更多的时间、亲自到更多的地方去了解这个我们殚精竭虑为之奉献的国家去。我们已经说明神是如何祝福、推动这项事工，也尽己所能地将这个国家对福音的极大需要呈现给诸位。我们

一直紧紧抓住复活的主所赐的大使命："你们**到全世界去**，向**所有的人**传福音。"而且需要指出的是，主耶稣在马太福音廿五章的比喻当中所指丢在外面的黑暗里、在那里必要哀哭切齿的，不是**外人**，而是**仆人**；不针对**邪恶的人**，而是指那个**没有用的人**。我们的主说："如果你们爱我，就要遵守我的命令。""你们白白地得来，也应当白白地给人。"这就是主的命令！

我们已经说明，中国允许更正教宣教士进入中原七省，仅这些省份的属灵需要，就已经远远超过了宣教士和他们本地助手的能力所及；那里仍有数不胜数的人，从未听过福音。我们更需要关注中国的另外十一个省份，那里的属灵需求更迫切；在这十一个省份当中，最小省份的人口都超过了缅甸，其平均人口超过了苏格兰和爱尔兰的人口总和！在广阔无边的外藩和西藏地区（面积比整个欧洲大陆还要大），除了新疆地区有四位宣教士之外，再没有其他更正教的宣教士。面对此情此景，我们应该说些什么呢？对于这样一个帝国所发出的呼声，我们绝不应该仅仅是知道而已，而要有所回应！

难道世界五分之一人口的永生福祉，都无法唤起我们本性当中最深处的同情，激发我们这些被宝血赎回之人灵里的热切吗？难道占世界非信徒近一半人口发出的低沉而无助的哀号、绝望而痛苦的呼求，都无法传递到我们迟钝的耳中，唤醒我们的身、心、灵，激发我们为了拯救中国而不断努力、勇往直前吗？让我们在主里面刚强壮胆，靠着神的大能，我们定能拯救他们脱离那黑暗的权势，除去那受永火的

中国十八个省份宣教士占人口数量比例表

（原图见附录二）

省份	人口（万）	宣教士数量[1]（位）	占人口比例[2]	平均每位宣教士所服事的人数与我们所在地区的对比
广东	1,750	100	1/170,000	哈德斯菲尔德（Hudersfield）与哈利法克斯（Halifax）人口之和——166,957人
福建	1,000	61	1/163,000	纽卡斯尔（New Castle）——155,117人
浙江	1,200	58	1/206,000	赫尔（Hull）——191,501人
江苏	2,000	85	1/227,000	布里斯托（Bristol）——220,915人
山东	1,900	60	1/316,000	谢菲尔德（Sheffield）——310,957人
直隶	2,000	68	1/294,000	纽卡斯尔与朴茨茅斯（Porismouth）人口之和——291,395人
湖北	2,050	43	1/476,000	诺丁汉（Nothingham）与爱丁堡人口之和——472,324人
江西	1,500	12	1/1,250,000	纽约——1,207,000人
安徽	900	15	1/600,000	利物浦——586,320人
山西	900	30	1/300,000	索尔福德（Salford）与哈德斯菲尔德人口之和——299,911人
陕西	700	13	1/530,000	格拉斯哥——521,999人
甘肃	300	9	1/333,000	谢菲尔德——310,957人
四川	2,000	17	1/1,176,000	格拉斯哥与利物浦人口之和——1,108,319人
云南	500	10	1/500,000	谢菲尔德与纽卡斯尔人口之和——466,074人
贵州	400	2	1/2,000,000	格拉斯哥、利物浦、伯明翰与曼彻斯特人口之和——1,919,595人
广西	500	0	0/5,000,000	爱尔兰——没有宣教士
湖南	1,600	3（巡回宣教士）	0/16,000,000	苏格兰人口的四倍
河南	1,300	3	1/5,000,000	伦敦

[1] 宣教士数字来源为一份1887年三月份的统计资料

[2] 人口估计数据来源为《中国属灵需要的呼声》最后一次修订版

印记，将这些陷于罪和撒但之中的奴仆解救出来，领他们进入我们至高无上、得胜之工的恩典当中，在神的尊荣中永放光芒！

我们坚信这些严肃的现实必然会引起人们思考，带出发自肺腑的祷告，"主啊，祢让我做什么，才能够尊祢的名为圣、使祢的国降临、使祢的旨意成就在中国呢？"我们不断思考这些事情，去体会整个中国各方面的落后贫乏，并且常常为此祷告，才能够使人心安、感受到真正的喜乐。这也是何以笔者要大声疾呼，极力把这个负担放到每一个经历过基督宝血能力的人心中；好让人首先向神寻求，再向神的子民寻求，看有什么方式把福音带到这个贫瘠大地的每个角落。我们要在神的带领下作工，因祂是全知全能的神，"耶和华的手不是缩短了，以致不能拯救；祂的耳朵不是不灵，不能听见"；神永恒不变的真道引导着我们寻求就寻见，使我们的喜乐得以满足；我们大大地张开口，神的话语就会充满我们。我们一定要记得，这位满有恩典的神降尊为卑，愿意用自己的全能来回应信徒的祷告；而同样这位全能的神，看人对即将灭亡之人不闻不问的罪行，是不会视而不见的；因为神曾经说过：

> 被拉到死地的人，你要拯救；
> 将要被杀戮的人，你要挽救。
> 如果你说："这事我不知道。"
> 那衡量人心的不明白吗？
> 那看顾你性命的不晓得吗？
> 祂不按照各人的行为报应各人吗？

经过深思熟虑，笔者在1865年迫切地感到需要派遣更多的工人去中国宣教。恰如本书第一版所阐明的，笔者毫不犹豫地向至高的主祈求，呼召更多的工人去收割庄稼，派遣廿四位欧洲宣教士以及廿四位中国本地宣教士，在中原及外藩地区所有没有福音的地方宣教，竖起十字架的旌旗。

今天我们同样向主呼求差遣更多的工人。那些从未感受到主的呼召，从未经历过神在供应、祷告和财务方面真是信实守约的主的人，他们也许会认为说 "**只能**仰望主" 这种话，就被差派到遥远的异教荒蛮之地去宣教，是多么冒险的试验！但是宣教多年的仆人已经证明主是信实的，无论是在国内还是在国外、无论是在陆地还是在海上、无论是健康还是疾病、无论是生活贫困还是面临危险，甚至面对九死一生，他们都经历到神是信实的主。故此，前面那些人的担心完全不应成为借口。

神是垂听祷告的神：笔者亲自看到神止息风暴，改变风向，为久旱带来甘霖。神是垂听祷告的神：笔者看到神如何止息暴徒的狂怒和恶毒，败坏其子民仇敌的诡计。神是垂听祷告的神：笔者看到在人无能为力的时候，神使垂危之人脱离死亡，看到神止息了 "黑暗中流行的瘟疫，或是在正午把人毁灭的毒病"。在我长达廿七年服事中亲身经历的，可以证明主是信实的，主不但供应了我自己的生活所需，还供应事工的一切需要。神是垂听祷告的神：笔者看到神为广阔的宣教工场兴起大批工人，为他们预备服事所需的装备、机会和经费，并且祝福他们所做的工。神不但祝福中国十八个省份中十四个省份的当地基督徒，也同样祝福其中尚未归信的中国人。

研习问题

1. 与克里一样，戴德生深受统计资料感动。他坚信思考这些 "事实" 会结出什么样的 "果子" 来？

2. 戴德生认为祷告的实质和目的是什么？

第51章 部落、语言与译者

金纶·汤逊 (William Cameron Townsend)

金纶·汤逊创办了威克理夫圣经翻译会及其姊妹机构——世界少数民族语文研究院 (Summer Institute of Linguistics, SIL)。汤逊学生时代，曾去危地马拉分发西班牙语的部分圣经单行本，深感西班牙语圣经并不适合当地的印第安人。于是，他在1931年将新约圣经翻译为加支告语 (Cakchiquel)，随后开始从事其他部落语言的圣经翻译工作。

不久，有人陆续加入他的翻译行列。接下来的五十年间，借助语言学和先进的科技，威克理夫圣经翻译会的成员深入全球各地，为许多只有口语的族群创造文字书写系统，翻译圣经书卷，丰富了这些族群的社会生活，帮助他们应对来自主流民族文化的压力。"金纶叔"受到世界各地上至君王、总统，下至部族小人物的敬仰和赞佩。许多基督徒从世界各地回应投身到这个异象中，为那些仍然没有圣经的族群翻译圣经。"金纶叔"于1982年安息主怀，享年八十五岁。

§ § §

五十年前，当我决定为中美洲一个较大的印地安族群——加支告族 (Cakchiquel) 翻译圣经时，朋友们这样告诫我：

"别做傻事了！那些印地安人哪里值得你费那么大的劲去学习如此怪异的语言，还为他们翻译圣经？即便你翻译了，他们也不会去阅读，还是让印第安人学习西班牙语吧！"

十四年后，目睹圣经给加支告族带来的改变，我开始梦想要用同样的方法向其他族群传福音；这时，我的朋友们仍然用同样的理由来劝阻我。后来我宣布要将亚马逊地区那些更小的原始部落纳入我的翻译计划中，朋友们反对得更是厉害！一位经验老道的宣教士这样说：

"他们会杀了你的！你不知道这些丛林部落都已经濒临灭绝了！他们用长矛、弓箭互相残杀，当然也不会放过外来的人。即使他们不杀死你，你也会染上疟疾；或者你的小独木舟在急流中翻船，你的补给就都没有了，单是你回到出发的地方就需要一个月！忘记那些部族吧，单单做好加支告族的圣经就行了！"

然而我无法忘记那些族群。有一天，神给了我一节经文，事情就这样定下来了。

"人子来，是要拯救失丧的人。你们认为怎样？有一个人，他有一百只羊，如果失了一只，他会不把九十九只留在山上，去寻找那迷失的吗？"（太18:11-12）

这句话为我指明了方向。我前去寻找那"迷失的一只羊"，四千位年轻人也跟着我走上了这条寻羊之旅。

我们称自己为"威克理夫圣经翻译会"的译经勇士，目的是为了纪念第一位将整本圣经翻译为英文的约翰·威克理夫（John Wycliffe）。我们当中一半的人专注于语言学和翻译工作，为部落民族翻译圣经，把神的话语带给他们；另一半人则从事各样协助工作，如教师、秘书、飞行员、机械师、印刷工、医师、护士、会计以及后勤人员。语言学和神的话是我们的工具，本着爱和服事人的宗旨，甘愿事奉所有的人，没有任何歧视。

我们深入到越来越多的部落，借由飞机和短波广播克服了以前地理上的巨大障碍；新近发展起来的描写语言学，也打破了陌生方言的藩篱。因神话语的光照、教导识字、引进医疗，他们与外界接触；巫术、杀戮、迷信、无知、恐惧及疾病日渐消退了。这些部落民族从前生活在主流民族文化的边缘，如今发生了巨大的改变；无论是在墨西哥的南部山区、亚马逊丛林、澳洲广大的沙漠，无数的部落都在发生转变，从旧时代跃入了崭新的时代。

透过翻译圣经，向部落民族传福音的大门迅速向我们敞开了；在过去的五十年间，圣经翻译工作的重大进展，激励着我们对这项使命最终圆满完成满怀信心。为了将神的话语带给另外三千多个"尚无圣经的部落民族"，我们需要更多的翻译人员及各方面配搭的同工，我们必须加快步伐。每一项翻译工作可能需要五至廿五年、甚至更长的时间；这不仅需要差派语言学家到每一个部落，还需要一位或者多位可以提供资料的本地人员。

从政治的角度而言，这些微不足道、遭人遗忘的国家和部族今天被人注意、可以抬头了；从属灵上来说，不更是如此？路加福音十四章16节记载了一个人，他大摆筵席请了许多客人，但是那些人都没有依约出席。于是，他就派人到城里的大街小巷去，邀请马路上来往的行人赴宴，结果还有空位；他又派人到乡间小径，勉强人进来作客，他们就来了。也许那些从来没有任何机会听到福音的部落，现在终于等到这样一个特别的日子可以听到福音。

我们知道，他们全都**应该**听到神爱的信息，因为他们就是大使命所针对的人，也是启示录七章9节中所说的无数被赎子

民中的一员：

这些事以后，我观看，见有一大群人，没有人能数得过来，是从各邦国、各支派、各民族、各方言来的。他们都站在宝座和羊羔面前，身穿白袍，手里拿着棕树枝。

他们能来到宝座和羊羔面前，除非透过他们自己能明白的语言听见、明白神的话！难道还有其他的方式能够得救吗？

愿神挑动人的心，激励更多人与我们同工，一起完成神赐给我们向每一个族群传福音的使命！

研习问题

1. 你认为克理、戴德生及汤逊三人之间有哪些相似之处？
2. 汤逊引用了三处圣经经文，作为自己决意为"尚无圣经的部落民族"翻译圣经的依据。请重述每一段经文的精要意义。

第52章 无上光荣

施为美（Samuel Zwemer）

罗伯特·怀尔德于1887年代表学生志愿宣教运动访问了希望学院（Hope College），此时施为美正是该校四年级的学生。施为美响应了怀尔德的呼召，成为一名志愿者宣教士，随即与其他几位同学一起组成了一个阿拉伯宣教差会。自此，施为美在巴士拉（Basrah）、巴林（Bahrain）、马斯喀特（Muscat）、科威特（Kuwait）等地从事阿拉伯宣教事工长达廿三年，并且担任学生志愿宣教运动的第一位提名总干事。之后，他在设于开罗的一个跨宗派研究中心工作，专门从事面向穆斯林世界的演讲和写作。施为美是一位极有恩赐的多产作家，撰写了许多书籍和文章挑战教会投身到向穆斯林宣教的事工中；此外，他还从事有关伊斯兰教史和民间伊斯兰教的学术性研究；并针对中东地区的穆斯林和基督徒，编写阿拉伯语的专著和册子。

他也同时担任《穆斯林世界》（*The Muslim World*）这本英文季刊的主编有卅六年之久，该期刊旨在评述穆斯林世界的时事，成为穆斯林宣教策略的论坛，并且在开罗著名的穆斯林传教士训练中心爱资哈尔大学（Al-Azhar）的学生和工作人员中作个人布道。施为美是一位卓越的福音派领袖、学生志愿宣教运动大会受尊敬的讲员；也是1906年在开罗和1911年在勒克瑙（Lucknow）召开的大会发起人，推动亲和而非对抗性的穆斯林宣教策略。詹姆士·亨特（James Hunt）如此评论施为美："有人说施为美是个心无旁骛的人。他诚然兴趣广泛、知识渊博，但是我每次与他交谈几分钟，话题就一定会扯到伊斯兰教……。"本文摘自学生志愿宣教运动1911年文集。

本文摘自 *The Unoccupied Mission Fields of Africa and Asia, Student Volunteer Movement for Foreign Missions*，第八章，1911年出版。

§ § §

福音未得之地挑战我们是否有更大的信心？是否愿意付出更多的牺牲？人为着一项伟业而付出的代价，总是与所持的信心相当；有足够信心就能把不可能之事变成现实，一旦认定不达目标决不甘休，就会百折不挠地勇往直前。正如外号"铁血公爵"的威灵顿公

爵——亚瑟·卫斯理（Arthur Wesley）所言，"前进的命令"已经下达，总司令亲临与我们同在，无论任务多么艰难都能完成，也势在必行。司布真（Charles Spurgeon）宣讲"天上地上一切权柄都赐给我了……我常常与你们同在"的经文时，说过这样的话："你所拥有的是神无限量的大能，其他一切与之相比就不足挂齿了。有人会说'我尽力而为'，但傻子不也能这样做吗？那些信靠基督之人所谋的却是自己力量所不及之事，敢为那不可为者，并且必能功成业就。"[1]

真正的开路先锋不会因为屡遭挫折和失败就灰心丧志，间或受到殉道的威胁也催人奋进，艰难险阻反而化作更大的动力；胜利的喜悦从来不是唾手可得，需要作出极大的牺牲！如果连亚瑟港都需要一枪一炮打下来，我们怎能期待赢回属灵的亚瑟港和直布罗陀湾时，能不失丧任何生命？[2] 如果我们坚信宣教工场即战场，而万王之王的荣耀遭人挑衅，那么为着打开紧闭的门户和收复失地，付上再多的生命和财力也是在所不惜。战争总是离不开流血牺牲，为着基督而战弥足珍贵；基督的精兵仍须奋勇当先，不计代价，不畏牺牲，以夺取最后的胜利为己任。失丧的世界必须经由加略山之谷才能步入五旬节之巅！率先踏入穆宣的雷蒙德·勒尔用中世纪的语言道出了同样的心声：

> 犹如饥饿者不堪饥餐渴饮之迫，狼吞虎咽聊以充饥一般；神的仆人亦受感于神之荣耀，而极愿以身殉道。他日夜劳作不息，以满腔热血和赤胆忠心竭力为主。[3]

他乡当家乡的大爱

福音未得之地企盼那为着基督而甘愿忍受孤苦的福音使者到来。主耶稣基督将祂受伤的手脚指给使徒们看时说出的话语，对宣教先驱来说尤其带着坚韧的力量："愿你们平安。父怎样差遣了我，我也怎样差遣你们。"（约20:21）主耶稣来到世间，进入了这个广阔无边尚未开垦的宣教工场。"祂到自己的地方来，自己的人却不接受祂。"（约1:11）祂惠然而至，迎面扑来的是人无知的嘲讽讥笑；祂全然高贵的生命竟饱经忧患苦楚，身为宇宙之君却毅然走上了十字架。既然祂自己如此奉命而来，祂当然期望我们能够奉命而去，我们亦必跟随祂的脚踪而行。

宣教先驱克服重重困难，顺命前往，不仅得以深深地认识基督及祂复活的大能大力，更为重要的是与基督所受的苦楚有分。为着西藏、索马里兰、蒙古、阿富汗、阿拉伯、尼泊尔、苏丹和阿比西尼亚（今埃塞俄比亚）的众民，这些蒙神所召的宣教先驱与保罗同声相应说："如今我在为你们受的这些苦之中、倒觉得喜乐，并且为基督的身体、就是教会、在我肉身上补替他受的苦难所未受尽的。"（作者引希腊文文本，中文采吕振中译本，西1:24；比较可12:44、路21:4）。这岂不是无上的光荣吗？有谁出于本性愿意告别温馨舒适的家园，舍弃爱意浓浓的亲友，循着疾风骤雨中依稀可辨的阵阵呻吟去寻找迷羊？无上光荣的魅力就在于此。他们本是与灵魂大牧者的心意深相契合，紧随从主而得的异象，肩负着属天的重任，即便是难以割舍的人间亲情和家庭责任也不能阻挡他们毅然迈向辉煌的脚步。这些失丧的灵魂是神蒙爱的群羊，祂已经立我们作属祂的牧人，而非手下的雇工，我们定要将群羊带回，如同一首诗歌中所唱的：

> 纵使道路崎岖不平，陡峭难行；
> 我依然要往荒野，找寻属我亡羊。

福赛斯如此真切地说：

> 在我眼中，世上再没有任何事情如此感天动地，或足以与之媲美——就是：那些奉命而去的宣教士舍下心中挚爱的家人和脚下眷恋的土地，把满腔赤胆忠诚洒在异国他乡的人中，殷勤事奉，为主赢得宝贵的灵魂；竭诚为主，不愿葬在故里，而要永远安息在他们心诚意笃事奉过基督的地方。他们一心向往的是神光明的国度，没有疆界也没有宗族之分，基督居无定所忘我事奉的一生永远激励着他们。相形之下，人间的爱国惜民之情便黯然失色，恍若无存。[4]

他们的心中涌动着一份超凡脱俗的大爱，足迹遍布世界各地：景雅各（James Gilmour）北上蒙古，李文斯顿（David Livingstone）深入中部非洲，格林菲尔（Grenfell）前往刚果，基斯·福尔克纳（Keith Falconer）去到阿拉伯，安妮·泰勒女士（Annie Taylor）和日金哈博士（Dr. Rijnhart）踏足西藏，查默斯（Chalmers）远走新几内亚，马礼逊（Morrison）来到中国，亨利·马汀（Henry Martyn）进入波斯——繁星闪耀，不一而足。他们心中这份超凡脱俗的大爱促使他们视他乡为故乡。在这份热情之前，其他热情如同无有；在这份愿景之前，其他愿景相形失色；这份呼召掩盖了其他一切呼声。他们是天国的先行者，奉神谕旨的开路先锋，踌躇满怀地拓疆扩土，为神建立新的国度。

无坚不摧的开拓精神

神的开路先锋披荆斩棘，依凭的不是人的斧头和火把，而是圣灵的宝剑和真理的火焰。他们身上带着的道道伤痕竟成了神亲自差遣的印记，即使在试炼患难之中也是欢欢喜喜；如同使徒保罗所言："身上常常带着耶稣的死"，"就如……鞭打、监禁、扰乱、劳苦、不睡觉、禁食"，以此"表明自己是神的仆人"。

尤金·史托博士（Dr. Eugene Stock）盛赞拉合尔（Lahore）的主教汤玛斯·弗兰奇（Thomas Valpy French），极富开拓精神，深知这无上光荣的可贵，是"英行会的翘楚"。弗兰奇博学多识，灵命丰厚，堪称一代宣教巨匠：

> 有幸接触弗兰奇的人无不沐浴在他周身散发的属灵气息之中，他与神如此相亲相属，宛如山谷中清新纯净的空气，沁入肺腑，润泽人心。与其相交，化育教诲尽在不经意间。在他看来，蒙神圣召的人没有什么割舍不下的——即便是钟爱无比的家庭、娇妻和健康。然而神要人所做的无非是神所做的、并且从未停歇的善工。

弗兰奇在印度殷勤耕耘逾四十个春秋，硕果累累；却在功成身退后，毅然辞去主教圣职，准备前往阿拉伯内陆地区传扬福音。

那时正值乌干达的麦凯（Mackay）为着向阿曼（Oman）的阿拉伯人宣教而大声疾呼："我力邀六位英国高等学府的青年才俊，踏上这条不寻常的信心之旅！"[5] 结果，唯有这位年过花甲（六十六岁）却雄心昂扬的老将闻风而起。就是这无上光荣的魅力吸引着他！就在回到天家之前不久，他在马斯喀特（Muscat）写下了这样的豪言壮语：

> 倘若我无法求得忠心的同工共当此任，没有向导带我与阿拉伯人打交道，得不到深入内地的一般必需品（只需一点点），我就可能要转道巴林、荷台达（Hodeidah）或萨那（Sana）。如果此举仍不能成行，就再踏上非洲北部的高地；因为我们急需有自己的住所，否则我无法忍受当地的的天气（至少最炎热的那几个月），导致事工会因此停滞不前。但是，神啊！哪怕一刻我也不会放弃深入内陆宣教的计划，除非是因为所有通途都遭关闭，任何努力都变成疯狂之举。[6]

"我不会放弃！"——是的，弗兰奇果真至死也没有退却。基督的教会也不会放弃，一定会追随弗兰奇和其他忠信勇敢的先驱的脚踪，在阿曼用生命继往开来。

使徒般的宣教雄心

在阿拉伯和苏丹，好些福音未得之地都在等待像弗兰奇主教这样的福音勇士。深愿福音能够从一些宣教工作已经开展的中心，拓展到更遥远的地区；这些中心地区人手短缺，急需外界的增援，这样的想法绝非空想或狂热，而是充满使徒般的宣教雄心："我立定主意，不在宣扬过基督的地方传福音，免得建立在别人的根基上，反而照经上所记：那对祂一无所闻的，将要看见；那没有听过的，将要明白。"（罗15:20-21）使徒保罗是在离开重要的大都市哥林多之后写下这番话的，同时也解释何以尚未访问罗马的教会，他只是期望在前往西班牙时能途经罗马。早在第一世纪之初保罗就已经把福音从耶路撒冷传到了以利哩古（Illyricum），但是他心系罗马帝国的整个辽阔疆域。今天的我们，岂不更当胸怀每一寸未得之地，为的是"那对祂一无所闻的，将要看见；那没有听过的，将要明白"（罗15:21）。布伦特写道：

> 使徒们不是奉命唯谨，不敌催迫才去往外境异域（罗15:20-21）；相反地，每一位使徒都仿佛欣然为着所爱赴约前往，甘心乐意，义无反顾。他们心中持定同一幅天国蓝图，但是各自不同的异象又驱策他们踏往所需之地！初代基督徒不计得失走向四方，使徒们大多在故土巴勒斯坦之外为主捐躯，而照人之常理，岂不是要让福音首先传遍自己的故土，而后再去往他乡吗？但是人自私的算计只

会扼杀无畏的信心。使徒们如果为一己私心所困，他们就会堂而皇之地说："耶路撒冷福音的需求之深，我们对这里的血亲同胞责无旁贷；理当先爱身边的人，而后推及远处的人。只有我们在耶路撒冷、犹大和圣地上传遍福音之后，我们才有时间去到他乡异域。在我们的这片狭窄的土地上已有重重问题，政治、道德和宗教局势不容人乐观，在这样的情势下还要抽身担待别人的重担，岂不是很荒唐吗？"[7]

初代教会为着摆在面前艰苦卓绝的宣教伟业而深受激励，知其不可为而为之——只因显出天上极大的荣耀，惠及世上每一个角落，更是一份庄严神圣的重托。今天的我们岂不也当这样吗？日本人新岛（Neesima）如此写道：

> 每每想到世界各地教会的奇妙增长，我内心喜乐的源泉便涌流不息。岂不知前面的艰难险阻会推动教会发展越加蓬勃；状若山间汩汩溪流，虽遇岩石横卧，水势愈加激越跌宕，欢奔而下，势不可挡。[8]

希望满怀，坚毅前行

每一位开荒的农夫，理应带着盼望耕耘，因为上帝从来不让辛劳耕耘的农人失望。中亚的宣教士何柏格（Hogberg）曾经写道：

初来乍到之际，没几个人愿意来听我们讲福音，也无法找到小孩子来教他们；更不能散发小册子，福音事工毫无进展。后来我们在兴建宣教站的同时也建了一间小小的礼拜堂，聚会时，这间小小的礼拜堂虽然坐了一些人，但仍然显得空荡荡的，我心中暗自思忖："这个地方何时才会坐满来听福音的穆斯林朋友呢？"

我们日复一日尽力宣讲，渐渐地发现这些穆斯林朋友也不再像一开始那么抵挡福音真理。其中一位对我说：'在你们到来之前没人会谈论或想到耶稣，现在到处都能听到祂的名字。'事工刚开始时，他们把这些福音书籍扔掉甚至烧毁，或者带回来还给我们，而现在他们不但愿意花钱买书，还不停地亲吻，放在额头上或压在胸脯上，这表示穆斯林给福音书的最高敬意。[9]

垦荒破土的开拓者一定要能恒久忍耐。耶德逊身陷囹圄，带着锁链躺在缅甸的地牢里，监狱中另外一位囚犯冷嘲热讽地问他带领异教徒归主有什么前途，耶德逊平静地回答说："前途光明，犹如神的应许光明确凿一样。"[10] 今天地上极少有国家像当时的缅甸那样难以进入或者困难重重，但耶德逊曾到那里且勇敢战胜了。

紧闭之门的挑战

未得之地的宣教工作前途光明，犹如"神的应许光明确凿一样"；但是我们为何需要等待许久才向他们传福音？罗伯特·

斯皮尔（Robert E. Speer）说：

> 在这个世代，向世界广传福音并非华而不实之辞，也不是有口无心空喊口号。这是耶稣基督的命令，祂吩咐每一个门徒把自己的老我钉死在十字架上；效法祂的脚踪。祂原本富足，却甘愿为我们成为贫穷，使我们因著祂的贫穷成为富足；祂为著救赎世人而舍弃自己的生命，我们也当不以性命为念，挽回许多人的生命。[11]

有谁愿意为着未得之地的宝贵灵魂舍弃这一切呢？啊！献身普世宣教浪潮的学生们唯有进到遭受忽视又障碍重重的福音工场，亲身实践自己立下的豪言壮志："就在我们这世代，福音传遍全世界"，积极回应庄稼的主发出极需更多工人参与的呼召，方能心满意足。工人短缺的呼声远超机会的召唤，宣教工作不是由机会主义决定的；敞开的大门固然向我们招手，但紧闭的大门则挑战那带着属天权柄的人勇敢地突破前进。

且听！世界上的福音未得之地发出暮鼓晨钟、迫在眉睫的呐喊："教会历史的第二十个世纪不能再有福音未得之地。教会不能再踟蹰不前，要奋起扭转这可悲的局面！"[12]

活出生命，不为生计

因此，福音的未得之地，在向谁发出挑战呢？正是向那些没有把更崇高、更出色的事物放在生命之中心，反倒被许多转瞬即逝、微不足道的事物占据了生活的人。他们的心眼从未被属天的更大异象所点亮，心智从来不为无私忘我的圣洁思想所捕获，心灵对世人的错谬不义向来无动于衷，身躯未曾因背负道义重托而衰疲伤损。千百万失丧的灵魂尚未听闻基督，这岂不是新的马其顿呼声吗？不也是神对他们的旨意和异象吗？布伦特主教所言极是：

> 若非去实践，我们永远无法知晓自己内在蕴含的巨大属灵力量。只有勇于冒险，年轻人才能发现、发挥自己的大丈夫气概。[13]

人间还有什么别的英雄事迹比置身宣教工场开疆拓土更能铸就顶天立地的大丈夫呢？这片广阔的天地总有发挥你才干潜力的各样机会。你在本土的环境中永远无法一显身手，这里却是你全面运用心智和心灵潜能的沃土。数以百计年轻的基督徒大学生指望当律师或从商以谋生度日，其实他们拥有足够的力量和才干进入未得之地；不少年轻有为的医生原本可以投身新建的宣教中心，进到成千上万"生活在异教和伊斯兰教的恐惧之下"的民众中间，纾解他们的苦痛，担当他们的忧患；但他们却宁愿作"池中之物"，任由争名夺利或经济效益来衡量其医术。他们活着只是在维持生计，而不是活出生命的意义。

菲力浦·布鲁克斯主教曾经如此激励人为主谋大事：

> 不要祈求生活安舒自在，而要向神求作刚强的人。不是求神赐下能胜任的工作，而是求神赐下做大事的能

力。那么，奇妙的不是你竟能做成这事，而是你本身不再一样，成了神的奇迹。[14]

在未得之地广传福音会面临各样的艰难，但也充满被神器重的无上光荣。布鲁克斯的这番话真是针砭时弊！神赐给我们够用的力量，对于在我们以先奉命出去的人，神的恩典力量丰足无虞；那么，现今遵命而去的人还会缺乏吗？

许多人亲身前往这些地方，他们的见证让我们真确地了解到千百万人生活的实情；现在是我们面对他们黑暗沉沦光景的时候了。这份未竟之业现今召唤那些甘愿忍受痛苦、坚忍不拔的勇者迎难而上，完成重任。

不是牺牲，而是殊荣

1857年十月四日李文斯顿访问剑桥大学时，为当时福音未闻之地非洲大陆热切呼吁，以下这番肺腑之言可以说是他的遗愿，也是对这些莘莘学子的殷切嘱托，以之作总结再也恰当不过：

就我来说，我总认为神呼召我去非洲宣教是一大赏心乐事，而人们却时常谈论我在非洲的长年生活，视之为巨大的"牺牲"，这只不过是一点点对神无限恩情的偿还，怎么能称得上是"牺牲"？何况我们小小的行动

> **"我这次返回非洲，就是要竭力为随后步入非洲的人打开商业和宣教的坦途，请接续我在非洲开展的工作。我现在把棒子交给你们！"——李文斯顿**

竟给我们带来莫大的祝福：安康泰然的身心、为善最乐的幸福感、恬适安宁的心境以及对于荣耀天家的无限希望，这哪是牺牲？在属天的事业中没有牺牲二字可言。这不是牺牲，而是殊荣和特权！焦虑、疾病、痛苦、危险，或者损失些许生活的便利和今生的美好享乐；这些或许会动摇我们，使我们裹足不前、灵里消沉，然而这些不过是过眼云烟罢了！这一切实难与将来在我们身上彰显的荣耀同日而语，我实在从未牺牲什么！

我乞求大家能够关注非洲。我也知道再过几年，我就不能再去那里了，趁现在门还开着赶快行动吧，不要等到门又关上！我这次返回非洲，就是要竭力为随后步入非洲的人打开商业和宣教的坦途，请接续我在非洲开展的工作。**我现在把棒子交给你们！**[15]

附注

1. 司布真的讲道〈我们无所不能的领袖〉，见 *The Evangelization of the World* (London, 1887)。

2. Tadayoshi Sakurai, *Human Bullets*. 讲述了一位日本士兵在亚瑟港的经历，揭示日本人的爱国主义和服从精神。

3. 雷蒙德·卢勒 (Raymond Lull)，"Liber de Contemplations in Deo," in Samuel M. Zwemer's *Raymond Lull: first missionary to the Moslems* (New York and London: Funk and Wagnalls, 1902), p. 132。

4. 福赛斯 (P.T. Forsyth)，*Missions in State and Church: Sermons and Addresses* (New York: A. C. Armstong, 1908), p. 36。

5. Mrs. J. W. Harrison, *Mackay of Uganda*, pp. 417-430.

6. 施为美, *Arabia: The Cradle of Islam; studies in one geography people and politics of one peninsula with an account of Islam and mission work*···(New York: F. H. Revell, 1900), p. 350。

7. 布伦特 (Charles H. Brent) *Adventure for God* (New York: Longmans, Green, 1905), pp. 11-12。

8. 罗伯特·斯皮尔 (Robert E. Speer)，*Missionary Principles and Practice: a discussion of Christian missions and of some criticisms upon them* (New York: F. H. Revell, 1902), p. 541。

9. 施为美，爱丁堡1910年世界宣教大会 *Letter to Commission No. 1*。

10. 耶德逊 (Arthur Judson Brown)，*The Foreign Missionary: an incarnation of a world movement* (New York: Fleming H. Revell, 1932), p. 374。

11. 同注8，p. 526。

12. 爱丁堡1910年世界宣教大会报告第一卷。

13. 同注7，p. 135。

14. 菲利浦·布鲁克斯 (Phillips Brooks)，*Twenty Sermons* (New York: E. P. Dutton & Co., 1903), p. 330。

15. William Garden Blaikie, *Personal Life of David Livingstone*... (New York: Harper & Bros., 1895), pp. 243-244.

研习问题

1. 施为美所说的"他乡当家乡"是什么意思？

2. 本文中的挑战更加激励你，还是反而让你心神不宁？请用你自己的话谈谈这些挑战。

3. 施为美推动人们前往"福音未得之地"的论点有哪些？请比照当今的处境重述他的论证。现在又有哪些"福音未得之地"呢？

第53章 福音桥梁

马盖文（Donald A. McGavran）

马盖文于1954年问世的《福音桥梁》一书，在力邀宣教士使用族群中的家庭亲族关系作为"福音的桥梁"而促成"群体归主运动"方面，一直都是最具感召力的传世之作。这与十九世纪一统宣教领域的"宣教站策略"形成鲜明对比，宣教站的做法是将归信基督的个人召聚起来，形成"信徒村"或"信徒院落"，与社会主流群体保持分化隔离的状态。马盖文认为"宣教站策略"在十九世纪和二十世纪初期都极有必要也很实用；不过，"如今新添了另外一种宣教模式，它如教会一样由来已久"。

§　§　§

基督教宣教的关键问题

有关普世宣教学的研究很多，阐明了与福音传播有关的许多问题，但是其中最为核心的问题还有待解明，就是**一个群体如何成为基督徒**？

本文着力探讨亲族、部落和种姓这样的社会群体，如何归信基督？每一个民族都由不同的社会阶层构成，在许多民族中社会阶层之间泾渭分明；人们大多在自己的社会阶层之内通婚，极少跨越阶层的界限。人们的生活局限于自己的阶层之中，有自己生活的群体圈子；他们当然可以与不同阶层的人共事和通商，但是私人生活多半不会跳出所属的社交圈子。就算隔壁邻居归信基督或追随无神论，若他们属于另外一个阶层的人，对此也毫不在意；然而如果自己的社会圈子中有人成为基督徒，那就一定会搅动波澜。这种社交圈子中的连锁反应是如何发生的？**社会群体要如何归信成为基督徒呢**？

对于这个问题我们不能凭空臆测，而是急需找出正确的可行之道。问题在于，如何按着圣经的原则，在阶级、种姓、部落或社会

作者在印度出生，父母为宣教士。他于1923年重返印度，成为第三代宣教士。除了担任宗教教育主任以外，还将四福音书翻译成北印度语的查蒂斯嘎尔希（Chhattisgarhi）方言。此外，他创办了富勒宣教学院，是荣休主任。他曾写下几部极有影响力的著作，其中有《福音桥梁》（The Bridges of God）、以及《认识教会增长》（Understanding Church Growth）等书。

本书摘自《福音桥梁》（How Churches Grow），1955年首次出版，1981年修订。该作品属于公共域档。

173

53-1

的其他群体中兴起归主波澜，不过几年的
努力就能带领因亲属关系而联系在一起的
社会阶层归主。这样几十年之后，整个群
体就能归信基督。因此，甚愿教会明白群
体比个人如何归主更加重要。

"群体"归主运动新颖之处

对于群体如何归主这个问题，崇尚个
人主义的西方人士需要特别费心费力方能
明白。宣教运动大多由西方人士或者受西
方教育的人士主导。他们能够较为正确地
认识到个人归信基督的问题，并依此模式
不断展开福音的工作，但对于群体归主问
题的认识就相当模糊，甚至是错误的。

西方个人主义掩盖了群体行为

西方基督教的发展过程带着相当浓厚
的个人主义色彩，其原因是多方面的。原
因之一就是西方各国中很少有极端排外的
小社会群体（sub-societies）；此外，在信
仰自由的大前提之下，个人可以成为基督
徒并且以基督化的方式生活，而不会被扫
地出门；再者，大多数没有接受基督教信
仰的人也认为基督教是有益社会的。人们
普遍把加入教会当作一件好事情，信仰立
场坚定的人备受尊敬，教会也没有面对任
何强势的竞争者；因此，个人完全可以为
自己做出决定，而不会危及社会关系网。

西方工业革命破坏了亲族关系和家庭
生活，人们更加倾向于做自己喜欢的事
情。随着人们频繁迁移，从乡村涌入城
市、不停地变更居住地，大型家庭群体结
构就渐渐解体；人们各行其事，不再征询
邻里亲朋的意见，崇尚独立思想、判断，

惯于自作主张。基督教会中通行的"复兴
聚会"，更是激励人们独立作出决断，同
时伴随着强烈的情感反应，这些作法进而
增进了个人的自主意识。这个神学的前设
是：个人作出对基督的信心回应是得救的
必要行动（这种观点无须质疑），若是在
家人反对的情况下，这个行动就好像更为
崇高（此看法的正确性非常值得怀疑）。
有些人认为个人独自加入教会不仅更为可
取，而且是成为基督徒唯一的有效方式；
至于群体如何归主这个问题，标准答案就
是当这个群体中的人"逐个"真正归信了
基督之后，自然就组成了归信基督的群
体。

我们极少意识到群体是一个社会有机
体，本身期望保持群体文化和生活；其实
推动人们归信基督的过程，会增进这样的
需求。但我们往往没有把群体作为单独的
实体来看待，只把群体视为个人的总和，
要群体归主就是采取个人逐个归信的方
式，根本没有留意到群体归主中包含的社
会因素。

然而群体不是个人的总和。一个真正
的社会群体中，势必存在姻亲关系和密切
的社交活动。鉴于群体中的成员大多都
是在这个范围之内嫁娶，群体的真正意义
就是一个社会性的有机体，在其意识中他
们已然成为一个独立的种族。人类的家庭
和家族关系都是由种姓、亲族和族群构
成——除了在崇尚个人主义的西方社会。
因此，要实现全民基督化，首先要推动各
个群体整体性归信基督。

通常人们由于对种族歧视的强烈反
感，强调单个种族的概念总让人疑虑重
重。宣教士往往带着对种族问题的厌恶感

进到种族和等级分明的社群中，这些群体本来就是相互联姻的，具有强烈的种族意识。可是忽视种族的重要性只会阻碍基督化，使种族意识成为宣教的敌人，而非盟友。要让部落群体去除种族的成见，根本于事无补；部落群体不仅具有很强的种族意识，而且引以为荣。我们需要对此加以了解，使之成为基督化的一大助力。

群体归主运动的上策与下策

群体归主最大的忌讳就是将个人从所属的群体中抽离出来，植入另外一个社会群体中。但若是归主运动在整个社会内部逐渐展开，就能使整个群体归向基督。皮克特（J. W. Pickett）主教在其要著《基督如何拯救印度的灵魂？》（Christ's Way to India's Heart）中如此写道：

使信徒个人脱离所属的印度教或伊斯兰教社群的做法并不能建立起教会，反而会激起人们对基督教的敌对情绪，给福音的传播设下障碍。不仅如此，这种因著信仰而脱离原生群体的做法，在至近亲友当中引发许多不幸甚至悲惨的后果。归信基督的人失去了亲友们原有的价值观、人情的支持、过美好生活、抵御邪恶；转而依赖信主群体中的弟兄姐妹给予的支持，他们发现在新的信仰群体中又很难建立起亲密的相交关系和群体归属感。于是信徒个人脱离原属群体的同时也丧失了许多传福音的潜在能力。这种单靠在宣教士衍生的教会里互相的依附，是不健全的，这不是真正的领导。

群体归主显然离不开个人的重生得救，徒有基督徒的名义也无所裨益。归信基督的人既要留在原来的同胞群体之中，又要经历到基督里面的新生命。"所以，你们既然与基督一同复活，就应当寻求天上的事……不是地上的事。"（西3:1-2）任何群体归主运动带出的能力取决于群体当中真正重生得救的个人有多少。在这一点上我们毫不含糊！淡化或忽视个人得救的重要性无助于群体归主，什么都无法取代人因信耶稣基督而得以称义或是圣灵的恩赐。

因而我们看到，把新信徒抽离原来的同胞社群（容让他们未信主的亲人把他们排挤在群体之外），或者倒过来让非信徒主导着信徒的一切，使他们无法活出在基督里的新生命；这两种危险都会导致群体的归主运动功亏一篑。

团体意识和团体决定

教会和差会的领袖必须尽力从群体的角度来看待社会生活，如此一来才能正确认识非基督徒国家中所包含的无数小社会群体。在那些团体意识强烈的人看来，唯有离经叛道之人才会不与人为伍，无所顾忌地独行其事。团体中的个人从来不会以为自己是个能自给自足的单位，而始终视自己为团体中的一分子；团体的意识决定了他们的事业、子女的婚嫁、个人的问题，甚至是婚姻关系中的种种难处。如果能够把团体的意识，带入因宣认耶稣是主而得到的新关系中，这个种族群体就能够归信基督。

尤为重要的是，我们必须明白团体的决定并非众多个人决策的总汇。团体中由

> **如果能够把团体的意识，带入因宣认耶稣是主而得到的新关系中，这个种族群体就能够归信基督。**

领导带头，其他成员紧随其后，他们不会行在别人之前。比方说，丈夫问问妻子、儿子请教父亲："如果有人不愿意，我们这一家人还要走吗？"这是他们时常问的问题。当一个团体思考要不要归信基督时，自然会出现许多张力，但有时也会令人欣喜激动。的确，这要花很长时间商议衡量才能决定，因为这样的改变实在是带给这群人太大的改变！唯有当这团体的所有成员都朝同一个方向走，这样的改变才是积极有益的。

团体内部有不同意见是稀松平常的，这往往影响到族群的决定。假设某个小镇或村庄住着七十六户同一族群的人家，他们其实可能再分成几个小社群，各自由他们当中德高望重的人带头，或是基于地域因素、经济因素形成各自的阶层，这些小社群的意识非常明显。通常在整个群体作出决议之前，小社群中已经达成相当的共识；事实上，小社群通常要有足够的能力，才能单独行动。

接二连三、一个一个的决志归信基督，蔓延到人们的整个团体意识中；可能像连锁反应一样，促使归向基督如同浪潮一般，带来团体的决定。但这非等于众多个人决志加起来的总和！乃是因为每一个个人作出的决志激发了其他人，而大大影响每一个人，甚至整个团体。所以当种种条件成熟时，不仅单个小社群，而是整个团体都会一同作出决定。

概念澄清

我们把这一过程称为"群体归主运动"（People Movement）。这里"群体"的内涵比"部落"、"种姓"或"宗族"更为广泛，也比"团体"（group）更为准确，适用于任何地方。因此在本文中我们着力探讨群体归主运动。

伟大世纪的典型模式

赖德烈（Latourette）博士把1800年至1914年称为"伟大的世纪"，他指出："虽然在整个十九世纪，基督教拓展遇到重重的困难，但基督教在全世界的进展仍然相当惊人。在这段时期的末了，其进展呈现一路上升的趋势，而在文化方面产生的影响力尤为巨大，远远超过了数量增长上的影响。无论是率先推动新型的教育、消弭人类的疾苦和传播新思想等方面，都发挥了举足轻重的作用。"

基督教如何在这个伟大的世纪向世界拓展呢？这是一个极为重要的问题，因为我们现有的认识大多受到该世纪的宣教工作影响。在这个伟大的世纪，因应新形势的需要开创了新的宣教策略。当时的情形和策略都值得我们仔细加以研讨，以下我们就来看看。

新处境出现：东西方社会间的鸿沟

基督教的宣教运动一直以来都发端于富裕发达、教育水准更高的西方强国，这些国家享有政治和宗教自由、庞大的生产规模和教育普及的种种好处。到了十九世纪初，西方国家的社会经济更形进步，而东方却停滞不前；东西方社会经济差距显著。西方宣教士毅然去到更为贫穷、教育水准低下、以农业为主的封闭守旧的国家。宣教士竭力与当地的民众一起生活，但是由于他们来自发达国家，使得他们不可避免地与当地文化存在疏离感。

他们在自己家乡的生活水准远远高于宣教工场上居民的平均水准，雇人料理家务的费用便宜，且会省去辛劳，自然就选择雇佣仆人。当地人的交通方式通常是步行，宣教士却惯于驾车，当然就要有车子。宣教士的肤色使他们格格不入，又因为是白人，自然就属于统治地位的种族。对他们而言，西式的烹调合乎胃口，东方的饮食则难以下咽；所以在饮食问题上，他们和当地人之间也有着巨大的差异。

二者之间那不可逾越的鸿沟，甚至连早期基督教从犹太社会进入外族世界时，跨越的桥梁都没有任何相似之处。生活在亚细亚富饶平原上的人们那么多，但他们竟然没有一个亲友是基督徒！即使在交通便利的港口城市也是如此。基督教若要按照常规自然而然的方式进入，在当时也是不可能的事。鉴于肤色、生活水准、威望、教育水准、交通方式、居住地等诸多因素，宣教士实质上与他们想要传递救恩信息的当地人格格不入。

然而宣教士尽心学习当地的语言，并且学得很好。他们以爱心服事当地的人，教导孩童读书，到他们家中拜访，与他们一同抵御饥荒和流行病的肆虐，一同吃饭，买卖交易。宣教士与当地其他任何白

人群体完全不一样，可以与本地人打成一片。怎么会说宣教士与本地人有巨大隔阂？这实在是夸大的说法！

对于研究基督教增长和传播的人而言，他们就懂，上述的这些交往方式只能算蜻蜓点水，感情不深，都不是具有生命关系的交往；简单说这些没有种族、种姓和亲族血缘关系那么深。只有生命关系的交往交流，才能触动非基督徒在听到基督徒分享福音后由衷地说："这个传讲基督教的人像自己家人一样，是属于我们这个族群的，是我们自己人！" 随意的接触能够赢得少数人归信基督，但是除非这些人能够在他们的社群中带动具有生命活力的归主浪潮，基督教的宣教就尚未真正开始。

上述的隔离现象为时已久，在这样一个西方主导、东方依赖的一成不变的世界中，这种现象似乎还会继续存在。宣教士们心想："我们还有几个世纪的时间可以作工，当年罗马与她的属民不也费时四百年才建立起相依相属的关系吗？我们也会逐渐带领这些族群归信基督。"

那么，教会和宣教士都缺乏这种生命关系的接触，如何带领群体归主呢？于是：

新方法形成：宣教站

如果近代宣教运动有何特色可言的话，那就是先建立宣教站（exploratary mission station），然后在其四周建立信徒聚居区，以消弭彼此之间的鸿沟。

宣教士首先费尽九牛二虎之力获得一块土地，在上面修建适合白人居住的宅邸，之后又加盖教会、学校、家仆宿

廿十世纪初，宣教站策略常常是唯一可行的方式。

舍、医院、麻疯病人之家、孤儿院以及印刷所。宣教站是据点，宣教士们居住在这里，所有宣教活动以此为中心，来往于附近的乡村，宣教士把新信徒也召聚在这里。对首次听到福音的人是极难接受基督教的信仰，因为他们从前对于基督教一无所知，只知道这是白人的信仰；然后有些人成为基督徒了，他们往往被家人赶逐出去，就来到这个基督徒聚居地居住，在这里还可以找到工作。此外，孤苦伶仃的孤儿在此找到了家园，奴隶重获自由，妇女得到解救，病得医治的人也愿意成为基督徒，前来住在宣教站。这些人组成了一个新信徒聚居区。

这种宣教策略源自十八世纪和十九世纪更正教中典型的个人化信仰背景。对于新信徒而言，离开父母本族可以证实他们归信基督教的决心。将一群基督徒从原出的人群中抽离出来聚居的做法似乎是不错之举，通常也是唯一可行的办法。鉴于人们对基督教普遍所持的怀疑态度（有时甚至使用暴力），即使宣教士极力想走融合本土的路线，他们还是迫于形势采用信徒聚居地的策略。

因此，伟大的世纪开初的宣教运动大多以这种模式为主。我们称之为探索性的宣教站策略，但是对由此建立起来的教会而言，它更是一种探索性的信徒聚居区策略。

因地制宜

当时几乎所有的宣教运动都采取这一宣教模式。我们可以把它想像成一条在荒无人烟的平地上蜿蜒的大道，随后一条分岔沿着平地继续延伸，另外一个分岔却沿着肥美碧绿的山丘攀沿而上。无论宣教运动继续沿着习以为常的平坦大道（即信徒聚居区的策略）而行，还是沿着山路（即群体归主运动的策略）向上攀援，都取决于听到福音信息的民众对此作出的反应，以及宣教士对此反应的理解。

十年、二十年过去了，若是归信基督的人数依旧很少，是因为在那里宣教站策略依旧在延续，且愈加强化；在信徒聚居区中不断装备基督徒工人，把原本单纯的宣教事工扩展为医疗、教育和传福音等，使事工愈加完善。但若是在经过十年、二十年新信徒人数稳定成长的地方，教会开始扮演着更为重要的角色，宣教转而采用群体归主运动的策略，以致成千上万的人成为基督徒。

这两种推动宣教的事工策略泾渭分明、各具特色。我们在下一部分中将详细描述群体归主运动，但是在这一部分余下的篇幅，我们将论述探索性的宣教阶段，如何逐渐地演变成长久性的宣教站或信徒聚居区。

早期的宣教士，并不会预期他们传福音的工作果效甚微；他们探索性地建立宣教站也并非对心田刚硬、对福音无动于衷的民众不得已做的，只是把这视为**赢得更多灵魂的前期工作**。巴色会（Basel Mission）在头九年中十位宣教士就牺牲了八位，但是英勇果敢的安德莉亚斯·利依斯（Andreas Riis）仍然从非洲的黄金海岸致函说："让我们继续向前，我们一定要为基督赢得整个非洲。即使千名宣教士以身殉职，仍请差遣更多的宣教士前来。"这种探索性的信徒聚居区策略，乃是为了把基督教信仰横扫非基督教世界，给那地带来无限祝福。

但是这样热切的期待令人气馁。赖德烈教授对此做出了冷静的剖析：

> 亚洲和北非地区存在着发达的文化和成形的信仰体系，那里的人们不会像原始社会的人那样易于接受西方的文明或者基督教信仰。这应当在意料之中。通常发达的文化和成形的宗教在面对外来文明的入侵时，不会轻易解构。

人们对宣教信息反应冷淡，其中一个因素的重要性不容低估，就是归信者基本上都要**脱离**自己的民族。新信徒觉得自己归入了一种完全由外国人宣讲、引领并且主导的陌生的生活方式，他们都是一个一个单独来到宣教站。这样少数几个人零零星星地成为基督徒的模式逐渐固定下来，这对于开启群体归主运动极为不利，结果形成一种恶性循环。这些个别成为基督徒的人，在众人眼中好像"归入了另外一个族群"。

探索性的策略固化为长久性？

由于当地对宣教事工反应冷淡，宣教士就继续长期把人力集聚在一起，向那些对神呼召没有回应的人群开展一些宣教事工，差会很快发现有做不完的事情。虽然不愿意承认，但他们其实早已不对大规模

如何按着圣经的原则，使整个群体归向基督？

为主赢得灵魂抱有希望。事实就是如此。

由宣教站策略产生的教会

差会的首要目的显然是建立教会。当我们着手评估宣教站策略带来的果效时，难免要检视由宣教站建立起来的教会；我们称之为宣教站教会，或者信徒聚居区教会。

宣教站教会具有相当的优势：教会里都是一些生命发生改变而且受到良好教育的信徒。他们有一定读写能力，都带着诗歌本来到教会，都能阅读圣经。总而言之，这样的教会都是由健康的基督徒组成的；教会的会友都以此为荣，觉得属于这样的基督徒团契很有帮助。当然也难免有很多挂名的基督徒，有些人的言行甚至使教会蒙羞，但即便是这样的人，也极其乐意将自己的孩子带到教会，送到主日学！

教会组织强大有序。有建设得不错、属于自己的聚会场所，合格的牧师和圣职人员，以及固定的礼拜时间；有些教会标榜奉献，不少人积极参与十一奉献。总体的印象就是这样的教会由个人关系紧密的小群体组成，内部的姻亲关系使得彼此更加亲密无间；此外，这样的教会仍然把自己当作普世教会的一部分。

就其弊端而言，宣教站教会缺乏成长和倍增的必要条件。他们实质上是得救的信徒个人集聚在一起组成的教会，他们仿佛是从"火里抽薪"而脱离自己的群体，

得到救助的人或贫困的孤儿，抑或这三种人的总和。这些归信基督的个人和被营救出来的人，通常都不为自己的非基督徒亲友所接受，他们归主之后更带着相当的优越感。若是他们从前备受欺凌，这种感受就更是如此！他们之后的第二代基督徒与未信的亲属之间更为疏离；到第三代，一般说来，几乎不再认识任何未信的亲属。他们成为一个"全新的族群"，只在这个圈子里谈婚论嫁，把自己看作是一个单独的社群。

宣教站教会的信徒看重教育发挥的巨大力量，许多人都认为是基督教的教育——奉耶稣基督之名开展的教育提升了自己，却不一定经历到神的大能。

宣教站有时也会出现资源竞争的问题。信徒觉察到宣教站提供的就业机会有限，认为如果有更多的人成为基督徒，宣教站的资源就会被摊薄，这样一来个别信徒分得的资源就更少了，结果信徒竟然不愿意更多的人归信基督。

宣教站教会时常得到国外机构优厚的供应。例如有这样一个典型的宣教站教会，有七百多位信徒。其中有一位宣教士管理所辖的两所小学和一所全日制中学，另有一位宣教士负责女子寄宿学校，还有一位宣教士医生与作护士的妻子一起管理一家医院，外加一位传福音的宣教士用部分时间来服事信徒群体。然而，其他一些牧养因群体归主运动中大量信主的宣教士，拥有的资源还不足前面一类宣教士的一半；他们简直不敢相信后方机构竟然将如此巨大的人力物力投入到如此小的一个群体。但是宣教站教会的本土同工和外来的宣教士，无不认为自己用最少的海外资

源办成了最多的事情。

宣教站时代悄然落幕

然而，正如赖德烈所说，宣教站时代已经逐渐过去。宣教站在东方国家的事务中发挥过主导性的影响力，但曾几何时，西方文化当初踏上亚洲和北非这两片土地时的辉煌不再，差会办的学校影响渐消，差会医院的声威也同样今非昔比。

非基督教民族对于外国势力的操控愈加不满，认为依赖西方有损于他们的民族自尊。在东方，特别是印度，人们真的认为西方除了贸易往来和加快工业化之外，能够给予"崇尚心灵之东方"的少之又少。

如果上面的论述让人觉得基督教的宣教事工随着西洋文化"漂洋过海"，已经没什么益处，那也是不实之词。在未来，我们发现世上的各民各族要建立更为紧密的合作关系；任何促进国际间友好的努力都有价值，西方人士继续居住在东方无疑会带来许多益处。但离开强大的本土教会，外国宣教站能够在世俗化的世界中发挥影响力的日子，极有可能不复存在了。

这一时代款款落幕还有一个原因，现今宣教的资源更多用来造福本土民族、维护世界和平及建造基督教会，而不是过去宣教站看重的去深入改变非基督教的信仰和文化。

告别过去，迎向未来

我们已经剖析了从前这个伟大世纪的特性，如今一个新的时代悄然而至，另外一种宣教模式出现了，但它虽新犹旧，正如教会一样由来已久。这是神所规划的

蓝图，就是成千上万的人将要认识基督是主，成为真门徒。人们不再零零星星地归信基督，而是成群结队，整个族系、家族和社群大规模地宣认基督，在基督里得到喂养。

神所掀起的群体归主运动

过去宣教士采用宣教站策略从事宣教活动时，偶尔也会看到这一模式带出的群体归主现象，但宣教士们一般没有以此作为宣教事工的范本，只在大洋洲、印尼和非洲有一些例外。群体归主运动是神的圣灵动工的结果，教会的增长模式与我们之前所描绘的截然不同；全世界百分之九十新近建立的教会都是群体归主运动的结果，这些新近建立的教会，会众中大部分是群体归主运动中接受基督的新信徒和他们的后代。

虽是这样，我们还是认为上个世纪中通用的是宣教站策略，群体归主运动在那个时期并非常态，开展这类群体归主的宣教站少之又少；大多数宣教事工的核心是服事非信徒，并且建立隶属宣教站的教会。如同亨德理克·克雷默（Hendrik Kraemer）博士所述："在这个伟大的宣教时代中，宣教的思维和计划还是深受宣教站策略的影响。"

群体归主运动的几个故事

当年亚拿尼亚·耶德逊（Adoniram Judson）前往缅甸，在具有文化修养、信奉佛教的缅甸人中间宣教。有一名曾为罪犯的克伦族人（Karen）柯大溥（Ko The Byu）作他的侍从。克伦族是缅甸特别落

> # 宣教站教会缺乏成长和倍增的必要条件。

后的部落，信奉泛灵论，以务农为生，被缅甸人视为蠢笨粗野的次等民族。当地人流传着这样的说法："你可以教会一头水牛，却教不会克伦人。"耶德逊花了六个月的时间，把主耶稣基督救赎之死的意义讲给他听；整个教导的过程进展非常缓慢，耶德逊几乎快要认同他们对克伦族人的看法了；但他还是坚持不懈，又过了几个月，柯大溥虽然不是完全地明白，但是信服了真道，成为一位基督徒。

耶德逊到缅甸各地巡回宣讲福音。柯大溥跟着他餐风露宿，每到一处，就向住在当地近郊卑微的克伦人讲论；克伦人开始归信基督，这里十个家庭，那里一、两个家庭，更远处的丛林中的五个家庭，纷纷接受基督作他们的主。我们没有资料证明这些家庭之间存在亲族关系，但是这些家庭多少都有点关系，仿佛产生连锁反应，他们一起来归信基督；我们可以合理地假设，在柯大溥最亲近的亲属中，哪怕不算他的堂兄、表兄和远房堂兄表兄，与他有亲族关系的人应当不少。毫无疑问，最先是这些至亲及其亲属归信了基督。

耶德逊把圣经翻译成缅文，他所看重的不是在落后的部落中掀起归主运动，多年以来他都把克伦族信徒视为次要的问题。但后代宣教士中有一些保罗型的拓荒者，他们不断推动这场归主运动，穿越广阔的稻田，遍及更广的地区。今天在缅甸的克伦族以及与他们相联的部落中，都兴

起了声势浩大的归主运动，成千上万的灵魂得救；克伦族的基督徒都很认真，受训作门徒，不断成长；他们很清楚：徒有其名的基督教信仰在神眼中分文不值。遍布缅甸全国各地的好几千间教会中，有许许多多的信徒被圣灵充满，热切爱主。

我们特别提到这些，乃是为了强调一点，即使人们在群体归主运动中借着家庭亲族的关系归信基督，他们不一定就是挂名的基督徒。这样的假定是出于偏见，而非事实。所有教会都会有挂名基督徒的问题，无可避免，不是群体归主运动本身会助长挂名基督徒。

在巴基斯坦北部有一个地位低微的民族，名为楚拉斯（Churas）。他们生活在穆斯林和印度教并存的文明社会中，从事农业生产。人数占全国总人口的7%，属于贱民阶层，备受压迫。他们剥下死牛的皮，加以处理；也收集其骨头，用以出售。起初，宣教士对他们几乎视而不见，倒是乐意向印度教徒和穆斯林社群中值得尊敬的群体传讲基督，把好不容易赢得的几个信徒组织成宣教站教会。后来楚拉斯族中有一个名叫迪特（Ditt）的人归信了基督，尽管遭到族人的排斥，但是他仍然住在本族当中，逐渐带领自己的亲属归主。

宣教士起初很犹豫是否要把这些贱民纳入基督徒的团契中，担心会得罪高级种姓的印度人和穆斯林，让他们认为作基督徒是贱民的事，“碰不得”。不过这些贱民成群结队地来，组织成自己的教会，得到牧养和教导。他们没有社群关系脱节的问题，牧师和宣教士就可以集中精力教导和讲道，无须忙于为他们提供工作和配

偶，或是寻找居所和田地。神将带领群体归主的重任委托给虔诚爱主的宣教机构，他们也为此尽忠竭诚。在长达八十年的辛苦耕耘之后，在印度这个地区里再也没有楚拉斯，因为他们全部都成了基督徒。

神在印尼也兴起过为数不少的群体归主事迹。在苏门答腊以北有过一次巴塔克族群（Batak）兴旺的群体归主运动，其间有几十万人归主。在1937年，位于苏门答腊西北部海岸以外的尼阿斯（Nias）岛上就有十万零两千个基督徒，而在1916年时还没有一位基督徒。到了1940年，西里贝斯（Celebes）北部地方的弥那哈撒（Minahasa）部落中基督徒的比例已经相当高，而中部地区群体归主运动更是发展迅速。在莫卢卡斯（Moluccas）、珊齐（Sangi）和塔劳德（Talaud）等岛上的不少部落都涌现群体归主浪潮。在1930年前后，荷属新几内亚每年都有八千到一万新信徒受洗归入基督。到1936年，据报导，更正教信徒的人数达到1,610,533人。罗马天主教也因着难以计数的群体归主运动有巨大的增长。1937年，那里罗马天主教信徒总数达到了570,974人。近代大规模的群体归主情形也时有发生。1950年后在苏门答腊发生过，而1960年以后在伊里安（Irian）和加里曼丹（Kalimantan）也发生过。

非洲也涌现过多次群体归主浪潮，撒哈拉以南的非洲大部分地区遍布基督门徒的那一天指日可待了。

群体归主运动建立起来的教会

孕育并推动基督教宣教一波一波归主浪潮最为显著的成效，就是建立了数不胜

53-10

182

数的基督教会。据统计，几十万教会的会众是经由近代的群体归主运动认识神的。这些教会大多都在非基督教国家。

让我们细述一下这些国家的群体归主运动。太平洋岛国的居民主要是因群体归主运动而成为基督门徒的。印度的马拉斯（Malas）、马地加斯（Madigas）、那加斯（Nagas）和噶拉斯（Garas）、玛哈尔（Mahars）和比尔斯（Bhils）等许多地区都发生过多次群体归主运动。非洲的众多部落大都是以一个个部落归主的形式发展教会的。1980年曾发生了两次新的群体归主运动，一次是在菲律宾的棉兰老岛（Mindanao），另外一次是在墨西哥。我们在此无法一一细数，在这些数以百计的群体归主浪潮中，每一波的发展都繁衍出更多的教会。

这些教会具有许多共同点：他们的牧师通常受过七年的基本教育和几年的神学教育。教会一般在临时建成的土坯房或篱笆墙围成的场所聚会，当然有些老一点的教会的礼拜场所修建得不错。在一些年代长久的大型群体归主运动中，教会一般由本土传道人负责带领，宣教士则在教会联会的指导下协助教会的事务。教会中的许多会友都不识字，群体归主运动建立起来的教会里，大多数会众与普通非信徒一样没受什么教育。

在有些非洲国家中，教育体制则完全不同，政府借助宣教机构来普及教育。在这样的地方，群体归主运动中的基督徒后代就有良好的受教育机会，而教会会友则不断长进，大多数人能够读写。

无论如何，群体归主运动中建立的教会都相当稳定。总会有人退后不信，特别是在早期的阶段！但是从总体而言，一旦一个**群体**归主，即使面临极其严峻的迫害，他们依然持定基督信仰。除了基督徒个人的信心和团契肢体的鼓励外，教会中紧密的关系和群体的凝聚力，也有助于坚固软弱的信徒，不致否认信仰。

无价的珍珠

令人费解的是，宣教事工极少迫切期待群体归主运动。皮克特（Pickett）在其所著的《印度的归主巨潮》（*Christian Mass Movements in India*）一书中记载道，印度大多数的群体归主运动在起初都受到教会领袖和宣教机构的抗拒。这些教会领袖对于是否应该接纳大群的人进入教会甚感疑虑，因为无法确切评估个人的信仰状况；尽管受到一定程度的抑制，这些浪潮最终还是涌现出来。人们不禁会想，如果宣教机构从"伟大的世纪"之初就积极祷告，切望在世界人口占有相当比例的各个群体，能够有大量的人归向基督，那又是怎样一番情形呢？

虽然群体归主运动的确是事实，但人们对其却知之甚少。西方人崇尚个人决定信仰的方式，对群体共同决定信仰感到难以理解；人们把改善教会进到完善与群体转离偶像、归向真神的过程混为一谈。即便在像非洲某些地区那样出现大量增长的地方，对群体归主运动错误的认识，也无法有大幅度的增长，并且对部落生活带来无谓的破坏。

其实，宣教士一切努力的终极目标就是群体能够归主。许多人读到这里都无法在这一点上认同，这一观点也从来没有得到普遍的接受。但我们不仅接受这样的观

> 我们固然可以把这些现象归因于各种因素，但神超自然的作为显而易见。凡此种种，我们不得不承认群体归主运动是神的恩赐。

点，而且进一步肯定这是圣灵在群体归主运动运行，是神所赐予的；不能把群体归主运动简单地归结为一种社会现象。我们诚然可以提出一些促成这些现象发生的因素，但是，其中包含太多奥秘的成分，也远超我们所能想像。我们固然可以把这些现象归因于各种因素，但神超自然能力的作为显而易见。凡此种种，我们不得不承认群体归主运动是神的恩赐；仿佛是到了时侯，神就将这无价的珍珠——群体归主运动赐给祂的仆人们，进展顺利的话，教会势必稳定地建造起来。

现在是时候了，我们必须认定当属灵的复兴在中国、日本、非洲、穆斯林世界以及印度点燃时，极有可能以群体归主运动的方式显明出来。在宗教改革时期，福音派的基督信仰，在以罗马天主教为主的欧洲，是以群体归主的形式得以广传的；在当代，群体归主运动仍然是任何地方福音广传的最佳方式。

群体归主运动的优势

群体归主运动具有以下五大优势：

1. 为基督信仰建立了无数的教会，深深植根于成千上万的农乡中。

随着经济水准提高，这些教会在经济方面不必依赖西方的宣教机构，可以自行持续发展。这样的教会适合于教育水准较低的地方（可以说非常适合），他们同样对主忠心委身，经常经历火的试验，却更显纯净宝贵，屹立不摇。他们永远是走向天家的同路人。

2. 本土化对他们本是自然的。

若按宣教站策略建立起来的事工，新信徒都是过着一种外国人主导的生活方式，由外国人来决定生活的节奏和风格；然而在群体归主的情况，就不会有去本族化的问题，新信徒根本很少亲眼见过宣教士，可以照样生活在自己的文化中。不论是穿着、饮食和语言几乎都维持原样；聚会场所也照本土规格，跟一般住的差不多。本地新信徒既不能很快地学会或习惯外国圣诗的曲调，就用当地曲调。因此，那宣教站策略的宣教领袖们竭力想要达到的本土化，在群体归主运动中反而得来全不费工夫。不过教会总部仍然需要费心费力训练年轻人和带领者，带动真正本土化归主运动。

3. 对于群体归主运动来说，"教会自发性扩展"乃是自然趋势。

教会的"自发性扩展"一语概括了罗兰·艾伦（Roland Allen）在宣教思想方面做出的宝贵贡献，指新信徒组建的教会从一开始就得到装备，带有属灵权柄来使教会得以不断成长。外国宣教士可以从旁给予咨询和协助，但并不成为教会健全发展或扩大向外拓展必不可少的因素。

教会的自发性扩展需要完全依靠圣灵，并意识到老教会的传统做法不一定对西方宣教事工中兴起的新教会有所裨益。新信徒群体，亦当如教会早期成立之时一样地不断繁衍。宣导教会自发性扩展的人指出，外国宣教士主导的宣教运动最终都会凋零萎缩，甚至可能造成双方对立；如此，宣教站策略要实现普世福音化并不容易。

教会自发性扩展是人心所向的美景，但对于运用宣教站策略建立起来的教会则是可望而不可及的梦想。他们或许可以脱离与西方教会的依赖关系，自己也有可以扩展教会的属灵权柄，被圣灵充满，极愿带领他人归主；但正是因为他们已然是一个独立的群体，与周围的邻里百姓没有任何亲族的联系，他们会发现自行建立新的教会其实相当困难。

群体归主运动中建立起来的教会却不同，对于他们而言，自发性扩展是自然而然的事情。不但容易想到要为基督赢得"自己圈儿里的人"，而且机会也很自然，谈起话来也能够深入；信徒与周围的人有充分的接触，信仰的内容也就自然而然传递出去。当然，这种自然增长的群体归主情形，有可能又像信徒聚居地的那种氛围和做法而迟缓下来；但是，一旦群体归主运动的教会领袖意识到这样的弊端而加以规避，教会自发性扩展就容易许多。今天的宣教事工应当像教会初期的使徒保罗一样，采用一种机动自然的群体归主运动策略，能够有更大、更有意义的拓展。这就是群体归主运动最为显著的优势。

在群体归主的情况，就不会有去本族化的问题，因为新信徒根本很少亲眼见过宣教士。

4. 群体归主运动有巨大的增长潜力。

尽管当今的教会领袖没有看到这个潜力，甚或视而不见，却不能改变这事实、抹煞其重要性。群体归主运动会从本地同族群体继续"往外"延伸到更多同族群体的"外部增长点"。就像使徒保罗发现源于巴勒斯坦地区的归主浪潮定会波及巴勒斯坦以外的地方；同样地，很多群体归主运动也影响到周边许多地方的增长。例如，马地加人（Madigas）的基督徒数目不少，他们原是印度南部的劳工，迁移到印度各地，甚至到国外作劳工。我们不禁会问，如果这些马地加人就是当代的"圣徒保罗"到处热切地见证说："我们马地加人每一年都有成千上万的人归向基督。我们这个群体已经找到了救主，并且得到了基督里面那测不透的宝藏"，这岂不表示世界许多地方也能带出像印度本土马地加群体归主的运动吗？

群体归主运动在本土也有不少的"内部增长点"，也就是那些本土余下的尚未归主的区域。教会领袖必须警醒，随时调配基督徒人力资源，及时把握那具有战略性的**门户敞开的时机**。这样的门户通常只会敞开一代人的时间，之后可能门就关上，基督信仰就不容易进去了。无论外部和内部的增长点，都要善加运用、殷勤耕

耘、等待收获，直到整个民族归主。

通往其他社群的桥梁就不常见，使徒保罗展开向外族人宣教的浪潮正是借助这样的桥梁——这中间的联系必须足够大，不仅能够为一个一个信徒施洗，还要能在短时间、较小的区域内为归主的一个一个群体施洗，如此才能在另外一个社群中带出群体归主运动；如果我们切切寻求这样的桥梁，一定会找到更多。只要教会的领袖认识到这些桥梁，并且学会熟练运用，就一定能够借此传播基督信仰。

群体归主运动的增长，潜力绝不局限于发起更多新的运动。群体归主运动中产生的教会领袖发现，当教会达到一定规模，增长到一定速度，那些处在教会边缘的人也会跟着归主受洗；如此教会年复一年慢慢有规律地增长，数量甚至超过热火朝天的浪潮初期。有人说，群体归主运动中建立的教会一旦拥有十万信徒，具有本地的特色，在当地总人口中占有相当的比例，就会继续保持增长，形成良性循环。宣教士只要在教会有需要时适当地辅导协助，这果效会远超过宣教站策略可以想像的。

5. 群体归主运动的第五大优势是将基督徒生命的改变彰显出来。

成为基督徒不再是为了得到外国的资助，得以改善生活，而是让人看到一批内在品格因着神的能力带来改变的人。那些群体归主运动中得到良好栽培的教会，信徒时常敬拜神、喜欢聆听神的话语、甘愿奉献给教会、遵守教会纪律；牧师勤于牧养教会的属灵需要，教导信徒建立祷告和个人灵修的良好习惯，矫正他们以往的不良行为。在农村，当基督徒以自己建造的教会为中心，人们看到的是基督教信仰的主要特色；而不会把注意力放在基督教的机构或体制上。基督徒单纯就是"敬拜神的教会群体"；不是到"济世救人的医馆"，或是"给你好出路的学校"。一个基督教运动的健全与否在于人们是否活出了应有的样式，不仅要在非基督徒中间如此，也要向着教会领袖、宣教士和广大信徒见证主的大能。群体归主运动提供了最好的引人归主的模式，具有再生能力；这种模式在历史上出现的形式大同小异，在历史中为基督赢得了各个不同的族群。

研习问题

1. 请简述"福音桥梁"的意思。解释"福音桥梁"在宣教策略中起到的作用?

2. 群体决策是否有效?请说明其原因。解释"多人"作出决定的战略重要性?

3. 当马盖文写下《福音桥梁》一书时,"未得之民"一语尚未得到广泛使用。"群体归主运动"对于向"未得之民"宣教有何意义?

第54章　新马其顿——
开启普世宣教新纪元

温德（Ralph D. Winter）

本文是温德1974年七月在洛桑世界福音大会上发表的讲词。马盖文如此评论道："这是洛桑会议从1974年到2000年间基督信仰拓展最具意义的一篇论述。"他说："在世界性的福音大会上，温德博士有力地证明了一个事实：当今（1974年）世界上仍然有廿七亿人根本无法靠'向近邻传福音'的策略听到福音。只有当近文化（E-2）或跨文化（E-3）的福音勇士跨越文化、语言和地理障碍，努力学习其他文化和语言，数十年如一日言行并重传扬福音，建立不断繁衍增长又负责担当的基督教会，这些人最后才能听到基督的好消息。"

§　　§　　§

近年来，许多福音派信徒中间渐渐出现一种极为错误的认知，就是福音已经传到了地极！许多人认为至少从地域的角度而言，基督徒目前业已完成了大使命。这种错误认知，真是令人费解；是的，在这历史性的时刻，我们对各国的宣教先贤寄予无上敬意、引以为荣；因他们无私无畏的牺牲和英勇豪迈的壮举，将基督教的光芒遍洒全地，流传之广，任何宗教都无法匹敌。基督教会卓然屹立于世界各大洲广大的土地上，乃至每一个国家的疆土上都可见其动人的身姿，这些斐然成绩绝非信口开河。自从耶稣行走在加利利海边，我们比以往任何时候都更加确信基督的福音是惠及全人类的；不只是源于地中海地区或独属西方的宗教，无论何人都能借由自己的语言通达基督的真理。

这一切都千真万确，但遗憾的是许多基督徒因而认为教会既已在全世界遍地开花，宣教几乎大功告成，只需在本地现存教会奋力推进福音工作就好，何须浪迹天涯到海外各地去。甚至从普世基督教联盟（World Council of Churches）到全美各大宗派的教会，还有一些福音派的团体都骤下断言：现今尽可推拒传统的宣教策略，只

作者（1924-2009）任加州帕萨迪纳市前线差传团契总干事。曾在危地马拉高原的玛雅印第安人当中宣教十年，之后受邀担任富勒宣教学院的宣教学教授，又十年后，和妻子罗伯塔创办了前线差传团契，由此又成立了美国普世宣教中心及威廉·克里国际大学，二者都服事那些从事前线宣教工作的人员。

凭各处的基督徒在本地事奉就足以完成宣教大工了。

这就是为何在本地**传福音**受福音派人士一致支持的原因。大家在海外宣教策略上难有共识，但是较诸以往现在有越来越多的人在传福音上可以找到共同点，因为这似乎是唯一尚未完成的大业。好的，传福音还能有错吗？大多数人归信基督都是基督徒向近邻作见证的结果。这就是平常所说的传福音。

但最棘手的问题却是，在当今这个世界中，大多数非基督徒生活在文化上没有任何基督徒近邻的地方，要接触到他们，只有采取特别的"跨文化"传福音方式才有可能。

跨文化宣教乃当务之急

几个实例

让我们以一些实例来说明这个主题。我想到生活在**巴基斯坦**的好几十万基督徒，他们生活在穆斯林占人口总数97%的国家中；然而因为他们没有穆斯林背景，与穆斯林社群没什么关系，不利于向那些穆斯林见证福音；反过来说，穆斯林也非常憎恶以基督徒为主的社会阶层。有一个基督徒群体大胆宣称自己是**巴基斯坦教会**，另外一群基督徒则自称是**巴基斯坦长老教会**；他们以"国家"为教会命名，似乎在表明自己是属于这个国家的一部分。但是，如果他们与组成国家人口97%的穆斯林群体没有文化关联，那么实在难以把他们称为本土教会。因此，穆斯林虽然从**地域的角度**与这些基督徒是**近邻**，但**在文化上却不是**，常规的传福音策略就不

太奏效。

再以南印度教会为例，这间大型教会在上个世纪将许多教会的宣教工作整合起来。虽然称作是南印度教会，但是其95%的会友仅仅来自印度南部一百多个社会阶层（种姓）的其中五个而已；基督徒现今所采用的一般传福音策略还可以接触这五个社会阶层中的人，但是，若是教会想要赢得占当地人口95%的其他社会阶层，就是难之又难了，一定需要**另外的传福音策略**。

再以苏门答腊北部的巴塔克（Batak）教会为例。这间在印尼很有名的教会，一直积极向其他巴塔克人传福音，他们之间没有语言障碍问题，沟通理解都不成问题，可以直接、大量、有效地向巴塔克人传福音。但另一方面，由于印尼绝大多数人说不同的语言，是不一样的族群；苏门答腊北部的巴塔克基督徒如果要带领印尼其他地区的人归主，必然需要截然不同的宣教方式和传福音策略。

再来看看印度东北部著名的那加兰邦（Nagaland）的教会。多年以前，美国宣教士从阿萨姆（Assam）的平原进入那加山区，带领一些阿奥那加人（Ao Nagas）归主，这些阿奥那加信徒几乎带领整个部落归主；接下来，阿奥那加信徒又带领邻近说相近语言的山特单姆那加（Santdam Naga）部落的人信主。这些刚归主的山特单姆那加信徒继而引领全部落的人信主，这样的连锁反应不断延续，最后十四个那加部落中大部分的人都成为基督徒；如今整个那加兰邦的绝大多数人都是基督徒，甚至连邦政府的官员也是基督徒，于是他们很想到印度其他地方传福音。然

而，若是这些那加兰邦基督徒前往印度其他地方带领人归主，难度不下于英国人、韩国人或巴西人来到印度作海外宣教。虽然那加兰邦基督徒与来自其他国家的宣教士相比，具有本国人的优势，但并不因此就更容易学习印度其他的方言——就算是印度一百多种完全不同的语言中的任何一种！这是一件特别的工作，跟之前传福音的情况截然不同。

换句话说，如果那加人要向印度的其他族群传福音，他们需要采取截然不同的传福音策略。最容易的传福音方式就是用自己的语言向同族的人传讲，这样的方式对他们现在来说已经不太需要；第二种传福音的方式也不算太困难，就是去到邻近的那加部落中间，因为两种语言比较相近；第三种传福音的方式更为困难，就是前往印度更远的地区带领人归主。

传福音的不同方式

现在让我们给不同的传福音方式取个名称。阿奥那加信徒带领另外一个同族的阿奥人归主，这叫作**E-1模式**，是**同文化布道**；而这个阿奥人跨过部落边界，向另外一个相近的山特单姆部落人传福音，这叫作**E-2模式**，是**近文化布道**。E-2 模式就不那么容易，需要运用不同的技巧。但是，如果阿奥那加信徒前往印度其他地方、讲另外一种完全不同的语言的人们中间，如特里古族（Telegu）、科尔胡族（Korhu）或毕里族（Bhili），所从事的宣教工作比 E-1 甚至 E-2 的难度更大。我们称之为**E-3模式**：**跨文化布道**。

让我们把这些不同的宣教术语用在其他地方。以台湾为例。台湾也有不同族群的人们，在中国大陆说普通话的人大量涌入之前，就已经有以闽南人为主的居民住在那里了；此外，还有一大部分早期从大陆来到台湾的客家人，在岛内的高山上还居住着几十万的原住民，他们说的是马来－波利尼西亚（Malayo-Polynesian）支系的语言，与中文有天壤之别。如果一个从大陆过来的台湾基督徒带领其他从大陆来的人归主，这就是 E-1；如果他带领一个闽南人或客家人归主就是 E-2；如果他带领一个原住民归主，那就是 E-3。我们需要谨记，E-3 是最复杂困难的工作，要跨越更大的**文化**距离。

到目前为止我们只提到了语言的差异。我们还需要了解其他障碍，才能清楚拟定传福音的策略。以日本为例，人人都说日语，不像中文，方言那么多；但日本却有极大的社会阶层差异，跨越阶层的藩篱赢得另外阶层的人，不是一件容易的事情。日本跟印度很像，社会阶层的差异通常比语言的差异对传福音产生的影响更大；日本的基督徒传福音要有 E-1 同文化层面的社会交往，也有更多接触的 E-2 近文化层面的交往。那么从日本差派出去的宣教士到世界其他地方的非日本人中间，讲的是完全不同的语言，他们所做的就属于 E-3 跨文化类型的福音工作。

最后分享我自己的经验。我的母语是英语，在中美洲生活和工作了十年，大多数时间在危地马拉度过；那里的官方语言是西班牙语，但大多数人讲的是土著语马雅语系（Mayan family）中的一些方言。因此，我得学习两种语言；西班牙语中有 60% 的词汇与英语相近，学习西班牙语不难。在学习西班牙语的同时，我逐渐熟悉延伸到这新世界中的欧洲文化，理解说西班牙语的人们的生活习惯不是一件十分困难的事情；与西班牙语相比，学习我们所在地区的马雅语就困难多了。在日常生活中，我需要从英语转到西班牙语，再换到马雅语，这让我深深感受到三种不同的"文化距离"。当我与一个和平队的队员用英语谈论基督时，我所做的是E-1同文化传福音方式。当我用西班牙语与危地马拉人谈论时，我做的是E-2近文化传福音方式。但当我用马雅语与印第安人谈论基督时，我所做的就是更为艰巨的E-3传福音方式。

现在我住在美国南加州，大多数交往的圈子都处于E-1同文化这个层面。但是如果我在说西班牙语的几百万人中与人谈论基督，我一定要采用E-2近文化方式。在洛杉矶有三万纳瓦霍（Navajo）印第安人。倘若我还学会了纳瓦霍语，与他们中的一些人谈论基督，那我所做的就是E-3跨文化的布道。对我而言，向来自香港说广东话的难民分享基督的好消息，就是做E-3跨文化的福音工作。请留意，对于我而言是E-3跨文化的工作，对于另外的人则可能是E-2近文化；在美国出生的华人如果熟悉说广东话社群的次文化，那么他们向香港难民传福音就是E-2近文化的福音工作。

这次洛桑大会与会的各位都有自己的E-1同文化的圈子，你可以说自己的语言，在这个文化中本能地反应沟通。我们大家或许同时又接触E-2近文化层面的人，语言有些不同、文化模式也不太一样，与他们的沟通难度就大一些。我们需

要跳出自己既有的模式，真诚的尝试、倾注心力才能赢得他们；尤为重要的是，他们归主之后来到我们习惯的教会中还不容易感到自在。所以如果能够在自己同族人中间找到基督徒团契，属灵成长就会更快。在传福音的工作上，他们在自己的团契中也更有可能赢得同类社会圈子中的人。最后，参加这次洛桑大会的每一位都有自己的E-3跨文化传福音的层面，世界上许多语言和文化对我们都是那样陌生、那样遥远。试想如果我们去做E-3跨越文化的福音工作，要花多少力气、克服多少障碍才能让人明白我们所讲的信息？

总而言之，基督教宣教运动的扩展最好的基本模式，首先要透过E-2近文化和E-3跨越文化的重重障碍进入新的社群中，建立强壮、持续成长、充满活力的传福音的教会体系，然后让这一本土教会在E-1同文化层面积极推动有效的传福音工作。由此，我们坚信除了在各个部落和民族当中建立起积极传福音的强壮教会，让他们在同族群中积极展开E-1同文化层面的福音工作，仍必须从外部加强推动E-2近文化和E-3跨文化布道。

跨文化宣教：圣经怎么说

至此，我们需要深究圣经对这个问题的看法。圣经是否看重文化差异的问题？我们是否应该多花时间和精力探究这个问题？在如此重要的大会上，文化距离是否是一个值得提出来探讨的主题？让我们都转向圣经，看看圣经是如何教导的。

徒一章8节：强调文化距离

我们需要查考一下使徒行传第一章的那段关键经文，这也是本次大会紧紧围绕的中心：主耶稣向门徒指明了神看重宣教事工的普世性："在耶路撒冷、犹太全地、撒玛利亚，直到地极。"这节经文以及圣经中其他相辅的经文正是我们今天聚集在此的原因，因着圣经中的这一命令，我们才有必要举行这样的世界福音会；正是秉承使万民作主门徒的重托，我们才会如此齐心协力、众志成城。不过值得注意的是，主耶稣并没有概括性地将整个世界纳入祂的宣教计划，而是依据与听众的距离远近特别指出世界的几大部分。在另外的场合主耶稣只是简单地说："你们到全世界去。"但是在这段经文中，祂将宣教重任划分为不同的成分。

乍一看，你可能以为耶稣只是在讲地域上的延伸，但是细看就会发现，祂不只是讲到**地理距离**，也在讲**文化距离**。理解这节经文的关键在于其中提到的**撒玛利亚**。所幸，圣经确切详实地记载了犹太人向撒玛利亚人传福音面临的种种问题，使我们能领会主耶稣在此提到撒玛利亚的用意——我指的是耶稣与井边的妇人谈道这则脍炙人口的故事。从地理的角度而言，撒玛利亚距离犹太地并不远，那里是耶稣从加利利到耶路撒冷的必经之地；然而当耶稣与这撒玛利亚妇人谈话时，祂显然需要克服相当大的文化障碍。尽管从语言上撒玛利亚妇人与犹太人很接近，耶稣完全能够听懂她说的话，但是她的回答即刻让我们看到在她心目中犹太人和撒玛利亚人之间存在着重大差别，他们分别在不同的地方敬拜。耶稣并没否认这个差别，而是接受差异的存在，但是继而指出犹太人和撒玛利亚人的敬拜模式都是有限的，从而引入超越文化限制的话题。祂克服文化距离，一语道破这位妇人的心声。

在旁观望的门徒们对此大惑不解。他们即便明白神爱撒玛利亚人，但是很可能难以跨越文化差异的鸿沟。即使他们努力尝试，但仍然没办法敏锐地绕过这些差异，直奔问题的核心，也就是这位妇人的心声。

保罗在向文化距离更大的希腊人传福音时，也按着耶稣这样的宣教原则行事。当有人传言，保罗对割礼置之不顾——这是犹太人乃至犹太基督徒都极为看重的文化特征，可以想像当时虔诚的犹太基督徒是何等地震惊！他们听说保罗单刀直入地传讲说："与活在基督里相比，受割礼不受割礼都不重要；要紧的是相信基督，奉祂的名受洗，被祂的圣灵充满，属于基督的身体。"

我们在此需要对文化距离和**偏见高墙**加以仔细区分。犹太人与撒玛利亚人是近亲，之间却存在偏见的高墙；对于希腊人，他们不敬拜同一位神，犹太人与他们之间的文化距离照理应该会大过犹太人和撒玛利亚人的距离。可是很奇怪，有时向亲朋好友传福音反而特别困难！例如，一位犹太基督徒向撒玛利亚人传福音，应该比较了解撒玛利亚人，而向希腊人传福音则可能不容易沟通；然而这位犹太基督徒倒可能遭到撒玛利亚人憎恶，希腊人反而不会。现今在北爱尔兰贝尔法斯特（Belfast）的问题主要就在于偏见，不是文化距离。设想一个在贝尔法斯特长大的更正教徒，想要向一个挂名的天主教徒和一个来自印度东部的人作见证；他虽然很容易听懂天主教同胞说的话，但相较而言，那位来自印度东部的人对他却无甚偏见。一般说来，跨越文化距离比攀越偏见高墙的难度还小得多。

但是回到我们刚才那段核心经文，耶稣提到**从犹太全地和撒玛利亚直到地极**。显而易见，祂所指的既不是地理上的距离，也不是偏见的高墙。如果祂真是强调族群之间的偏见，那祂会把撒玛利亚列在最后，并且会这样说："从犹太全地直到地极，甚至撒玛利亚。"由此看来，祂更可能把**文化距离**作为主要因素。所以当我们奋力完成主耶稣早已吩咐的宣教使命时，应当更为关注文化距离；拟定普世宣教的策略时，也务必谨慎考虑主耶稣所强调的文化距离。

在耶路撒冷和犹太全地传福音看来就是我们所说的**E-1同文化模式**，是向相同文化和语言的群体传福音，只需跨过基督徒群体与其周围世界的界限。这是向"近邻传福音"的策略。我们无论是什么人，生活在什么地方，都有邻居和熟人可以向他们作见证，无须学习任何外语，也没有什么文化距离。这就是我们常说的传福音，也是大多数福音会议、培灵特会所谈的传福音策略。但是本次大会与之前所有的福音大会有一个不同点，就是突出**跨越文化边界**在普世宣教中的必要性，此次的主旨不单单局限于探讨在耶路撒冷和犹太全地传福音的问题。

耶稣提到的第二个地域就是撒玛利亚。圣经向我们显示，虽然主耶稣和门徒与撒玛利亚人沟通并不难，但是犹太人和

撒玛利亚人之间存在很深的隔阂，不仅语言上略有不同，其他的文化差异更为**显著**。这就是**E-2近文化模式**，因为涉及到跨越**第二层**文化边界；首先，他们需要跨越E-1模式中从教会走向世界的第一层界限，接下来还要跨越文化和语言差异（虽不是很大）的界限。这就是我们所说的E-2模式。

我们所说的**E-3跨文化模式**涉及更大的文化距离。这是完成耶稣所吩咐的把福音传到**第三层**范围——"地极"——的重任必不可少的宣教策略。在这里，宣教士接触的人跟他们在家乡时的生活、工作、言谈和语言思想、文化模式都迥然不同。

如果犹太基督徒与撒玛利亚之外的人完全没有来往，如果说犹太基督徒需要跨越两层文化边界才可以向撒玛利亚人传福音（因此称为E-2模式），那么他们必须跨越三层边界才可以向更为不同的人群传福音，把这样的工作称为E-3模式是很合理的。

远近亲疏，因人而异

明白耶稣在此区隔的远近亲疏的关系至关重要。祂关注的不是地域上的远近，而是文化上的距离，这对于我们今天的宣教策略意义非同一般。耶稣的主旨并非在于撒玛利亚在历史中将一直成为特别关注之地，一个信徒的犹太地很可能是另外一人的撒玛利亚。以保罗为例，他虽然身为犹太人，但是毫无疑问地比彼得更加容易跨越文化距离向希腊人传福音，因为保罗比彼得更加熟悉希腊世界；借用我们上面提到的这些传福音的术语，E-1 是向邻近

的人传福音，E-2 是向较近的人传福音，E-3 则是向较远的人传福音，当然这些都是指着文化距离，而非地理距离而言的；由此，我们可以说保罗向希腊人传福音，他们之间只有 E-2 近文化的距离，而彼得与希腊人之间却有 E-3 跨文化的距离。对于路加而言，因为他本来就是希腊人，所以他向希腊人传福音就只是 E-1 同文化的。因此，对彼得来说较远的，对路加来说则很近。反之亦然，向犹太人传福音，对彼得来说是 E-1，但对路加来说就变成 E-3 了。或许正是因为保罗在文化上更为贴近外族人，所以主耶稣就差遣保罗，而不是彼得到外族人中间传福音。同理，我们看到保罗需要跨越 E-2 的距离向希腊人传福音；相对而言，就比路加、提多和以巴弗提这样的本土希腊人更为受限。可是他出于传福音的策略，只要可能，都会及时把事工委托给诸如路加、提多和以巴弗提这样的本土同工，这是很有智慧的；保罗身为那里的犹太人，通常每到一个新城市都会去到那里的犹太会堂，然后以它为基地，以 E-1 的方式，充分利用文化相同的沟通效力，以纯正的犹太口音向犹太人大有能力地宣讲福音。

当然我们必须承认，在其他条件相等的前提下，就沟通而言，本地领袖总是比外来的宣教士容易。宣教士们从阿萨姆平原进到那加山地后，福音一旦打开局面，宣教士一定要比阿奥那加信徒付出更多的辛劳，才能赢得阿奥那加人归主。第一位向巴塔克人传福音的德国宣教士，一定经历了许多艰难；后来当教会建立起来之后，基督信仰在巴塔克人之间的传递就容易得多了。人在自己的族群中间传福音的

E-1 模式，是最具潜能的传福音策略！人们听福音喜欢听到用自己语言传讲的，我们是否相信神要他们从那些不带任何口音的人口中听到福音呢？外国宣教士纵然能够与人沟通，但这还不是最理想的情形。如果美国人有超过卅种新约译本供他们选读，甚至还有一本口语化的英文圣经译本（Living Bible），那么为何世界上许多族群要阅读一本由外国人翻译的圣经呢？这些译本让他们读起来非常别扭。

只要世界各地的基督徒乐意走出教会去向人传福音，带领文化不同的近邻归主，普世宣教运动就会在现今昂扬前进，一路高歌。本土的基督徒比海外的宣教士在此更有用武之地，如果我们向那些本土基督徒能够大显身手的地方继续差派宣教士，我们就违反了基督赐下的宣教策略。本地基督徒中一旦兴起了讲道出色的牧者，海外的宣教士就没有理由继续占据讲台。如果本地基督徒已经在做 E-1 的工作，而且很有效，宣教士就没有理由在同样的人群中继续做 E-3 的工作。

在其他条件相同的情况下，E-1 的策略确实比 E-2 或 E-3 更为有力；正因此让人误解，这么说基督徒已经分布于全世界，E-3 不就过时了吗？以至于美国的一些主要宗派断言，如今已经不再需要差遣宣教士出去传福音，没有必要让宣教士离开家乡去到另一个国家，在一种完全陌生的语言和文化环境中挣扎沉浮，他们提出的理由是"那里已经有基督徒了"；再说，美金大幅贬值、美国教会资金紧缩，一些宗派不得不削减宣教活动，甚至到了不可思议的地步。他们声称现在是本地教会接手独立的时候了，并且 E-1 模式是最

有效的，以此聊以自慰。那我们对这样的情况当如何回应呢？我们当然赞同，假如本土基督徒能够有效地传福音，确实没有什么策略比E-1更为有效。

E-1同文化传福音模式的确有优势，但是不能因此忽略另外一个显然的事实：如果在同一语言或文化群体内没有作见证的人，那么就不可能有E-1同文化的福音工作；就像假如已经有撒玛利亚基督徒向这个撒玛利亚妇人传福音，那么主耶稣根本就无须亲自向她作见证。在埃塞俄比亚（埃提阿伯）的太监归主的故事中，我们可以推测，一个埃塞俄比亚基督徒向他传福音一定会比腓利传福音更加有效。但问题是首先必须有非埃塞俄比亚人向埃塞俄比亚人传福音，埃塞俄比亚有了基督徒，然后才能在自己的族群中启动E-1。这种具开创性，又能自发倍增的工作，正是宣教士应当承担的主要任务；然后宣教士的角色在这过程中逐渐隐退，而本地领袖逐渐发挥。是主耶稣所作的E-2宣教在这个撒玛利亚城中开启了E-1的工作，是腓利向埃塞俄比亚太监所做的E-2见证在埃塞俄比亚开启了E-1的工作；假定那位埃塞俄比亚太监是一个埃塞俄比亚犹太人，那么在埃塞俄比亚的E-1同族社群不是很大，而向非犹太的埃塞俄比亚人传福音也不会很有效。事实上，学者认为今天的埃塞俄比亚教会是后期的宣教士努力的结果；他们采用的是E-3跨文化策略，直接进入埃塞俄比亚人当中传福音。

因此，无论是圣经的教导还是近代宣教史中的实例，无不证明我们得出以下相同的结论：

> **本地基督徒中一旦兴起了讲道出色的牧者，海外的宣教士就没有理由继续占据讲台。**

E-1强劲有力，E-3必不可少

基督教宣教运动的扩展最好的基本模式，首先有赖于E-2近文化和E-3跨越文化的重重障碍进入新的社群中，建立强壮、持续成长、充满活力的传福音与教会体系，然后让这一本土教会在E-1同文化层面积极推动有效的传福音工作。由此，我们坚信除了在各个部落和民族当中建立起积极传福音的强大教会，让他们在同族群中积极展开E-1同文化层面的福音工作，仍必须从外部加强推动E-2近文化和E-3跨文化布道。

从这个角度来看，未竟之业还有多大呢？

跨文化宣教：艰巨的重任

可惜，大多数基督徒并不清楚了解世界上还有多少族群当中还没有E-1同文化的传福音模式。幸而本次大会的先行研究工作已经慎重地提出这些问题：世界上还有哪些部落、族群和语言单元尚未有福音深入其中？如果有，他们居住在何处？数目有多少？谁能够去向他们传福音？这些初步研究表明跨文化传福音仍然是第一要

务。这样的宣教重任不仅没有过时，实情更是令人震惊：当今世界上五分之四的非基督徒是 E-1 模式不可能接触到的。

"族群盲"

为什么这一事实鲜为人知？本人以为，我们为着福音已经进入世界上的每一个**国家**而欢喜雀跃，使人误以为福音已经深入每一种**文化**之中。这种误解仿佛一种滋生甚广的疾病，值得冠以"族群盲"（people blindness）之名，这个词语指人们茫然不见在各个国家中还有各种各样的**族群**；笔者还需指出，这种疾病在美国及美国宣教士当中尤为严重。我们用正确的圣经翻译就会让这点一目了然。耶稣所说的"万民"主要是指当时在罗马政权统治之下各个不同的民族群体。五旬节在场的各地**人们**（nations）代表的不是不同的**国家**（countries），而是不同的**族群**（peoples）。马太福音中的大使命讲到"去使万民（*ethne*，族群之意）作我的门徒"，这不是说当各国都有自己的教会时我们就可以与这个命令脱了关系。相反地，**神渴望在每一个族群中建立起强壮的教会！**

"族群盲"蒙蔽了我们，使我们对各个国家中存在的小群体视而不见，而这些小群体对我们如何制定有效的传福音策略举足轻重。一旦去除"族群盲"这一弊病，用马盖文（D. A. MaGavran）的话说，我们就会看到这个社会是一个多姿多彩的拼图。但是，只要我们还没有去除这一疾病，我们仍然会把对教会或族群合一的合理期望与要求一致的不合理的目标混为一谈；显然，神乐于看到世界的多样性，但这多样性意味着传福音工作一定会更加困难。人类社会这一复杂的拼图被每一个民族和文化区块分割成许多部分，其中五分之四的人都没有基督徒可以用 E-1 模式向同文化的人传福音；单是在非洲和亚洲，据估计就有十九亿九千三百万人，根本没有接触过任何福音的见证。然而，任务的艰巨还不仅仅是其"庞大的数字"而已，跨文化宣教任务的艰巨从此可见一斑。

美国本土极需 E-2 模式

现在问题的关键不是重新诠释大使命，使人认识到其中的"万民"不是指国家，而是指族群；让他们成为宣教事工的目标人群，这项任务的巨大远比想像更为严峻！E-2 和 E-3 模式的复杂性，愈发加重了宣教重任的难度。就我现在生活的美国而言，大多数未信基督的人士，即便在这个国家也不太容易融入现有的各式教会中。我们对此有何预备呢？美国北部的绝大多数教会都是中产阶级的，蓝领人士不会问津。福音布道大会可能吸引数以千计的人们涌进大礼堂，人们也可能在家中看电视布道归信基督；但是刚归信的人除非已经熟悉教会，否则还是无法在其中找到归属感，他们的信仰就会随流失去。当今的美国基督徒若要坐在自己舒适安逸、带有中产阶级品位的教堂座椅上，等待世人归向基督，来到他们当中，那注定是遥遥无期的事情。唯一可行的办法就是采取 E-2 近文化的传福音模式，即**出去寻找群羊，并帮助他们建立适合自己的教会**，否则美国的福音工作将面临有去无回、徒劳无功的局面。其实这种情况已在眼前。你也许会说，许多不去教会的人与教会之中的人背景相同；此话不假。但同时，还有更多的人来自不同的文化背景，即使成为热心的基督徒，也不会在现有的教会中感到自在。

在美国，你驾车出行五千公里之外，仍然可以使用同样的语言交流；然而，从传福音的角度而言，美国是名符其实的文化万花筒。世界上的大多数其他国家不也如此吗？美国各地的广播电台，用四十多种不同的语言制作节目；人们之间除了语言不同之外，还有许多同等重要的社会和文化差异。语言差异绝对不是人们沟通的最大障碍。

新近在美国兴起的"耶稣群众运动"（Jesus People Movement）声势浩大，在各地建立了好几百个新的教会群体。这一现象突显了E-2模式中建立全新的敬拜群体的需要。他们并非说的语言不同，而是他们的生活方式迥异，因而需要别具一格的敬拜方式。不少美国教会尝试在敬拜中采用吉他伴奏，融入一些像"耶稣群众运动"那种随意、不拘一格的敬拜特色。但是，单个教会所说的语言和生活方式实在有限。谁知道许多在葛培理的伦敦布道大会上决志的"潇洒飙车族"（mods）和"摇滚一族"（rockers）的年轻人后来到底怎么样了？一方面，现有教会与这类群体之间存在相当的文化距离；另一方面，我们也可能没适当的E-2近文化布道策略，让这些新信主的人组成全新的教会群体。E-2这一"另起炉灶"的特质使得跨文化宣教的重任变得愈发艰巨，但这是绝对必要的。让我们再来看一个人人皆知的事例。

约翰·卫斯理向英格兰的矿工传福音，由此生成了一个个全新的敬拜群体，宣教成果得以保存下来。要不是他极力鼓励让底层人士以他们的方式聚集在一起，吟唱他们自己的诗歌，与他那样的人交往，就不会出现循道运动（Methodist Movement）。此外，如果这些人不是采用E-2的传福音策略，他们就不会带领更多的人归主，也不会在这个新的社会阶层中以如此惊人的速度继续扩展福音，震撼了整个英国，彻底改变了英国。教会也受到极大的震撼！当时教会很少有人乐见卫斯理与矿工接触，而更少人觉得矿工应当有自己独立的教会！

明晰的程序之别

我们最好在此对E-1同文化和E-2近文化的传福音模式作出程序上的清楚区分。我们已经看到了E-2，就是向那些与现有教会成员背景有明显差异的群体传福音，需要组成自己的敬拜群体，以便赢得更多同背景的人。约翰福音第四章39节告诉我们："因着那妇人作见证的话……那城里就有许多撒玛利亚人信了耶稣。"耶稣很敏锐地用E-2的策略向这个妇人传福音，这个妇人转而又用E-1模式向城里的亲友传福音，可以看出是很有果效的。设想耶稣告诉她要去到犹太人中间与他们一同敬拜，她也听从了耶稣的话，那么她要带领城里的亲友归主会遭遇多大的障碍？主耶稣也许刻意避开了在何处敬拜以及与什么基督徒交往等问题，这些问题以后会碰到。结果，那些相信了妇人所作见证的撒玛利亚人迈出了额外的一步，邀请这位"犹太人"耶稣与他们同住了两天。

这位"犹太人"仍然没有要把他们变成犹太人，祂知道自己是站在E-2的文化距离上事奉；祂也深知，如果让他们建立自己的信仰群体，那么这次事奉的成果就能得到最好的保存，也会赢得更多人归主。

我们还可以进一步区分耶稣在撒玛利亚传道的文化距离和所谓"代沟"所产生的差异。但对于传福音的事工而言，无论是文化、语言或者年龄差异带来的影响都一样；也就是说，无论差异的起因如何、存在的长久与否、人们的褒贬如何，E-2策略的程序运作都非常相似。当我们建立新的信仰团契时，那就要从E-2的策略入手。听说在菲律宾有青年人建立的教会，在新加坡有十个由脱离传统教会的青年人组建的会众群体。我们当然希望年龄层相近的人组成的团契，与现有教会关系好；不过，若是当中存在的代沟问题比较严重，允许这种特殊团契有适当的自由度按着自己的方式运作，就能赢得更多与社会疏远的年轻人。这未尝不是一个很好的起点。

因为**年龄差距**而暂时性地单独聚在一起，我们可以为此采用相应的E-2近文化传福音策略。但是**文化差异**更为深刻和持久，是更艰巨的跨文化宣教重任。在这一点上，有人会说真正的跨文化宣教已经讲得太离谱了；在此，我们宁愿不为人理解，也要大胆地直抒胸臆。在全世界有多少专门性宣教工作不断突破文化障碍，为主赢得异域文化的人，不论是一个个地，还是一群一群人归信基督；难处不在赢得人的灵魂，而是在如何恰当地突破文化障碍跟进新信徒的灵命成长。现有教会充其量在传福音的工作上一起合作，但是不会考虑让宣教机构在此停留太久，召聚这些人成立他们自己的教会。他们误以为归信基督就要加入现有的教会！这样几个为数不多的新信徒，如果加入现有教会，无非只能为他们锦上添花；但是，如果好好运用E-2近文化的策略，让他们组成自己的教会，就会在原本没有教会的社会中注入新的活力。

穆斯林和印度教两大领域

除了中国大陆之外，穆斯林和印度教徒是两个最大的群体，可是非常缺乏有效的跨文化宣教工作。本文最后部分将集中论述这两个群体，他们人口的总和远远超过十亿。

我们之前提到，一位穆斯林归信基督之后，在常规的巴勒斯坦长老教会中感到相对不自在。几百年来，穆斯林和印度教徒之间心存芥蒂、彼此猜忌；这让穆斯林很难在从前信奉印度教的印度人教会中受到欢迎，即使是归信基督之后的穆斯林也是如此。现今的巴基斯坦基督徒（从前差不多都信奉印度教），尝试吸纳归信基督的穆斯林融入教会的努力，一直没有成功；更不用想穆斯林归信基督之后，还可以单独组成自己的教会。如此的僵局严重耽延了E-2向近文化穆斯林的福音事工，而世界上还有人数惊人的六亿六千四百万穆斯林（1974年资料），令人痛心。但在麦加以东、相隔甚远的印尼部分地区，已有不少穆斯林成为基督徒，因为他们没有勉强新信徒加入另外一种文化的基督徒群体中；与此相仿，在麦加以西，相隔甚远的非洲中部地区的乍得（Chad）湖的岛屿上，我们得知有几位穆斯林成为基督徒，他们依然一天五次向基督祷告，在穆斯林例行的星期五伊斯兰教的崇拜时间到基督教会礼拜。这两个事例都表明穆斯林可以成为基督徒，却不一定必须经历严重的文化移植。如果我们像保罗一样细致敏感地处理跨文化的问题，没有强求希腊人成为犹太人才可以得到神的接纳，那么一定能找到一扇崭新的敞开大门，让穆斯林能够进入基督的国度。

虽然向"近邻"传福音的事工常常受印度当地的偏见所阻碍，但是我们同样可以看到大量的**新机会**。文化距离更远的印度人照样可以采用 E-2 近文化或 E-3 跨文化的福音策略，跳脱当地的歧视，在一百多个福音尚未触及到的种姓中建立教会。宣教事工忽视偏见这一因素极不明智，因为偏见的存在加大了文化距离，为 E-2 近文化传福音模式设置更多的障碍，增加宣教难度。在偏见严重的地方，E-2 比 E-3 更为艰难。换句话说，在印度南部长大但来自社会下层的基督徒因受社会根深蒂固的歧视，可能不如来自那加兰邦或喀拉拉（Karara）邦受过良好教育的学者，更能有效地向当地中产阶级的印度教徒传福音，虽然他们没有语言障碍的问题。但是谁又愿意指出这一事实呢？很讽刺的是，尽管非西方世界的基督徒都逐渐意识到他们不需要西化才能成为基督徒，但是他们并没有及时醒觉到当他们跨越文化向当地其他的族群传福音时，也要容许他人拥有相同的自由，决定建立有自己文化特色的教会。

无论如何，宣教事工虽然任重道远，但是机会的大门却在向我们敞开。六亿穆斯林在召唤更有创意的传福音策略；另有五亿印度教徒面临着成为基督徒的极大障碍，这障碍与福音本身深刻的属灵意义没有关联。明眼人都能看出，有一亿中产阶级的印度人在迎接、等候成为基督徒的机会，只是还没有教会尊重他们的饮食习惯和文化风俗，可以让他们加入。神的国在乎吃喝吗？不遗余力地贯彻 E-2 和 E-3 的传福音策略，并非就是降低标准或淡化福音，而是剥离与纯粹福音不相干的细枝末节，让福音核心能清楚无误地显明出来。毫无疑问，不是人人都能够胜任如此特别的使命；我们知道最终确实需要更多的人手从事 E-1 层面的福音工作，才能完成使命。但是今天宣教事工中最为优先考虑的，应当是认识跨文化的重要性，并有 E-2 和 E-3 策略的敏感度，快快呼召远方跨越文化距离的宣教士投入这些有需要的地方。现今世界上五分之四的非基督徒没有任何直接成为基督徒的机会，除非基督徒主动在跨文化宣教的路上跨出一大步。这是我们的第一要务，岂可视而不见？

跨文化宣教的神学依据？

这是人们常问的神学问题，非常深奥，我要用余下的时间对此加以探讨。大家在回应文章中问的形式虽不同，实质上是同一个问题："如果依循这样的跨文化宣教路径，让同一地区的不同文化群体各自建立相应的教会，那是否会破坏大家在基督里的合一？"我靠着圣灵，忠于神的话语，并尝试跳脱世俗的影响，在此要大胆地提出我直到几年前都还不明白也不能接受的新观点。我在美国长大，这个国家可以说把族群融合奉为宗教，人们不假思索地认定至终人人都会讲英文，不应当讲

> ## 基督徒的合一不能损害基督徒的自由，否则就是不健康的合一。

其他任何语言。我曾以为，国家与国家之间的文化差异令人生厌，而一国之内有千奇百态的文化更像邪恶一样，必须去除净尽。我无意将任何人排斥在教会之外（至今仍然如此），但是下意识地认定无论是黑人、白人还是墨西哥裔，最终都要进到纯粹以盎格鲁撒克逊白人为主导的更正教教会中，学会我认为最得当的行事为人之道。

许多宣教士依照这样的美式基督教思维定势，认为一国之中只能有一种本土教会，哪怕某些次文化的小社群也不应当有自己的教会。这些心诚意笃的宣教士认定在美国国内教会宗派多元化，是一个要避之唯恐不及的罪。他们认为美国**南方**浸信会无须插足印度**北部**，但是现今的实情却是，就在波士顿的许多盎格鲁白人依然在教会中苦等阿拉伯人和日本人进入教会的时候，美南浸信会的教会却已经直接去到美国北部，在那里建立了阿拉伯教会、日本教会、葡萄牙教会、希腊教会和波兰教会。这些数以百计的盎格鲁白人教会，还在满怀希望期待这些人能够融入他们的生活方式，却眼睁睁地看着各式各样的教会破土而出。盎格鲁白人教会虽有宣教热诚，但缺乏推动 E-2 和 E-3 宣教策略的远见，有远见的人士如同凤毛麟角。

求同存异：基督徒的合一与自由

我在这个问题上纠缠多年，今天我不是不再看重不同民族和文化之间的合一和团契，而是更意识到基督徒的合一，不能损害基督徒的自由，否则就是不健康的合一。讲到传福音领人归主，我们必须深究，是将一种外在的模式强加于如巴基斯坦那样的穆斯林文化之上更为重要呢，还是让生活在各自殊异的文化框架中的人清楚明白福音更为重要？我们能否放下自己一统基督教的想法，而把眼光冀望在传扬福音能卓有成效上？我个人愈加坚信信仰里合一团契并不是强求统整划一，无论是人类社会还是**普世基督教会**都必定存在健康美好的多样性。我把普世教会视为一个庞大的交响乐队，无须要求每个新来的乐手都拉小提琴；我们力邀大家来演奏同一首曲子，那就是神的话，但是各人弹奏自己的乐器，汇聚成一曲美妙动人的天籁之音。当风格迥异的各类乐器不断融入，乐队就以百川归海之势奏出神的雄壮凯歌。

使徒保罗的典范

有人会说："好了，我们懂你的意思，不过使徒保罗又是如何做的呢？他是要求主人和奴仆分属各自不同的教会吗？"在保罗·迈尼尔（Paul Minear）最近发表的专著《信而顺服》（*The Obedience of Faith*）中，作者提出当时的罗马城中很可能有五个不同的基督教会，信徒总数有三千人。保罗所写的罗马书实际上是写给城中的多间教会的，迈尼尔同时指出这些教会各不相同，有的教会由清一色的犹太基督徒组成，其他教会（占绝大多数）几乎完全由外族基督徒构成；也就是说，"当我们想到罗马的教会时，脑海里浮现的不应当是一个单一的基督徒群体。罗马城区中就很有可能并存风格各异的基督徒群体，他们如同加拉太和犹太地的其他众多教会一样各具特色，甚至可能完全不同。"不论罗马城中的教会如何，保罗在宣教旅行途中面对的是新近涌现的家庭式教会，一大家人不分主仆尊卑都聚在一起敬拜神。我们很难相信保罗故意割裂信徒群体；然而，我们都知道他在有些地方采用完全不同的策略。他把"那些在律法之下的和那些不在律法之下的"加以区分，举例来说：他在加拉太人中间建立一个非犹太人教会，就与其他地方的犹太人教会判然不同；我们之所以如此说，是因为犹太基督徒尾随保罗到了加拉太，强行要求那里的信徒依循犹太基督徒的信仰模式。加拉太教会是一个极好的实例，让我们看到保罗不可能既要求信徒奉行犹太基督徒生活规条，又要依顺希腊（或者凯尔特族）群体的要求。

保罗写给加拉太教会的书信进而指出，他定意让加拉太的基督徒依照不同的生活方式实践信仰。圣经中没有提到他强迫人分开聚会，只看到保罗带着属天的勇气，反对任何人利用文化来保全单一的基督徒生活范式的意图，阻挠他人用自己的语言和文化形式来敬拜神和作见证。圣经让我们看到保罗是一个跨文化宣教的典范，他竭尽全力保障从不同文化背景中归信基督的人在基督里得享自由。

保罗在安提阿勇敢指正彼得的错误，再次让我们看到他一贯刚正不阿地捍卫基督徒的自由。彼得原是一个加利利的犹太人，或许在某种程度上也算具有双重文

化，对于安提阿教会中显著的希腊化生活方式并非一无所知；事实上，在其他的犹太基督徒到来之前，他在其中怡然自得，并未感到不自在。但这些人来到之后，彼得就面临抉择了：他是要固守犹太传统，还是要接纳希腊习俗？在这紧要关头他却摇摆不定。他缺乏的到底是神圣灵的力量还是神的大爱？抑或是尚未全然领悟神爱的方式？彼得并不质疑希腊化教会的正统性，在固守犹太教的犹太同胞露面以前，他对此体认不讳；彼得真正感到痛苦的，是让人看出他跨界游走于不同的信仰群体之间，现今的我们看得很明白：新约时代的教会中并存着两大截然不同的信徒群体，彼得被视为向受割礼的犹太人传福音的使徒，而保罗则是向未受割礼的外族人传福音的使徒。彼得比较容易与犹太人认同，但是感到极难向他们说清楚自己在哥尼流家中的经历，如何让他认识到希腊背景的信徒群体同样是正统的；与之不同的是，保罗更容易认同和贴近希腊化的教会，即使在有些地方保罗总是先向犹太人传福音，但外族人始终是他宣教事工的主要目标人群。

多样文化的平等并存

保罗的做法对今天的我们很有启发意义：当保罗看出某些基督徒恪守犹太教的饮食禁忌，就疏导他们去体察还有大多数人可能有更敏感的的禁忌。

不过，在现今的社会中很难找到与此完全相对应的情形；假如印度的基督徒都是婆罗门（以及其他中产阶级的成员），那么新约时代教会的情形可能与现今印度的情形有些相似。在印度，这些群体严守

饮食方面的清规戒律；这样，我们可以想像得到，这些婆罗门基督徒一定会感到难以让那些在荤食上没有戒规的群体成为基督徒。但是实情却恰好相反！今天印度的基督徒主要是那些吃肉的人，如何将保罗的宣教策略应用在这样的处境中呢？在饮食禁忌这个问题上，我们可以把婆罗门看作是"律法之下的人"，当今的印度基督徒则不是。

可否想像保罗对我们说："对律法之下的人，我还是作律法之下的人，为的是要多得一些人。"能否听到他向一位主推 E-2 和 E-3 模式的宣教士如此说："如果食物使我的弟兄跌倒，我就永远不再吃肉"？是否听见他奋力维护婆罗门中间的信徒群体，说他们不用为着成为基督徒而改变原来的饮食习俗，也无须加入不同生活方式的信仰群体？保罗并非像人莫须有的指责是分裂基督的教会的人，反而会坚持说："在基督里不分犹太人还是希腊人，也不分种姓等级的高下。"这岂不是他再三掷地有声的教诲吗？——不同种族的人们都可以依循各自不同的文化形式敬拜神，他们一样得神的悦纳。保罗到底是在鼓动异类趋同的政策呢，还是坚持多样文化的平等并存？

我们需要特别留意，上述这种宣教新思路并不是推崇、也不容许族群隔离政策，并且严禁任何把基督徒分等级的做法。这种新思路乃是认定不同的文化传统在神面前的平等性！这是使徒非常清楚的宣教思想，断然反对勉强不同生活方式的基督徒归附另外的文化模式。这不是新约圣经中无关紧要的小事，新约圣经中一致强调，真正的割礼是内心受割礼，而真正的洗礼是内心的洗礼。福音的核心是信心，不是行为、习俗或礼仪；人在基督里得到绝对的自由，他们可以从自己的语言和生活方式，去芜存菁、去伪存真。保罗不愿意人以外在的形式为傲，无论是行割礼、还是不行割礼，在这一点上他完全不偏不倚；但是，他也因此受尽人们的非议和误解。保罗的难处在于无法得到亚细亚犹太人的接纳。这些犹太人可能也是基督徒，但他们在圣殿把保罗当成围剿的对象，最终因着捍卫希腊基督徒的自由而殉道。无论什么人，若要效法使徒保罗的宣教脚踪，都不能把跨文化事工等闲看待；而要鼓起勇气，为了跨文化宣教的使命感和紧迫性，担负起宣教重任，就算深入险境也义无反顾。

举例来说，如果跨文化的宣教士鼓励婆罗门的家庭在自己的家中有崇拜聚会，那是不是说他也一定要邀请住在城中另一社区的人们来参加第一次聚会？从另外的角度来看，一个婆罗门成为基督徒，开始明白圣经，无论他是否完全清楚，都会认识到自己同属万国万民组成的普世性教会大家庭。的确如此，这就是启示录第七章9节讲的，而这样的文化多样性将一直延续到世界的末了。跨文化的宣教士容许婆罗门信徒群体按着自己的文化特征组成教会，并非在鼓吹婆罗门教会与普世教会割裂；也不是宣导婆罗门基督徒回避其他基督徒，而是把婆罗门教会归入普世教会之中。保罗一再肯定信徒在基督里面享有的自由，只要生活方式不背乎基督的福音，就不用弃之如敝屣。保罗不是加增他们的疏离感，而是把神全备的话语交付给他们，因为那才是去除种种藩篱和偏见的唯一钥匙；借着神的话语，祂已经使他们归入普世基督教的大家庭，在其中所有的民族、群体，无论说何种语言，都是平等的。

合一还是划一？

这是一个何等微妙而棘手的主题，如果这不是赢得世界重要而紧迫的宣教策略，我宁可不要涉猎这个主题。但是我必须承认，这实在是当今基督教宣教领域中最重要的一个课题。

我提过建立年轻人的教会是极具价值的策略，不少人问过我类似的问题。我想说的是当今年轻人的处境与我们以上所讨论的情形极为类似，我绝对不是提议把年轻人隔离开来，不让他们参加成人的礼拜。建立青年人的教会本身不是我们追求的目标，却是达成目标的途径！我们绝对不是摒弃年轻人应当时常与老年人共聚一堂敬拜神的想法，我一心祈求的是我们能像使徒那般慧敏通达，为吸引**更多不愿意参加混龄人群的教会敬拜活动的人**，容许年轻人在基督里有聚在一起敬拜神的自由。

很有趣，当各自相隔、不同的族群的人，对我们所宣导的这种敏于文化特色的宣教策略反倒容易接受，感到理所当然。他们不介意日本基督徒在东京、讲西班牙语的基督徒在墨西哥，或讲中文的基督徒在香港各自聚集起来敬拜神。但至于是否赞同，甚至鼓励同住在洛杉矶的日本人、西班牙人和华人基督徒各自聚集敬拜神，许多人都给人不置可否的感觉。具体来说，在洛杉矶这样的大都市建立不同族群的教会，吸引同类人来到教会算不算上

> **神容许不同的生活方式相容并存，历世历代基督教会的形式也一直灵活变化，应当为之颂赞神。**

策？为让讲粤语的非基督徒，来了解基督徒的信仰和参与敬拜，是否有必要建立一个讲粤语的教会？

这真是一个见仁见智的问题。以我之见，应当把为着宣教目的而建立不同族群的教会这一问题，纳入基督徒自由的范畴来考虑，并且以能否有效地向更多的人传扬福音作为决定的因素；也就是说，这种方法在宣教上是否具有战略意义？有些人充其量能够接受有不同**语言**的教会，而若是因为社会性的差异而非语言不同分成不同的教会群体时，他们就不知所措了；好像让不同语言的人成立教会一起聚会情有可原，而对于一些主要针对某个特别社会阶层而组成的教会群体，就很不以为然。但是基督的福音岂不是提醒我们，要跨越其他一切文化障碍？教会，无论如何都不能将任何人拒之门外；只是当人们可以自行选择的话，基本上多半选择切合自己生活方式的教会，这是一个不争的事实。当然，要尊重人们自主的意志，我们绝对不能强行隔离不同的群体；先以保有丰厚的文化多样性为前提，再来努力促进不同**教会**之间的合一和团契，像融洽和谐的**家族**一样，而不是劝人都归入盎格鲁血统美国人的教会。

在人类历史上没有任何组织与运动，

能够与包含众多语言和文化的普世基督教会这个大家庭相提并论，我们要以此为荣。美国人可能会对世界文化的多样性困惑不解，但是神的恩宠却无所不包；神容许不同的生活方式相容并存，历世历代基督教会的形式也一直灵活变化，应当为之颂赞神。我们绝不能满足于教会纷纷崛起却块然独处的局面，唯有形态各异五彩纷呈的教会之间保持动态的交往，基督教会悠久丰富的传统才能真正实现。这才是值得我们永远强调的！

我们也需要特别小心，不可急于促成普世教会的统整性；如果全世界的教会都合并成一个教会，长此以往，现今基督教会传统中丰富多彩的文化多样性势必最终消失殆尽。这是神的心愿吗？还是我们自己的主意？

主耶稣为着世上的万民而**死**，而不是为了保存西方的生活方式；祂的死不是为了废止穆斯林日日的五番躬身拜祷，也不是为了力促婆罗门撒弃食物禁忌安心吃肉。我们是否能听到福音的使者保罗教导我们要进入他们的生活体系中去接触他们？毫无疑问，这是一位跨文化的福音使者发出的呼声，而不是一位教会牧者的心声。天下教会之众，仪态万千，每一个都是独一无二的，就算在本地也是如此。面对将近廿四亿的未得之民，我们必须在跨文化宣教方面投入全新的力量，才可以有效地向他们作见证；若要达到这个目标，我们不能仍然对跨文化宣教这一要务，继续置若罔闻！

研习问题

1. 请解释E-1同文化、E-2近文化和E-3跨文化传福音策略的不同之处。温德认为其中哪一种最为有效？为什么？哪一种最为紧迫？为什么？

2. 你同意"基督徒的合一不能损害基督徒的自由，否则就是不健康的合一"这个观点吗？这个问题对于"实际的宣教策略"有何重大意义？

Part 3
普世宣教未来态势

第55章　全球福音态势剖析

杰森·万迪克（Jason Mandryk）

> 本文摘自杰森·万迪克2006年于马来西亚举行的洛桑青年领袖大会上的发言。杰森的剖析铿锵有声，激励了来自一百多个国家的五百多位青年领袖。

§ § §

在开始探讨"福音态势"这一极其重要的话题之前，我们要先知道福音在全世界的推进全是出于神的作为，而非人手之作。福音的内涵永恒不变，威力无可限量，且在神全权的掌管之下，我们深信福音一定会呈现上扬的趋势。

由此，首先需要探究宣教重任的现况。我们在完成大使命的道路上不畏风雨，且行且进；但是宣教大业尚未成功，当如何勉励而行呢？行至今日，在我们为着宣教成就振臂欢呼的同时，对现实情况还要冷静以对。世界上还有数千个族群、共几十亿的未得之民，仍然没有机会来敬拜主耶稣，甚至还无法以可理解的方式听说过主耶稣。我们首当深入的认识当今全球教会，在宣教方面取得的可喜

全球基督徒分布图

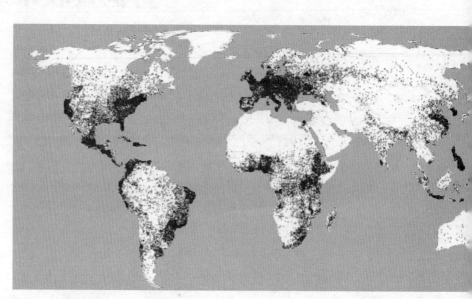

作者和庄斯顿（Patrick Johnstone）合著了世界闻名的《普世宣教手册》（Operation World）。自1995年起，作者便担任环球福音会（WEC International）的研究员、分析师和作家，专注于宗教信仰和宣教的全球态势研究。

进展和面对的挑战，才能为着宣教伟业善于思谋、勤于祷告、敏于行动。

全球基督教的现状

从全球基督徒人口分布的地区性来剖析，我们可以看到基督教较之于其他任何宗教更为广传，遍及世界各地。如今，基督教不再是独属西方的社会现象，他们的身影遍布世界六大洲，尤其在拉丁美洲、非洲和亚洲，其数量最为可观。在不少诸如菲律宾的国家中，绝大多数人都信奉基督，我们的信仰确实是普世性的信仰。

今日全球基督徒的总人数超过历史上任何一个时代，然而基督徒占世界人口的比例与从前大抵相当。在二十世纪初，基督徒占世界人口总数的33%，而现今的比例是32.6%；没有太大变化，甚至略有缩减。总体说来，世界人口增长率与基督徒人数的增长率一直持平；从另外的角度来看，福音派信仰是今天世界上所有宗教运动中发展最为蓬勃的。福音派基督徒[1]的人数增长率是第二快的宗教伊斯兰教的两倍多，也高达世界人口增长率的三倍。基督教确实是蓬勃发展的信仰！

世界各大宗教年均增长率

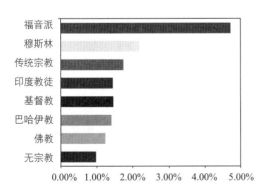

这些泛泛的资料，只是让我们略微窥见神的救赎故事在普天下各个族群中不断展开的奇妙画卷；如今在世界上千万朵文化奇葩绽放的奇光异彩中，我们目睹了基督教信仰各具特色的表达方式。基督信仰因着地域的不同，其敬拜场所、耶稣的圣像画作、敬拜的风格以及祷告的形式都不尽相同；我们与形态缤纷、风情各异的人们共聚一堂，无论人数众寡、仪式繁简，大家共有一个信仰。基督教实为五彩缤纷的信仰！

西方基督教的窘况

几乎所有早期教会的教父、教会历史上的改教家以及近代宣教运动中的领军人物，身上都散发着极其鲜明的西方文化和文明的特质，充分展现了早期西方基督教会的强大生命力。令人感喟不已的是除了美国以外，整个西方基督教会已步入明显的衰落期。经过过去这一百年，世界基督教的格局发生了非同寻常的逆转：西方基督徒在普世教会中竟然成了少数派。

欧洲

二十世纪初欧洲基督徒占世界基督徒总数的70%，如今却陡然下降到20%左右。欧洲是世界上唯一基督徒人数不断跌落的大陆，在许多欧洲的城市中，秉持福音派信仰的人还不足千分之一。我们现今可以把欧洲称为后基督教大陆，弥漫着后基督教的世界观和价值观。

然而，欧洲基督教的景况并非一片阴霾笼罩，不见天光。欧洲教会正激浊扬清，沐浴在复苏的曙光中；在这里的后现

全球福音派基督徒各大洲分布图

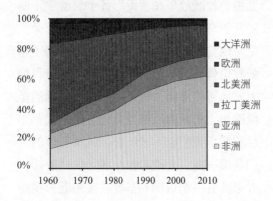

图例：
■ 大洋洲
■ 欧洲
■ 北美洲
■ 拉丁美洲
□ 亚洲
□ 非洲

代、后教派乃至后结构的教会中，古老的基督教信仰正以全新的表现形式焕发出旺盛的活力。

非法与合法的大批移民如浪潮般源源不绝地涌入欧盟国家，正在快速地改变现代欧洲大陆的面貌。许多移民来自基督徒福音事工严格受限或不太普及的国家，从未经历过福音的大能；另外一些人则带来了生机勃勃的信仰生活，极其乐意与欧洲当地人分享福音。在欧洲尤其突出的是，虔敬的基督徒摒弃历史差异，在祷告、神学研究和传福音等事工上通力合作，彰显神的荣耀。

北美洲

北美洲的教会是否会步欧洲教会的后尘而一路下滑？从目前的统计数字来看，北美洲的基督徒占世界基督徒总数的比例与上个世纪初大体相当。与欧洲不同的是，北美洲的大部分人还宣称自己是基督徒；福音派的基督徒至今依然在商界、政界和公共生活领域发挥着重大的作用。

然而，这个众所周知的基督教大国竟然沦为世界上污秽罪恶的最大滋生地：淫秽色情、暴力凶残、消费至上、浅薄粗俗等无不令人感到震惊和羞愧难当。美国的教会也深受种种文化流弊的侵害，未能在社会中发挥应有的影响力。

就如移民欧洲大陆的不少基督徒，为这个停滞不前的众多主流宗派的教会注入了新鲜的活力那样，北美的不少城市中也涌现出了一些多种族的超大型教会，成为城市宣教的宣导者和主力军；一些新形态的教会像欧洲的教会一样，致力贴近各个年龄层的人群，给北美教会带来新气象。这是北美基督信仰既激动人心又生死攸关的时刻，因为他们必须成为中流砥柱，才能在后基督教化的西方世界屹立不摇。

非西方国家的基督教盛况

到1887年，也就是更正教宣教士在非西方国家展开宣教活动之后近一个世纪，在非西方国家几十亿人口中有将近三百万的基督徒。时至今日，历史的巨轮又走了超过一个世纪，基督徒的人数发生了巨大的变化。尽管西方基督徒在世界基督徒总人口中所占的比例不断缩减，但非洲和亚洲的教会异军突起，增长快速，把非西方国家基督徒在世界基督徒总数中所占的比例骤然扩大到60%。

非洲

到上个世纪末，基督教已经成为撒哈拉以南非洲地区的主要宗教。1900年，那里的基督徒总数为八百万；到2000年就跃升到三亿五千一百万。即使撒哈拉以南的非洲国家经济停滞不前，生活贫困艰辛，国民经济甚至衰退，非洲福音派的基督徒依然向外差遣了约一万三千名跨文化宣教士。在过去五十年间，基督教在非洲大陆大部分地区的传播速度令人惊奇。

数以百万计的民众积极回应福音，但很多时候教会仍然受到违背神心意的社会风俗，和错误世界观的侵扰腐蚀。新一代的非洲基督徒（通常指第三代基督徒）如今更愿意在信仰上抵制错误的思潮，坚定地站稳立场；不过许多教会在坚守信仰的独特性上出现严重妥协，着实令人担忧。非洲教会极需建设神学教育体系，开发适合非洲文化处境的神学教材，培养非洲本土的神学家，使之可以带领非洲信徒以最适切的方式浸润在神的话语中。

但是非洲国家基础设施的缺乏、疫病肆虐蔓延、内乱战争的破坏以及政局动乱或政府的腐败等等，造成非洲尚有一千多个族群，达好几百万人民，基本上从未听到过福音。伊斯兰教和基督教之间的紧张关系是非洲局势稳定的一个主要障碍，而双方的对峙关系日渐尖锐。不过我们相信神将继续使用非洲教会在这片土地上行奇事，我们对此翘首以待。

亚洲

亚洲教会亦如非洲教会一样经历了快速的增长，基督徒的人数从1900年的两千两百万剧增到2005年的三亿七千万。基督教是整个亚洲发展最快的宗教，而且基督教在亚洲的增长趋势超过了其他任何一个大洲。亚洲教会不仅在数量上急速增长，更不断拓宽疆界，福音事工延伸到了一些从前几乎没有基督门徒的地方。

不过，世界上的福音未得之民人数最多的还是亚洲。宣教大业尚未完成，前路

依旧困难重重。世界83%的非基督徒居住在亚洲，并且在从未听过福音的人口中，亚洲人就占了87%，许多亚洲人民面临与非洲一样的物质和社会挑战。亚洲教会的宣教异象发展速度令人瞠目结舌，他们不仅早已差遣宣教士在本大洲传福音，如今还踏上了前所未有的跨文化宣教之旅。印度、韩国、中国和菲律宾成为跨文化宣教的领头先锋。

随着亚洲基督教会的急速发展，大规模的逼迫接踵而至。几乎所有亚洲国家的信徒，都为着宣扬基督的信仰而付出了高昂的代价：他们时常遭到胁迫骚扰，甚至监禁和杀害。敌对基督信仰的势力用武力关闭教会、或是时常骚扰，迫使基督徒无法维持正常的教会生活。亚洲教会虽然正经历暴风骤雨冲击，但坚实的教会必将迎来光明的未来。

拉丁美洲

二十世纪，福音派基督教在拉丁美洲的进展同样令人惊叹。从1900年到2000年，福音派基督徒的数目从七十万跃升至五千五百万。拉丁美洲阅读圣经的福音派基督徒持续增多，对那里的罗马天主教会产生了深刻的影响（八成以上的拉丁美洲人与天主教会有某种程度的关系）。

虽然大多数拉丁美洲国家拥有数量可观的基督徒，但是其中一些国家的民众听闻福音的程度远远低于其他国家。位于亚马逊平原上的巴西东北部地区，以及墨西哥的几个省尤为如此，这些也是拉丁美洲原住民特别集中的地方：在有些情况下，教会分裂和信徒缺乏门徒训练，阻碍了拉丁美洲教会的健康发展。尽管如此，拉丁

美洲的教会还是成长快速，宣教异象也更加成熟，开办许多宣教创举，对于向全世界未得之民传福音的负担非常强烈。

大洋洲

太平洋岛国普遍而言有基督徒人数减少的趋势。移民热、教会衰退、挂名的基督信仰抬头；更正教宣教士在上个世纪忠心事奉而奠定的基督教会的根基，受到日益盛行的世俗化思潮的侵蚀。不过在这样的背景中，仍有一些基督徒群体在成长。

澳洲和新西兰的部分教会如同欧洲的教会，经历了复兴和增长，重拾信仰生命的活力，深受更新的宣教异象激励。一些小岛国家中的教会掀起了宣教的热潮，他们甚至把福音带到了美洲大陆上的一些原住民中间，而从前拉美教会几乎从未踏足过这些族群。太平洋岛国中仍然有一些没有听闻福音的族群，他们主要居住在新几内亚的内陆地区，或散居在其他许多岛屿上。

中东

上个世纪，基督教在其发源地中东严重衰退，基督徒数目大量减少。由于歧视、迫害、移民以及挂名信仰的影响，基督徒在中东许多国家的社会生活中愈发难见踪影：可喜的是，基督徒比从前任何时候更加愿意联手祷告。在不少地方，基督徒以前所未有的方式向他们的穆斯林近邻传福音。

在中东的土地上我们同样看到了圣灵动工的种种迹象。目睹鼓吹恐怖主义和暴力活动的激进伊斯兰教派的兴起、某些穆斯林国家严格地推行伊斯兰教法，却使

伊斯兰教内部越来越多的人开始真挚地自我反省。通过广播、卫星电视、影片、DVD和网路进行媒体宣教事工，基督教机构在向中东地区传福音方面有积极影响：他们不仅制作一些与人分享主耶稣的福音节目，而且教导和坚固了中东地区的好几百万基督徒。现今中东归向基督的穆斯林比历史上任何时候都要多。

全球宣教的现状

非西方国家基督教的突飞猛进令人惊叹不已，更料想不到的是，这些国家随之掀起的一波波宣教巨浪。如今，从这些非西方国家教会差遣出去的跨文化宣教士数目与西方教会不相上下；宣教工作由西向东的单向流动已成历史！宣教的火炬不再一方独亮，而是遍地开花，照亮四面八方。

在世界各地兴起的宣教士数目与日俱增，我们不禁会问哪个国家跃居高效能[2]差传教会的榜首。有人会猜是韩国、菲律宾或挪威，的确这些国家在宣教方面的效力都不可小觑，但出人意外的是，蒙古拥有世界上差传效能最高的教会；每222位蒙古信徒中，就有一位投身到宣教机构的工作中。事实上，从全球整个更正教教会来看，高效能的差传教会都不是来自富裕的国家；这些名列前茅的国家中，基督徒并非社会的主流人群，大多基督教历史不超过几百年，从这些教会中差遣出去的宣教士多为第一代或第二代基督徒。如果蒙古的教会能够从每222位信徒中差遣一位宣教士出去，其他国家更是毫无托词可言。非西方国家教会的宣教热诚，委实让

每名宣教士平均获几位基督徒支持?

蒙古	222
黎巴嫩	295
新加坡	400
尼日尔	451
尼泊尔	458
斯里兰卡	479
西班牙	512
法罗群岛	533
马里	608
泰国	633

差派跨文化宣教士的地区一览

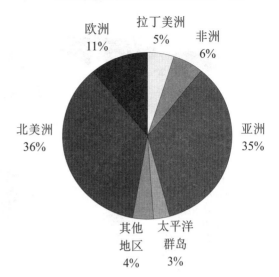

那些资源丰裕的富国无地自容。

举例来说，我们看到神使用拉美的文化和精神把福音带到了世界上许多福音未得之地。巴西以及许多其他拉美国家的基督徒在足球、音乐和舞蹈方面特有的非凡技艺，使得他们在许多抵制福音的国家中备受追捧；他们身上散发的属灵热诚、喜乐和委身已经敲开了许多紧闭的大门。

好几百万菲律宾和印尼的基督徒在一些富裕的国家从事家政、医护、船员、技术工程和看护幼儿的工作。神把他们放在一些在城市和文化里颇有影响力的家庭中，而这些地方通常不太接纳西方白人和一些国家的人；他们能够和生活在与福音完全隔绝的社会环境中的妇女和儿童建立关系。菲律宾和印尼的基督徒都把这些职场视为宣教的大好机会。

神在今日所行的另外一件奇事就是在中国兴起的"传回耶路撒冷"运动。这是中国家庭教会的几个大团队领受的一个异象，就是向中国西方、西南方的多个国家

差遣十万带职宣教士，沿着古代的丝绸之路把福音传回耶路撒冷。世上若有哪一个国家的教会能够在中东这些艰难之地长久忍耐，有力出击，那当然非多灾多难的中国教会莫属。

在欧洲，几乎所有成长最快和规模最大的教会都是由非裔信徒建立起来的；非洲的弟兄姐妹具有非凡的忍耐力和适应能力，能够深入别人无法涉足之地。尼日利亚的教会孕育了"50/15"的宣教异象，目标是在接下来的十五年中，推动"50,000"尼日利亚基督徒，把福音带到北非的伊斯兰教国家中，然后一直去到耶路撒冷。中国信徒从东边一路挺进，尼日利亚信徒从西边包抄，我们齐聚圣城耶路撒冷，向神振臂欢呼的日子将不会太远。

未竟之业

有史以来，世界上每一个国家的疆域之内都有耶稣基督的跟随者，还是近来才

各国未得之民百分比一览

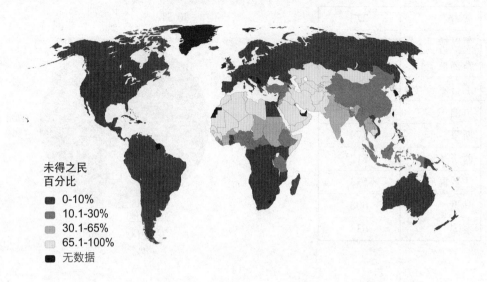

未得之民
百分比

- ■ 0-10%
- ▨ 10.1-30%
- ▨ 30.1-65%
- □ 65.1-100%
- ■ 无数据

拥有最多未得之民的国家一览

国家	族群数	未得之民数
印度	2,332	2,082
中国	499	406
巴基斯坦	401	386
孟加拉	370	336
尼泊尔	315	292

有的事。虽然有些时候神的儿女们因着外在的逼迫而不得不隐秘地聚在一起敬拜神，但是他们依然坚守信仰；然而，各处的基督徒极少与未闻福音的群体交错而居，许多族群聚居的地方仍然没有经历到福音的大能，我们必须走进他们当中。

世界上许许多多福音未得之民生活的地区和国家信奉其他宗教，而且往往是世界性宗教的发源地和大本营。我们只需要粗略地看一下就发现，世界未得之民人口最为密集，有几十亿人的五大国——印度、中国、巴基斯坦、孟加拉和尼泊尔都在这里。

每一个人都是属耶稣的门徒之宣教工场，他们有物质和心灵的需要，要我们把耶稣的爱活在他们当中。未得之民集中的地区是显而易见的。主耶稣在马太福音廿四章14节中教导我们："这天国的福音要传遍天下，向万民作见证，然后结局才来到。"单从以上提到的这五个国家，我们面对的宣教挑战就不言而喻。何况，耶稣说到"万民"时所使用的词语，指的不是现代的地理政治单位，而是具有民族身分的族群。这无疑增加了普世宣教事工的广度和复杂性。

未得之民

当今世界上还有好几千个"从未听到过"福音的族群，他们的信仰背景无所不包，甚至还包括一些无宗教信仰的人群。在这五个亚洲人口大国中未闻福音的未得之民最多，向他们传福音存在的障碍远比向单一信仰群体或在单一地区更为艰难。这是一个真正的全球性挑战！

像印度或中国这样未得之民密集的国家中，在向未得之民或淹没在茫茫人海中"隐藏的族群"的宣教工作中，本土基督徒扮演着重要的角色。局外人很难识明或靠近这些宣教的目标人群，例如：中国的回族穆斯林被划为一个少数民族，通常住在偏僻之地，信奉他们自己的宗教；宣教工人需要特别考察他们的文化和世界观，才可能有效地向他们传福音。在非洲中部和西部的萨赫勒（Sahel）地区有一个称为富拉尼人（Fulani）的游牧民族，众所周知，他们坚定地捍卫伊斯兰教，在本地颇有影响力；向他们传福音需要特别的策略，把基督教信仰用口传方式，还要跟着四处游牧才适合他们，因为他们时常跟着牲口四处迁移。玛希阿拉伯人（Marsh Arabs）从尼布甲尼撒王时代就已经存

在，他们住在用伊拉克南部沼泽地中的芦苇搭成的茅屋里；这是一个存在了上千年的族群，但却从未听到过福音。这只是在无数未得之民中举的几个例子而已。

人力不均

基督教会在过去两千年间一直致力于普世宣教事工，但是如今全球仍有27%的地方从未得到福音真光的照耀。当我们考察普世教会宣教人力的规模和分布时，何等期望宣教的投入与实际需要能成正比；遗憾的是，我们只是把极小一部分海外宣教士人力（四十分之一）差往福音未得之地。其结果就是，在最少听闻福音的地方，每百万未得之民中还不足二十位宣教士；在有些地方，每百万这样的人口中甚至还不足三位宣教士。面对我们当今宣教重任的庞大需要，这些数目少得让人难以置信！我们必须往这些长期遭到忽视的地方派出大批的宣教士。

呼声迫切

我们在诸如洛桑这样的宣教运动中看到，传福音不只是口头的工夫，更不是一次性的归主经历；福音乃是对个人、家庭乃至社群改换一新的整全祝福。当今人类面临的一些最为迫切的需要和问题就是关爱妇女和儿童（他们占未得之民中的绝大部分），为那些生活在残酷、无望和充满压制的贫困中的未得之民带来盼望，援助大批尚未听到福音的难民、移民和境内流离失所的人们，让他们知道有未来、有光明。此外，我们还面临着爱滋病等疾病带来的社会歧视与疏离、环境恶化与破坏、快速城市化进程带来的社会动荡不安、食

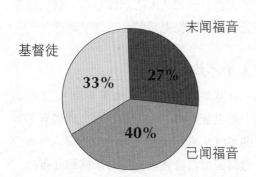

世界人口

未闻福音 27%

基督徒 33%

已闻福音 40%

海外宣教士
前往地区之比例

2.5% 未闻福音

已闻福音 17.5%

基督徒 80%

物和水资源的急剧短缺等诸多问题。全球的教会需要走出去，要以在世上表彰基督和神国的价值观为己任，如此才能富战略且有效地逐一应对这些问题。

完成重任

放眼未来，我们敢问二十年后或五十年后"全球的福音态势"又将如何？一百年之后呢？我们期待从资料上看到福音宣教大业将有何长足的进展？要知道，世上的福音未得之地时至今日依然"遥不可及"，这是因为他们一直都是恶魔坚固的属灵营垒，是抗拒福音的硬土；他们极难被发现，极难接受福音，往往处于抵挡福音的势力中心。在这些异常刚硬的福音未得之地宣教绝非易事，但是神会借着我们行事。全球的教会只要在以下几方面坚持不懈，就可以在不久的将来完成大使命的重托。

优先次序

最近的报导显示只有1%的基督徒积极有效地参与到大使命的事工中。只要这个比例略微上调，变成2%，其结果就大不一样。这样的比例变化几乎微乎其微，但是教会整体投入宣教工场的人力资源将翻一倍。

甘心摆上

我们务要放下自己的职业、金钱、时间，有时是人际关系甚至生命，把一切奉献到神的祭坛上，众志成城，成就神的大使命。

同路伙伴

众人拾柴火焰高！各方基督徒理当携手共进，同心为万民的宣教大业不断祷告、差遣、培训和前往，彼此配搭事奉。西方国家与非西方国家的教会以及宣教机构应当力求增进事工中的伙伴关系，集合不同的才干恩赐，互补增益。针对具体族群展开的各项宣教事工需要彼此合作。例如，向富拉尼族群的宣教事工网络已经建立起来；而针对玛希阿拉伯人的祷告网络，也已经进入到这个族群所在地区进行实地考察，这些可喜的现象激励我们效法。

主里合一

多文化的宣教团队彼此配搭，同心事主正是众人在基督里同属一个身体的最动人和最有力的体现。来自德国、巴西、南非、尼日利亚、韩国和新西兰等各地的基督徒比肩携手，倾力推展宣教大业，还有什么别的方式比这更能彰显福音使人和好的大能呢？宣教工场团队中的文化多样性，不仅让参与的人脱卸对基督教价值观的文化包袱，还在我们所服事的人群中充分显明福音适合于任何文化、有益于任何民族。

祷告不懈

合一的祷告能产生巨大的力量。越来越多的基督徒聚在一起为普世福音化祷告，比从前更加团结合一。在每年一度的全球祷告日，世界各地几十亿的基督徒同心祷告紧密联结。《普世宣教手册》（Operation World）的至理名言就是："人手作工，还是人的工作；而人祷告时，就**是让神的手作工**。"

我们可以策划、统合、协商和敬拜，我们也可以动用最为丰厚的财力和最为精辟的宣教理论，但是如果没有祷告，我们就无法攻破属灵的营垒，赢得未得之民归向福音。唯有祷告能够扭转宣教态势的未来。

附注

1. 本文中的"福音派"一词指的是强调下列信条的基督徒：
   a. 主耶稣基督是人因信得救的唯一源泉。
   b. 有圣灵赐给个人的信心和重生的经历。
   c. 认定神所默示的话语是基督徒的信仰和生活的唯一准则。
   d. 委身于合乎圣经教导的见证、传福音和宣教，领人归信基督。
2. 每个国家的差传效能指宣教士与信徒人数之比例，因此数字越低，效能越高。

资料来源

P206 图 "全球基督徒分布图"：《普世宣教手册》
P207 图 "世界各大宗教年均增长率"：《普世宣教手册》
P208 图 "全球福音派基督徒各大洲分布图"：《普世宣教手册》
P211 表 "每名宣教士平均获几位基督徒支持"：约书亚计划（Joshua Project）
P211 图 "差派跨文化宣教士的地区一览"：《普世宣教手册》
P212 图 "各国未得之民百分比一览"：《趋势杂志》（Momentum Magazine）
P212 图 "拥有最多未得之民的国家一览"：《趋势杂志》（Momentum Magazine）
P214 图 "世界人口／海外宣教士前往地区之比例"：《普世宣教手册》

第56章　他们欣然兴起

博兰·库马尔（Beram Kumar）

作者是 Strategic Missions Partnerships（STAMP）的执行主任，该差会专注于未得之民宣教动员和战略发展。STAMP 在十四个亚洲国家的未得之民中开展事工。此外，他还参与其他普世宣教工作，包括 Ethne、SEALINK、WEA 以及 the Tentmakers International Movement。

每当听到人们用"新兴领袖"（emerging leaders）一词来描绘非西方国家的教会领袖，我都欣喜不禁。显然，这些教会领袖们"已经兴起来了"，而不是"正在兴起"。韩国教会的信徒人数已经占全国总人口的三分之一，如今拥有世界上第二大宣教力量；印度教会也差派出数以千计的宣教士，在境内外的几百个未得之民中建立教会；南美洲教会的差传事工，不再局限于说西班牙语的地区，更是放眼更广的疆界；中国教会萌生了"传回耶路撒冷"的宣教异象，沿着从中国西部直达耶路撒冷的丝绸之路，向途中的未得之民传福音；数以万计的菲律宾信徒得到装备成为带职宣教士（也就是将职场和福音见证结合在一起），以"海外劳工"的身分到其它国家工作。就在我本人生活的东南亚地区，全国性或地区性的祷告和宣教浪潮也此起彼伏；他们岂止是"新兴"？他们已经兴起了！事实上，早在十年前就已经兴起，我们悬念而望的是西方和非西方国家的教会及领袖并肩携手，一同掀起巨大的全球性宣教运动。

正可谓"独木难支，众擎易举"。若不是得力于西方教会从前的迫切祷告和辛苦劳力，就不会有今天西方以外这些教会的面貌。我们仍然需要西方教会的支援，并且谨慎地维护双方之间的关系；但西方教会也需要摒弃"他们是新兴教会"的思维，认识到非西方国家教会掀起的宣教浪潮，完全能够与西方教会比肩而立，彼此配搭服事。我坚信这两股强大的宣教力量一旦汇聚起来，可以打造出一部末后时代"最为强劲的联合收割机"，其威力已经从以下一些联合宣教事工中露出端倪。

1.万民网

万民网（*Ethne*）是一个向未得之民传福音的全球性宣教事工网络，由西方国家和非西方国家的教会领袖并肩配搭，共商如何克服福音带给每一个族群所面对的困难。该宣教事工网络的核心领导层的成员来自许多国家：尼日利亚、菲律宾、墨西哥、马来西亚、印度、印尼、美国、韩国、哥伦比亚以及马尔他等等。

2.危机灾难救助

许多非西方国家教会与在未得之民中间展开的慈善救济项目密切合作。西方的人力和财力资源，与非西方国家教会的资源协调整合在一起；如今，我们欣喜地看到救助项目日渐演变成长期建立教会的事工。赈济工作已经不再沿袭从前的老路：一些西方机构进来之后树起自己的旗号，然后发放救援物资，没几周就撤离了。

3.流动劳工宣教

在某东南亚国家，过去四年中有两万四千名越南劳工归向基督。都是当地教会主导向他们传福音的整个工作，西方教会的资源和人力只是辅助。例如，一对从斯堪的纳维亚来的夫妇与这个国家里的越南人教会肩并肩一同事奉。

4.创启国家的宣教

许多未得之地的福音大门尚未打开，基督徒无法以传统的宣教士身分进入当地从事宣教工作，于是带职事奉者应运而生；我本人有幸参与带职事奉者国际事工当中。这是一个全球性的领袖网络，其核心领导层来自新西兰、韩国、菲律宾、印度、马来西亚、美国、马里（Mali）等许多国家，大家平起平坐，共商如何推动普世教会的信徒参与大使命。

我坚信西方与非西方国家的教会可以在许多领域携手并肩、团结合作，为宣教事工带来巨大果效。独木难支，我们缺了谁都不行！

我们企望向各个民族、部落和讲说各种语言的群体传扬基督，若是全球教会实现真正的联合（无论在属灵方面还是在象征意义上），所产生的能量无法估量！

附篇

56-1 风起云涌的非西方宣教新军 葛博西 (Bruce A. Koch)

拉里·佩特于1989年在其所著的《万邦传》一书中大胆预测说：到2000年，大多数更正教宣教士将来自非西方国家。这一说法令人震惊，引起了人们极大的兴趣，并且时常被人引用。[1]

到了2004年，迈克尔·雅法理安指出，佩特的预测是把非西方国家差派的海外和本土宣教士的总数与西方国家差派的海外宣教士相比的结果。[2]

雅法理安以这样的推断有失偏颇，他认为要单从两方各自差派出去的海外宣教士人数加以比较才准确。他的研究显示，虽然从1990年到2000年来自非西方国家的宣教士人数迅速攀升，增长了210%；而来自西方国家的海外宣教士人数仅增长了12%。不过，到2000年，西方教会差派出去的宣教大军（七万人）仍然居首，是非西方国家差派的海外宣教士人数（两万人）的三·五倍。

雅法理安的评析避开了问题的实质，就是"我们把东西方教会差派到海外和本土从事跨文化事工的宣教士总数加以比较，结果又会如何？"这样的比较忽略了跨越地理边界这一因素。

与雅法理安一样，我也作出了相应的调整。我的发现是，从1990年至2000年间，西方教会的跨文化宣教人力只比非西方国家教会差派的多56%；这与雅法理安只比较海外宣教士所得出的350%（三·五倍）还是不同。但是同样在这十年间，非西方国家教会的宣教人力的增长率，是西方教会的八倍之多。按照这样的增长率来推断，到2010年，我们就会看到右图所展示的情况。

佩特的分析方法固然有待商榷，但是他让我们看到了宣教大趋势不容置疑的新走向。如果本人的分析更为接近事实，那么佩特也相去不远；也就是说到2005年左右，来自非西方国家的跨文化宣教士的人数，就有可能超过西方传统差传国家派出去的宣教士总数。

为着非西方国家的教会对完成普世宣教重任的委身，我们深受鼓励和激发。正如博兰·库玛尔（Beram Kumar）所指出的，非西方国家的宣教大军并非还在"兴起"的阶段，而是一股正在汹涌喷发的激流。

---

1. Larry D. Pate, *Every People: A Handbook of Two Thirds World Missions* (Monrovia, CA:MARC, 1989) pp.47,51,54
2. Michael Jaffarian, 'Are There More Non-Western Missionaries than Missionaries?' (IBMR 28:3, July 2004), pp.129-130.

跨文化宣教力量

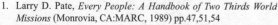

（纵轴）跨文化宣教士人数 200,000 / 180,000 / 160,000 / 140,000 / 120,000 / 100,000 / 80,000 / 60,000 / 40,000 / 20,000

（横轴）年 1990 1995 2000 2005 2010

—— 非西方国家教会
—— 西方教会

第57章 差传新军的七篇见证

以下列举掀起宣教运动滚滚浪潮的非西方国家教会：

非洲教会的差传

提摩太·欧纳多
（Timothy Olonade）

作者是尼日利亚福音派宣教协会（Nigeria Evangelical Missions Association）执行秘书。

十九世纪中叶欧洲人踏上了非洲这片土地，有人来是为了在新扩张的领地上攫取经济利益，也有人是为着神的国度而来，要赢得非洲人的灵魂。这些早期宣教士把基督的福音带到非洲，个个心里火热，投身宣教；然而他们却没有将这样的宣教热诚，传递给他们劳心竭力建立起来的非洲教会。

从二十世纪五○年代开始，旨在建立纯非洲教会的本土性福音浪潮日渐明朗。到了六○年代，大多数非洲国家都脱离了西方殖民统治，赢得政治上的独立。政治格局的改变，促成教会领导权力的过渡，本土教会领袖大批涌现。非洲教会新获致的自主意识点燃了在布隆迪（Burundi）和祖鲁兰（Zululand）的复兴之火，在扎伊尔（即今天的民主刚果）和尼日利亚也掀起了遍传福音的热潮。

二十世纪七○年代非洲的本土教会，兴起了全方位的向外差传运动，尼日利亚和加纳更是其中的佼佼者。第一个非洲本土的跨宗派差传机构，于1975年在尼日利亚成立；加纳布道总会领导了一场遍及全国的福音运动，十年之内就新建了八千多间教会。宣教之风吹遍整个非洲大陆，二十世纪尚未落下帷幕；尼日利亚、加纳、南非和肯尼亚就纷纷成立了各自的全国性宣教联盟。

尼日利亚教会接过宣教的火炬的过程最激动人心。在1986年，当时来到尼日利亚的外国宣教士有一万人之多，而本土教会差遣出去的宣教士只是略微超过五百人；二十年之后，情形就大不一样了：到2006年，外国宣教士的人数锐减到八百六十人左右，而尼日利亚本土教会差遣的宣教士总数超过五千两百人。如今，从尼日利亚教会差遣出去的跨文化宣教工人，已经分布到全球六十五个国家。

非洲国家宣教运动促进会（The Movement of African National Initiatives）旨在非洲大陆的各个国家中推动宣教运动，非洲圣公会（Anglican Communion）已经在非洲之外发挥强大的影响力，在世界各地的圣公会信徒群体中复兴纯正信仰，重建敬虔的价值观。

福音的种子在非洲这片肥沃的土地上结出了丰硕的果实，非洲教会正以满腔热诚和蓬勃的朝气，把赐给人生命大能的福音信息，带到世界各地。非洲宣教士的足迹已经踏上了远东的中国和日本，向南向西一直深入巴西和玻利维亚（Bolivia）。在普世宣教浪潮中不断展露风姿的非洲宣教士，也驰骋在欧洲这个工场上，那里五个最大的教会都是由非洲人所领导。

巴西教会的差传

巴蒂尔·埃克斯托姆
（Bertil Ekström）

作者现任世界福音联盟（Mission Commission of World Evangelical Alliance）宣教部执行主任。

巴西和葡萄牙归主协会（The Mission for the Evangelization）于1890年成立，这是巴西最早的福音派宣教机构。巴西的第一个跨文化宣教机构是宗派性的，担负着向讲葡萄牙语和西班牙语的国家传福音的使命，更以葡萄牙为其首要目标。

二十世纪七〇年代之前的大多数跨宗派差会也是跨国性的，与全球性的宣教机构有关联。直到1972年，巴西第一个真正的本土差会才告成立：巴西伯特利差会（The Brazilian Bethel）；随后，安提阿差会（The Antioch Mission）于1976年成立。预备上工场的宣教士如果不属于有差会的宗派，或是不愿成为跨国差会的国际宣教团队中的一员，就可以考虑加入这些本土的差会。在二十世纪的八〇年代和九〇年代，越来越多的本土差会如雨后春笋般地涌现，其数目还在不断攀升。

巴西福音派信徒的宣教事工可以如此蓬勃发展，主要因为国家政局稳定，军人政权对于教会传福音的事工持消极观望的态度，以及全球化对巴西的影响等因素。另外还得力于国际宣教机构的参与，他们积极招募年轻人投入跨文化的宣教，以及于1974年举行的洛桑世界福音大会的影响。此外，推动全球福音化和宣教的大会（尤其是于1987年举行的伊比利亚－美洲宣教大会），有宣教异象的本土教会领袖兴起，以及外国宣教士激励巴西教会更深参与宣教，都在这个增长的过程中扮演了重要的角色。

从二十世纪七〇年代起，巴西差派出去的福音派宣教士的数目持续增加。1972年有595位宣教士，1980年为791位，1988年为2,040位，1992年为2,755位，而2000年则跃升到4,754位。

巴西宣教机构有以下突出的特点：以教会为依托，专注于建立新教会，并且都以"信心差会"的模式运作。近年来，他们形成更为整全的宣教观，宣教士不仅传福音，而且还涉入其他广泛的事工中；例如，安提阿差会起初明确地专注于在未得之民中传福音，但后来也把社区发展和教育培训纳入了他们的宣教异象中。安提阿差会与支持宣教的本土教会和宣教工场上的社区，都建立了密切的伙伴关系，他们共派出约一百位宣教士在海外二十个国家事奉。

因巴西国内经济的成长，积极参与宣教的教会不断增多，宣教士进入工场之前也得到良好训练，巴西的宣教机构将在二十一世纪的普世宣教运动中，发挥重要的影响力。

韩国教会的差传

韩哲昊
（Chul Ho Han）

现任韩国宣教联会（Mission Korea）主任。

韩国教会的宣教事工在过去几十年突飞猛进。1979年韩国教会宣教士的数目为九十三人，但在三十年之后的今天，韩国宣教士的数目已经飞升至一万六千人。韩国宣教士目前已经深入世界上的168个国家中事奉。

韩国教会本身经历的复兴和增长是导致宣教飞速发展的主要因素。韩国教会在1907年经历了大复兴之后，就持续不断地增长，最终成为二十五年前掀起的宣教浪潮的主推手；另外一个要因就是"宣教韩国"（Mission Korea）联会，在大学生当中掀起的宣教浪潮。这个联会结合了十一个校园事工机构和二十四个海外宣教差会，一致推动学生投身到跨文化的宣教使命中。宣教韩国联会在1988年举行了第一届"宣教韩国"宣教大会，这个大会后来成为亚洲专注宣教的同类大会中规模最大的会议，每两年召开一次，每次均能吸引五千位学生参加。全国性的代祷运动以及各类跨教会的宣教机构，也极大地推动了韩国教会跨越宗派藩篱，在普世宣教领域强力合作。

韩国基督徒极具传福音的热诚，看重家庭为中心的生活方式、重视接受良好教育。由于韩国人与中国人、穆斯林和佛教徒等族群版块，有着一定的文化相近性，韩国宣教士通常得到这些未得之民相当程度的接纳。越来越多的带职宣教士，得以进入那些传统宣教士无法靠近的福音封闭的国家当中。

散居在世界各地的七百多万韩国侨民也受到宣教使命的激励，许多韩国宣教士是在北美和南美这样的多元文化社会中兴起的。他们在中国、东南亚甚至中东地区的韩国教会，都积极地参与当地的宣教事工中。

尽管韩国教会的宣教有此迅猛发展，但是韩国教会现在需要更专注于制订有效的宣教策略，建立高效的宣教架构，让跨文化的宣教有更好、更充分的准备，同时更多关顾扶助工场上的宣教士。韩国教会还需要汲取西方宣教运动的成功经验，来制定具有韩国特色的宣教士差传方法，并且针对在工场上遇到的具体难题找出有效的策略。神在热切地呼召非西方国家的教会照样肩负起普世宣教的重任，韩国教会尤须清晰看到自己在当今这个关键的宣教时代中扮演的重要角色。

印度教会的差传

拉金德兰
（K. Rajendran）

作者现任印度宣教联会（India Missions Association）秘书长。

印度于1947年独立之后，西方差会迫于政治原因陆续撤离印度。更正教会对于未来宣教事工的走向感到模糊不清，然而随着印度教会在六〇年代经历了复兴和重组，一场蓬勃的本土宣教运动就应运而生。不少大有属灵能力的领袖建立起新的

差会，诸如印度福音派差传联会（Indian Evangelical Mission）、宣教士之友祷告团（The Friends Missionary Prayer Band）、"主必再来"（The Marantha）事工等宣教机构。

西方差会继续训练印度的年轻信徒承担本土宣教工作，直到后来印度宣教机构能够独当一面，训练自己的宣教士为止。有些早期的印度宣教士巡游各地讲道，有些则致力于建立教会。

正是在这个时期，来自印度各地不同宗派、持不同神学观点和传统的宣教团体和教会，一致地重视基督的大使命，而产生前所未有的合一。印度宣教联会（The Indian Missions Association, IMA）于1977年成立，从起初的五个创始成员开始，目前已经成长为世界上最大的宣教联会，旗下有220个宣教机构，总共差遣了将近五万名印度宣教士。

起初大多数印度宣教团体都沿袭西方更正教的宣教模式，着重在偏远的部落群体、受到欺压的群体和穷人中宣讲福音，极少进入主流群体中。后来，印度宣教机构才逐渐涉入社区建设，进到其他社群中，如青年人、受过教育的中产阶级、富商、权贵人士，以及住在印度的外国人和各地的印度侨民。

印度本身就是一个文化极度多元的国家，因此印度宣教机构现今依然侧重于差遣宣教士在本土从事跨文化的事工；不过印度教会也开始关注世界上其他的地方。随着新兴领袖越来越有全球宣教意识，走向普世传福音的浪潮将把印度教会推向国门之外。

印度宣教联会内部含有特别目标的事工网络，如爱邻（穆斯林之友）事工、印度教之友、城市福音、圣经翻译与识字网络、宣教士关怀网络等等，以因应印度的许多宣教需要和挑战。

印度宣教联会致力于汇聚旗下各机构为印度全民归主而努力，借此联手合作建立各种宣教事工网络，促进国内不同的差会和工人之间协同互助，走向不同地区间的团结合一。一直以来，印度宣教总会积极宣导的合作精神，不断鼓舞着印度宣教团体，及其全球合作伙伴携手共进，一同完成使万民作主门徒的重托。

拉丁美洲教会的差传

卡洛斯·斯科特
（Carlos Scott）

作者是伊美普世宣教网（COMIB-AM International）主席。

1910年在苏格兰的爱丁堡召开的宣教大会上，来自北美和欧洲的一千两百名代表热切讨论普世宣教大业的未竟之工。由于拉丁美洲拥有强大的天主教教会，当时的讨论完全忽略了这块土地。1916年，有主要由北美更正教宣教士组成的一群人齐聚南美巴拿马市，商议如何让福音触及这个完全被遗忘的大陆。这个会议，通常被认为是掀起拉丁美洲宣教浪潮的第一波涟漪；虽然初期缓缓而流，但到二十世纪后半叶逐渐激荡起来。

到了二十世纪的八〇年代，几位宣教核心领导人感到把拉丁美洲宣教热潮引向普世宣教工场的时候到了。他们于1987年在巴西的圣保罗举行了第一届伊比利亚－美洲宣教大会（Ibero-American Missions Cooperation, COMIBAM），与会者来自拉丁美洲和中美洲的大多数国家，伊比利亚半岛上的西班牙和葡萄牙也派代表出席了会议（Ibero-American 一词由此而来）。当时参与伊美宣教运动的有六十个宣教机构，近一千六百位跨文化宣教士。

在这次具有历史意义的大会接近尾声之时，代表们一致宣告将委身"作外族人的光……把救恩带到地极"（徒13:47）。大家都为会上提出的两个新思路而深受鼓舞。第一个新思路是伊美宣教运动"已从昔日的宣教工场跻身今日的宣教大军之列"，这意味着伊美宣教运动的教会不仅肩负在本土传福音的责任，同时还要把福音带给世界上的未得之民。第二个新思路是将撒迦利亚书四章6节略作改动而得："万军之耶和华说：'不是倚靠钞票，不是倚靠电脑，而是倚靠我的灵。'"这是何等铿锵有力的宣告！纵然有时资源匮乏，但这不是逃避神向普世教会发出的大使命的借口。

十年之后，也就是1997年，第二届伊美宣教大会在墨西哥举行；据估计，当时有三百个伊美宣教差会，共差遣了四千多位跨文化宣教士。到2006年，据估计，四百个宣教差会差遣出去的跨文化宣教士的人数，增加了一倍以上，高达一万人。

拉美教会的领袖们认为自己在祝福万民的大工上，潜力尚未尽情发挥；人数不断攀升的伊美宣教运动福音派教会（逾七千万信徒），应该足以差遣更多的宣教士出去。我们不仅期待差遣更多的跨文化宣教士出去，还期望能够在训练、支持和关怀在宣教工场上的工人等方面更上一层楼。

华人教会的差传

温以诺
（Enoch Wan）
作者是美国西方神学院（Western Seminary）散居之民研究所（Diaspora Studies）教授。

中国教会在人数和信仰成熟方面的成长令人瞩目，不少人对此作过详实的记载。中国教会的差传事工也有良好的进展，正逐步迈向成熟。1974年的洛桑世界福音大会召开之后不久，第一届世界华人福音会议（CCOWE）于1976年在香港召开，这是华人教会参与普世宣教运动的标志；此后世界华人福音会议相继召开了六次大会，促进宣教机构之间的通力合作以及普世宣教异象的传递。第七届世界华人福音会议首度在中国的澳门地区召开，会中三千人共聚一堂，庆祝更正教入华两百年，同时更新大家对大使命的委身。

中国教会一直以来都着眼于普世宣教，而国内宣教工场呈现以下四大走势：从农村地区进入城市，从乡下人口辐射到更多的群体，从沿海推移到内陆，从汉族延伸到少数民族。然而，中国教会并非仅仅关注于国内的福音化，越来越多来自中国的商人在国外的许多华人群体中建立教会，他们所处的社会文化环境各异，诸如曼谷、纽约、罗马、利马、莫斯科和约翰内斯堡。

"传回耶路撒冷"运动点燃了跨文化宣教的热诚。这个运动可以追溯到中华人

民共和国建国之前，也就是上个世纪的四十年代。三位中国老一辈传道人领受了把福音从东往西，绵延不断直传到耶路撒冷的异象；他们也看到中国教会在这异象中的角色，为此组织并训练本土的福音工人团队，但是后来遭到了新政府的压制。到了上个世纪九○年代，中国教会重新拾起这个异象；目前，"传回耶路撒冷"运动以松散的组织形式，汇聚海内外的华人基督徒，齐心协力差遣中国宣教士出去，在中国以西直到耶路撒冷的沿线大小城市、乡村和族群中传福音，并建立新的信徒团契。这个运动把从中国的长城，到耶路撒冷城门的古老"丝绸之路"上的地区和族群作为目标。不言而喻，"传回耶路撒冷"的运动务必预备好迎接伊斯兰教、印度教以及佛教的坚固营垒所带来的重重挑战。现今世界上大约90%的未得之民，居住在"传回耶路撒冷"运动的目标地区。

菲律宾教会的差传

伯丁·费尔南多
（Berting Fernando）

作者现任菲律宾宣教动员运动（Philippine Missions Mobilization Movement）全国负责人。

以往菲律宾教会参与普世宣教运动受限于国家落后的经济难以施展，然而在过去三十年的发展情势中，我们会发现主为菲律宾人打开在许多敌视福音的国家中的工作之门。将近一成的菲律宾人现在分布于世界上197个国家当中生活、打工；为此，菲律宾教会纷纷拓展到世界各地，在当地生根建造。

2005年三月，菲律宾各宣教机构的高层负责人与各大宗派的宣教领导聚首商议，大胆地拟定了一项招募几万名带职和全职宣教士的计划，差派他们前往最缺乏福音的族群当中，领人归主。该计划旨在推动和装备菲律宾境内和世界各地的菲律宾教会，在这些对福音封闭的族群中为基督作出充满活力且能不断传递的见证。其宣教策略包括两方面：把境外的菲律宾教会塑造成宣教的前沿基地，同时推动境内的众教会和宗派积极兴起带职宣教士，前往国外的工场上带职宣教。

为有效调动全球菲律宾教会参与普世宣教，坚固和拓展现有的宣教事工网络势在必行。

菲律宾众多从事宣教训练和推动宣教的同工透过全国宣教士培训网络（National Missionary Trainers Network）协力合作，互补长短。他们订出信徒成为带职宣教士需要接受培训的最低指标；与差派地的传道人组织和宗派配搭合作；也在菲律宾和许多国家举办短期培训课程；编写适合普通海外务工人员的宣教训练教材，便于复制和转用。这个网络还专门培训能够去培训别人的人，又架设了一个特别的网站提供基督教会众肢体了解各类讲座、特会和宣教课程的讯息。

另外一些协助菲律宾教会的宣教网络有全国青年宣教运动（National Youth Missions Movement）、"把握时机"祷告勇士团（Kairos Prayer Movers）和宣教士关怀网（Member Care Network）。我们还组建了专门针对具体的宗教群体的宣教网络，为着本土化的宣教事工提供相关的资讯和培训。这些网络包括穆斯林事工M2M（Ministry to Muslims）、佛教徒事工B2B（Bridges to Buddhists）以及印度教徒事工H4H（Harvesters for Hindus）等。

第58章 全球宣教的伙伴关系

今天，我们拥有前所未有的机会，让我们可以互为伙伴来一同推动福音的拓展。不仅西方与非西方国家宣教机构之间需要建立伙伴关系，非西方国家的差会之间同样需要配搭合作。请看以下两篇相关文章：

现在就是合一的时刻

比尔·泰勒
（Bill Taylor）

比尔·泰勒曾任世界福音联盟宣教部（World Evangelical Alliance Mission Commission）执行主任，现为该会全球大使（Global Ambassador）。

现在就是合一的最佳时机！主耶稣在约翰福音十七章11节、21-23节中的祷告清楚表明宣教中伙伴关系的重要性。我们的主四次祈求父神使我们中间能够成就真正的合一，使世人由此从我们身上看到基督的彰显；主的这个祷告从未得到像现今这样的应验，就是普世的基督身体，正在学习跨越语言和文化的障碍彼此配搭事奉。让我们摒弃一切人为的架构，继续增进我们的同心合作，不断拓展，让父神的心欢喜。让我们在福音的工场上建立真诚的伙伴关系。

我们日渐看到普世基督教会戮力真诚

地委身于建立起成熟、敏锐、深度的伙伴关系。伙伴关系发挥极致要具有以下的要素：

1. **注重培养关系**。唯有建立在持久信赖、不断推进的关系之上的配搭合作才能发挥功效，任何一方都不能只求尽快完成工作而一时冲动缔结机构联盟。

2. **跨文化的智慧**。合作双方先认识、理解各自的文化差异后，配搭事奉才有可能真正有效。不能仅从自己单一文化的价值体系和行为模式来运作宣教事工，如此只会将自己的方式强加于人，无形中把对方视为后生小辈、微不足道。

3. **设立共同目标**。双方还要一致委身于共同的目标，真正接受彼此都不可或缺，一同专注于结出丰硕的果实，才可能有效地配搭事奉。

4. **彼此问责评估**。不断检测工作果效、随时评估调整角色，才能培养和增强有效的配搭关系。

万古长青之道

大卫·鲁伊斯
（David Ruiz）

大卫·鲁伊斯任世界福音联盟宣教部（Mission Commission of WEA）的副主任，也是伊美普世宣教网（COMIBAM International）的前任主席。

要建立良好的合作关系，就当回归圣经，学习美德、智慧和谦卑这些万古长青的行事准则；归根究底，合作乃是在爱中行事。圣经向我们显明了最卓绝的爱的榜样：耶稣基督（约翰福音第十三章），而爱里的合一才是衡量成功的伙伴关系的唯一标准（约翰福音第十七章）。

从哥林多后书第八章也可以看到伙伴合作关系的原则：

1. 先将自己奉献给神，然后彼此委身：

"他们……照着神的旨意，先把自己献给主，然后献给我们。"（5节）好的伙伴关系其核心一定是先将自己交托给神，这样，神就在这伙伴关系居中作主，使我们察明神的旨意，明白如何具体地彼此委身同工。

2. 不是发号施令，而是甘愿服事： "我这样说，不是吩咐你们。"（8节）我们并肩事奉，而不是控制或左右对方。

3. 不求拥有，但求给予： "祂本来富足，却为你们成了贫穷。"（9节）我们的伙伴关系为着彼此的成功而欢欣，力图拓展我们共有的疆界，成全彼此的荣誉。

4. 同等重要，互助互利： "现在你们富裕，就要补助他们的缺乏，到了他们富裕的时候，也可以补助你们的缺乏。"（14节）我们在这个伙伴关系里完全平等和同等重要，各方都能够贡献所长，并且补足别人的缺欠。

如此万古长青之道，让我们清楚认识到大家在基督的教会中都互为肢体。唯有如此，我们才能在宣教事工上更加有效地事奉，忠诚不渝。

第59章　承接重任的后起之秀

伊冯娜·哈尼卡特（Yvonne Wood Huneycutt）

作者曾在美国普世宣教中心工作十年，主要从事田纳西州纳什维尔的教会和学生动员工作。期间，她也担任《宣教心视野》课程的指导员和协调人。目前在不同国家和语言地区担任《宣教心视野》课程网络的顾问。

2006年，来自十多个国家的宣教领袖汇聚在一个人口大半为穆斯林的国家，举行了一次具有战略意义的会议。这个差不多有三百人出席的大会，让我看到神的子民在过去几代人中殷勤劳苦的果效，又让我瞥见充满希望的宣教远景。神的众儿女们欢聚一堂，一同敬拜祷告，为着完成普世福音化的重任而群策群力，力求在每一个族群中掀起福音的热浪；正值第三个千禧年来临之际，这次会议仿佛神的大家庭的全家福。自从神在上古之时要亚伯拉罕数点天上的群星，祂的心意就是要建造这样一个大家庭；引人注目的是，这个全家福较之五十年以前，甚至十年以前的都大不一样！神的儿女们从世界各国涌入神的普世大家庭中，只剩几千个族群还没有。

令人惊奇但也在意料之中的是，本次大会是由非西方国家教会一些成熟老练的领袖所组织、筹划和带领的；果真不出温德（Ralph D. Winter，本书主编）以及其他几位宣教泰斗数年前的预料。温德在1981年首度发表了一篇洞见新颖的文章，题为〈走过宣教历史长河〉（*The Long Look, Eras of Mission History*）。文中简要描述了非西方国家宣教机构势不可挡的兴起；不久，他又改写该文以〈四个巨人，三个时代〉（*Four Men, Three Eras*）为题发表，脍炙人口。温德不惜笔墨论述非西方国家教会的宣教架构，无论在数量上还是在影响力方面都将大大超越传统上以欧美为主导的宣教模式。[1]

温德预期非西方国家的宣教势必异军突起，蓬勃发展。这一预期是根据现今众所周知的更正教宣教三个革命性时代为框架，每一个时代都聚焦在他们的时代如何完成大使命；在当今这一承先启后的时刻，我深愿大家重温温德提出的"三个时代"的概念，尤其应当留意那些使宣教前辈感到气馁和分心的挑战，以鉴古知今，使我们在当今这个时代奋力接棒，完成普世宣教的重任。

第一个时代：向沿海登陆

第一个时代的领军人物是威廉·克里。他在钻研圣经时深深为教会所担负的宣教重任所触动，而探险家库克船长的日记更让他了解到荒僻偏远之地的族群的生活状况。当时盛行的神学思想是认为大使命只颁布给十二个使徒，但这个思潮并没有扑灭他内心的宣教之火；据说，有人如此责备克里："年轻人，坐下来吧！如果神真的要赢得外族人，祂完全可以自己来，丝毫不需要你我的帮忙。"但克里没有被责难吓到，反而提笔奋力疾书，于 1792 年写下了一本小书，标题却长而醒目：《简论基督徒以合宜途径向异教徒宣教的义务》；这本小书掀起第一波更正教的宣教巨浪，自此宣教士踏上各大洲的沿海地区。有鉴于过去更正教一心一意要对抗天主教体制，而忽略了应该建构自己的宣教架构，书中所提到的 "途径"（means）就指出更正教极需的宣教架构。克里的著作一鸣惊人，促成了第一个更正教宣教差会的诞生，影响深远。一年之后，克里启程前往印度；短短几年之内，又有几个宗派的宣教差会相继问世，后来在英国、欧洲和美国纷纷兴起更多不同的宣教差会。

随后，美国的学生宣教运动为克里在英国掀起的宣教热潮推波助澜。有一次，一些深受克里著作影响的大学生，在野外遭遇暴雨，就一起钻到干草堆空处躲雨。他们在此一起为着有更多学生热衷于海外宣教事工而祷告，这就是著名的 "干草堆祷告会"（Haystack Prayer Meeting）！这一把宣教之火在全美迅速延烧，一直蔓延到欧洲。虽然最早投身宣教的勇士主要来自英国，但更正教宣教的第一个时代乃是以欧洲宣教士为主；他们跟随早期的殖民开拓者的足迹，远涉重洋，踏上一个个沿海地区，登上一个个岛屿。明知等待他们的将是疾病和死亡，甚至于当时前往非洲

的宣教士用棺材作为自己的行李箱，以誓其志（据统计，这些宣教士在工场上能够幸存的一般不会活过两年）；宣教士依然意志坚定，抱着 "明知山有虎，偏向虎山行" 的决心前往。

第二个时代：向内陆挺进

温德提到的 "宣教四巨人" 中的第二位就是戴德生（J. Hudson Taylor）。这位年纪不足三十岁的年轻人，内心常常为着中国内陆地区无数尚未听到福音的灵魂感到痛心，他开启了现代宣教的第二个时代。当时的宣教差会拒绝戴德生的请求，不愿意往从未接触过福音的中国内陆地区差遣宣教士；他不得不建立一个新的差会，称之为中国内地会（China Inland Mission）。内地会专注尚未得到福音的族群及他们生活的地方；这是一种新的宣教架构，专门针对**内陆地区**展开福音工作。

中国内地会招募来自各个宗派的宣教士前往中国的内陆省份传福音。尽管英国的教会领袖一再警告他，这等于是把年轻的宣教士派到中国去送死，但是戴德生仍然坚定不移。他的信心激励了许多人的宣教热诚，最终几十个不直属任何宗派的差会相继成立，就是所谓的 "信心差会"，例如苏丹**内地会**（Sudan Interior Mission）和**边陲**宣教联会（Regions Beyond Missionary Union），往内陆、边陲地方宣教。后来英国的牛津大学掀起了一场声势浩大的学生宣教浪潮，而这一浪潮 "漂洋过海"，一直波及到美国的大学校园内，最后点燃了风起云涌的学生志愿宣教运动（SVM，Student Volunteer Movement）。

这个学生运动在二十世纪前叶产生了无数美国宣教士，现代宣教的第二个时代几乎是他们主导的。

第三个时代：赢得未得之民

前两个时代主要是采取地域性的策略来完成大使命。经过一百五十年众多宣教士前仆后继辛勤开垦，福音终于从各大洲的沿海地带一直推进到内陆地区。温德指出："到1967年，九成以上来自北美的宣教士是与早已存在一段时日的本地教会并肩事奉。"随着二十世纪中叶殖民统治的势力逐渐崩解，本土教会不仅预备好走向独立，有时甚至无须海外宣教士。一批又一批的宣教士开始返回本国，许多人不禁认为宣教使命已经大功告成。但果真如此吗？温德又指出："在大多数人尚未觉察之时，另一个宣教新时代已经悄然来临。"

学生志愿宣教运动派了一位名叫金纶·汤逊（W. Cameron Townsend）的成员到危地马拉去分发圣经。当他正准备把一本西班牙语圣经递给一位当地的印第安人时，这个印第安人反问汤逊说："如果你的神真有大能，为什么祂不能说我们的语言呢？"汤逊豁然意识到，无论哪一种语言，使用的人再怎么少，我们必须用每一种语言来传播福音。他随即敦促当时的宣教差会着手研究如何把圣经翻译成这些被人忽略的语言；汤逊无法说服他人投入这项工作，于是自己就组织了一个新的差会，名叫威克理夫圣经翻译会。

正当汤逊把人们的注意力转向备受疏忽的语言的时候，在印度有一位名叫马盖文（D. A. McGavran）的第三代宣教士发现，基督的福音在印度的某些种姓中掀起了热潮，但是对另外些种姓却影响甚微。他把福音在某些社会民族人口中的迅速拓展称为"群体归主运动"（people movements）。马盖文所著的《福音桥梁》（*The Bridges of God*）一书广为人知。他在书中指出，福音可能在某个族群当中迅速传播，在同一地区的其他族群却完全无法触及。

第五个巨人：温德

温德与马盖文同在富勒神学院的世界宣教学院共事，他从不同的角度，继续发展与深化马盖文的宣教观点。温德看到福音不会自行从一种文化或阶层传入到另外一种文化或阶层中，即便这些群体都使用同样的语言；这表示在福音尚未渗入的民族语言社群中，建立教会的艰巨任务还需要额外的工作。

温德认为已经有"四位领军人物"带领完成了普世福音化重任的不同宣教时代，他把之后的金纶·汤逊和马盖文称为其中的第三和第四位；但是以我之见，温德是当之无愧的第五位领军人物。在1974年的洛桑世界福音大会上，温德提出的"未得之民"的概念不胫而走；他清晰地指出，我们必须付出特别的努力，让每一个民族语言群体能够明白和获得福音信息，如此才能完成主所托付给教会的大使命；为此，我们必须在每一个族群中建立起具有文化适切性的教会倍增运动。温德在洛桑大会上的讲话撼动了整个宣教界。六年之后，在温德亲自发起的1980年的爱丁堡宣教大会上，"每一个族群都

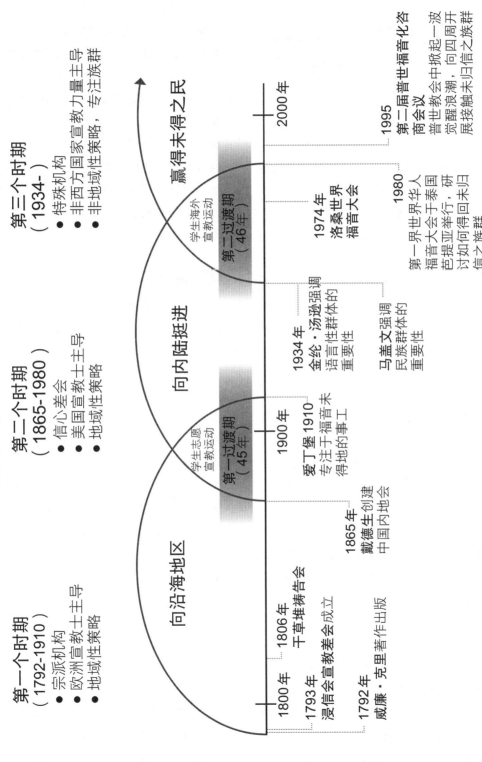

现代宣教浪潮的三个时代

第一个时期
（1792-1910）
- 宗派机构
- 欧洲宣教士主导
- 地域性策略

第二个时期
（1865-1980）
- 信心差会
- 美国宣教士主导
- 地域性策略

第三个时期
（1934-）
- 特殊机构
- 非西方国家宣教力量主导
- 非地域性策略，专注族群

向沿海地区

向内陆挺进

赢得未得之民

1800年

1806年
干草堆祷告会

1793年
浸信会宣教差会成立

1792年
威廉·克里著作出版

1865年
戴德生创建
中国内地会

爱丁堡 1910
专注于福音未
得地的事工

1900年

第一过渡期
（45年）

学生志愿
宣教运动

1934年
金纶·汤逊强调
语言性群体的
重要性

马盖文强调
民族群体的
重要性

第二过渡期
（46年）

学生海外
宣教运动

1974年
洛桑世界
福音大会

第一界世界
福音大会于泰国
芭提雅举行，研
讨如何得回未归
信之族群

1980

1995
第二届普世福音化咨
商会议
普世教会中掀起一波
觉醒浪潮，向四周开
展接触未得回未归信之族群

2000年

（本图同第41章、页95图）

231

世界宣教力量迅速转变为以非西方人士为主的局面，而第三个宣教时代已经全面铺开。

有自己的教会"这一思想渗入到世界各地的宣教浪潮之中，尤其是成为非西方国家教会新兴的宣教架构的总基调。

如同前两个宣教时代一样，第三个时代中涌现了一批新的宣教差会，专注于向未得之民传福音。很多西方的宣教差会特别取了诸如"前线差会"（Frontiers）或"未得之民差会"（Mission to Unreached Peoples）等醒目的名字。此外，在二十世纪的最后二十年间，非西方国家的教会成立了好几百个宣教差会。今天，从非西方国家差遣出去的宣教士的数目已经超过了西方国家。

世界宣教力量迅速转变为以非西方人士为主的局面，而第三个宣教时代已经全面铺开，完成普世福音化重任的异象并没有改变：就是每一个族群的人都要来求告和荣耀基督的名。要完成这样的异象，就必须在每一个族群中先开启一个初期的福音突破，进而带动本土的归主浪潮。

时代之交

温德指出这三个宣教时代之间的交替并非完全分明，时代交织期间往往会对宣教任务产生混淆和冲突。当第一个宣教时代的事工还气势如虹，第二个时代已然来临，极欲注入全新的宣教力量，是第一个

时代中所欠缺的。温德在书中写道："我们今天学会辨明头两个时代的交织期尤为重要。从1865年到1910年（正好是第一时代的终结和第二时代起始的时期）的四十五年，正是第一时代和第二时代的交织期；宣教策略从适合于第一时代成熟期，过渡到第二时代开拓期。"与此相仿，在二十世纪的七〇、八〇年代，第二时代的宣教工作主要转交给了本土教会，但专门针对遭到忽视的未得之民的宣教工作已经日渐兴起。这些族群较小，有些甚至就是文化殊异的现存教会的近邻。

拓宽使命？

如今非西方国家的各个地区几乎都差派出自己的宣教士，这使过渡到第三个宣教时代的过程变得错综复杂。虽然一些国家中的教会已经成熟，并且在向其他地方差遣他们自己的宣教士，但仍然有许多西方宣教士在其中积极服事。通常，西方宣教士主要以与本土教会的领袖配搭的方式继续在这些地方事奉；然而，这样的局面非常容易使人混淆宣教的重点，误以为宣教重任就是不断拓宽所作的项目。当今的教会愈加深刻地认识到世界各地人们的迫切需要，并且试图把社会改良与宣教使命融合起来；凡是在教会已经建立起来的地方，信徒不仅需要持续不断地传福音，而且还要面对慈善工作、伸张正义和社会改良的需要；这些都是信徒为基督的国度在所处社会中应有的积极行动，也是教会改变影响社会理应采取的方式。但是，我们不可将教会的社会义务与传扬福音的基本任务混为一谈！宣教的首要任务乃是，在每一个族群中建立起一个属神国度的

群体；在那些还没有教会的地方，新近建立的本土教会应当造就一群得蒙救赎的子民，使他们去积极参与所处社会更新变革的工作。

收窄使命？

"收窄使命"可能与上述的"拓宽使命"同样令人含混不清。"收窄使命"指教会只把国境之内的未得之民或国门之外的本民族列为宣教对象；例如，印度教会很容易只把本国中的许多部落和群体纳入自己的宣教异象；中国教会也可能落入同样的情况，许多宣教努力都针对**居住在世界各地的华人**。这本身无可厚非。但是，如果中国教会的宣教事工没有打破本民族的界限，那么就只是履行了自己本来可以完成的宣教重任中的一部分工作而已；教会的主向印度教会与中国教会颁布的不是一个小使命，而是整个"大使命"。

我们为着非西方国家的教会正热心遵行大使命而感到欢欣鼓舞。韩国教会率先投入到针对丝绸之路沿途族群的宣教大工中；中国教会多年来受"传回耶路撒冷"的异象激励，争取在完成普世福音化的重任中跑好自己这一棒，他们定准了亚洲和中东地区余下的那些未得之民。尼日利亚教会定意与中国教会欢聚在耶路撒冷圣城，他们要完成向北非和中东的伊斯兰教族群传福音的大工。拉美宣教士是向北非的族群传福音的主力军；印尼的宣教士也走出岛屿，登上亚洲的各个地区；菲律宾和韩国的宣教见证更是遍布世界各地。此际，西方教会不能再把自己的角色局限于资金和祷告的支持，他们仍然有分于"到全世界去"的福音使命。

> **主向印度教会与中国教会颁布的不是一个小使命，而是整个"大使命"。**

携手并进、勇于开拓，奏响最后的乐章

第三个宣教时代揭露了许多族群中尚未存在任何教会的情况，这意味着我们必须制定开拓性的宣教策略。不过，现今西方**和**非西方国家教会的宣教架构，已经一起完成了不少开拓性的工作；目前尤为重要的是，双方能够在开拓性的宣教事工中携手并进。非西方国家教会其实在很多方面已经与西方教会比肩而立，共同努力完成未竟之业。由于未得之民的文化属于非西方的，西方教会在这方面需要多多向非西方国家的宣教伙伴学习；同样地，非西方国家教会也可以从更正教两百年的宣教历史借鉴中吸取教训。

温德展望第三个宣教时代的全貌。他如此说："世界性的教会网络已经被唤醒了，教会普遍认识到自己的核心使命。这一景象使人非常确定我们已经进入了宣教历史上的最后时代。"全球宣教力量日益壮大，福音尚未形成初步突破的族群数目不断递减，这些情形足以激励我们朝着普世福音化的异象携手并进。

一位美国朋友向我讲到他在穆斯林国家事奉工作时的观察，有些穆斯林被耶稣所吸引，但是不愿意跟随基督。他们认为："基督教是西方的宗教，我如果作了基督徒就会遭到迫害。"后来中国宣教士

来到那里，他说，他们很认同中国人的民族特点和在信仰上遭遇的患难，反倒化解了穆斯林朋友对基督信仰的敌对，这是西方宣教士无法做到的。

回顾2006年那次全球宣教大会，有一个特别的群体让我惊喜交加，他们就是哈萨克人。上个世纪九〇年代，我的教会非常关注向这个族群传福音，并愿意为哈萨克人祷告；我于1994年到了哈萨克斯坦，在现代历史上的第一个哈萨克本土教会中与他们一同敬拜。这个教会从那时起迅速发展，短短十二年之后，尽管哈萨克人仍然列在未得之民中间，但是一位哈萨

克教会领袖在2006年的这次大会上向众人报告说，他们已经差派宣教士往其他地方的族群中开展福音工作。

今天，福音比历史上任何时代都更加广传，这要归功于宣教前辈们持定异象，在全世界每一个角落的每一个族群中，完成普世福音化的托付。如今我们看到全球教会，都忠心、热诚地委身在这宣教大业中，展望未来，我们将会看到怎样一幅绮丽的宣教美景呢？我们能否在有生之年亲眼目睹神众儿女的全家福，其中包含了来自每一个**族群**的弟兄姊妹？

附注

1. 该文的第一个版本名为 'The Long Look: Eras of Mission History'，1981出版于《宣教心视野》课程的第一版。本文中有关温德的所有引文均出自《宣教心视野》第41章〈现代宣教史话——四位巨人、三个时代和两个过渡期〉（*Four Men, Three Eras, Two Transitions: Modern Missions*）。

第60章　丰收在望

庄斯顿（Patrick Johnstone）

作者从1980至2004年担任环球福音会（WEC International）的研究主任。在非洲多年宣教期间，他开始整理材料，推动基督徒为普世宣教祷告，结果出版了《普世宣教手册》（Operation World）一书。该书成为在全球广泛使用的祷告的工具书。现居英国，从事写作、演讲和辅导其他领袖的工作。本文摘自The Church is Bigger Than You Think（1998年）。版权使用承蒙许可。

以赛亚书第五十三章描绘到神借着祂受苦的仆人完成拯救罪人的计划。犹太民族明白这段经文刻划的就是弥赛亚，但是直到主耶稣基督为赎罪而死之后，其完整的含义才昭然若揭；显然，这是一个属灵的救赎，因此以赛亚书第五十四章的应用也是属灵方面的，不仅针对旧约之下的犹太民族，同时也适用于新约之下由外族人和犹太人组成的教会。此处经文字面上讲到的是被掳的犹大人将从巴比伦回归，实际上是预示回到神面前这一个更加伟大的属灵真理；具有普世性的含义，且与福音的传扬紧密相关。

保罗把以赛亚书五十四章第1节与教会联系起来（加4:27-28）。许多有分量的解经家也把这段经文看作对新约教会的预言，詹姆斯·丹尼如此说："从教会着眼，以赛亚让我们更深刻地看见受苦的义仆赎罪工作的重大意义和功效；这位义仆是为着教会，也就是为祂的身体而受苦，而不是为祂自己。" [1] 因此，我在这里也放胆地把这一节非比寻常的经文作类似的应用：

> 不能生育、没有生养过孩子的啊！你要欢呼。
> 没有生产过的啊！你要发声欢呼，高声呼喊。
> 因为弃妇比有夫之妇有更多儿子。这是耶和华说的。

不生育的妇人不再因为自己没有后代而羞愧，却要因为得着许多属灵后代而欢欣，她们将远比能生养的妇人得到更多的后裔。

这节经文中洋溢着新生和喜乐的音符，字里行间满有活泼的属灵成长氛围。我们也看到，神的确按照应许赐下苏醒、更新以及复兴的时刻。

反观我们人类，不少人对所处的世界和教会感到失望，还一意地相信情况只会越来越糟。我在这里要提出一个反驳，他们这种观点其实是出于对经文暧昧不信的态度，以及对主耶稣再来时的境况怀抱错误的认识。当耶稣说："然而人子来的时候，在世上找得到这种信心吗？"（路18:8），他们竟然消极地把这段经文当作自己信心软弱的借口。但耶稣这番话的用意是激励我们不要灰心丧志，要我们为

当今基督教会的增长幅度,在世界历史上是前所未有的。

主的再来祷告时，深信祂的大能。以赛亚书五十四章1节，就是神给我们的应许：当神的国度来临之际，我们必将看见，世界各处都有灵魂欢欣归回天家的美景。

丰收在望的历史基础

历史上不乏教会贫瘠荒凉、灵命光景低落的时期，但随后因神的介入，以祂的圣灵浇灌，复兴就在本地、全国，甚至更广的地区蔓延开来。

第一次复兴也是最引人注目的一次，是主耶稣复活之后的五旬节。在那个时候，由犹太人组成的旧约会堂已经了无生气，但在这时，神将圣灵的大能赐给他们，使他们把福音传遍了当时已知的世界。以赛亚书五十四章第1节的预言对于这个时期具有特别的意义，主耶稣复活之后对此有清楚的讲解。当祂应许死亡的权势不能胜过教会时（太16:18-19），祂很有可能想到这节经文。

当然这不是最后一次圣灵浇灌，整个教会历史上不断出现这样的复兴。爱德温·奥尔在他一部关于教会复兴的专著中，对这些历史做过详尽的研究和描述。[2] 教会大复兴的频率和力度在过去两百年中皆显著增加，许多生活在西方世界的人们期盼着大复兴再次临到他们；但是出乎意料地，令人难以置信的属灵大复兴

接连爆发在世界上的其他地区。

全国性大复兴的实例也不胜枚举。英国教会几个世纪以来一直经历复兴，十五世纪有威克理夫的复兴，十六世纪有宗教改革，十七世纪有清教徒运动，十八世纪有卫斯理和怀特腓德（或译怀特菲），十九世纪中叶的福音复兴运动有信义宗的芬兰，挪威和瑞典在过去两百年中也经历过接二连三的复兴。二十世纪初的英国威尔士（Welsh）大复兴和五旬宗的属灵复兴的影响力直到今天依然回荡在世界各地。借着圣灵的丰沛浇灌，在过去五十年中，好几百万人经历到属灵大复兴，无数罪人悔改归入神的国度中。在二十世纪四〇到五〇年代，非洲东部发生了几次重大的属灵复兴，[3] 饱受韩战蹂躏之后的韩国在二十世纪五〇、六〇年代经历到复兴。[4] 在共产主义的风暴摧毁当地教会的前夕，中国（1945年至1948年）、柬埔寨（1975年）[5] 得到了圣灵的浇灌。属灵的大复兴也临到人口大半由穆斯林组成的印尼，尤其是西帝汶[6] 以及其他一些地区；位于印度东北部的偏远省份那加兰邦（Nagaland）和米佐拉姆邦（Mizoram），近些年来成为世界上福音化程度最高的地区，其中绝大部分的人经历到奇妙的生命转变。二十世纪七〇、八〇年代，中国和拉丁美洲都有大批的百姓归主，以致于全球福音派基督教的重心发生转移，离开了多少世纪以来既是其发源地和庇护所，又是牢笼的地区。

为这些我们理当雀跃欢呼！当今基督教会的增长幅度，在世界历史上是前所未有的。教会诞生之时圣灵的浇灌在范围和展现形式上都具普世性，但在过去两百年

间，圣灵浇灌的频繁程度前所未有。这其实也在我们的预料之中，因为除了在全世界彰显的圣灵工作以外，还有什么其他的证据更能充分地表明主耶稣在十字架上的得胜呢？不仅如此，我能相当有把握地说，末日已届，我们已来到收割庄稼的最后时刻；在过去十年中，借着重生归主或出生于福音派基督徒家庭中的信徒人数比当年五旬节时全世界的总人口还多。

广传福音——显扬与回应真理的时候到了

我们现在已经越来越接近主耶稣复活之后为我们设立的基本目标，虽然眼前的任务依然艰巨，但确实可以成就。主耶稣给我们设立的目标是可达成的，我将在这个段落中对此加以论述。主耶稣清楚地告诉我们，这个世界会愈发糟糕，罪恶满盈，大行其道；但与此同时，祂也告诉我们，神子民的数量将不断增长，分布在世界各地（太廿四章）。世界上的善恶两股力量都在步步逼近它的最高峰。深夜来临，午夜将至，黑暗势力将达到最强大，但同时教会也将预备好自己，翘首以待良人来临的美好时辰。

我们为着教会业已完成的宣教大工振臂欢呼！在此，我以无比的喜悦与大家分享这令人雀跃的事实依据。提到神的国，我们不应总是感到阴沉压抑，而应当欢欣鼓舞；诚然我们还有许多担忧困惑，但是太多人在讲台上总是喜欢向大众传递极其消极的信息，那只会误导人们。我认为，过去几个世纪中让人们对普世宣教事工失去异象的原因，就是对世界和未来的悲观主义。人岂不是更愿意敞开心扉接受正面鼓励的话语？从神的国度必然得胜、扩张的坚实盼望中带出积极的信息，使人们能更坚强地面对困难。以赛亚不就是这样吗？面对灰心丧志的百姓，他带来丰收在望的喜讯，我的目标也是如此！我坚信每一位牧师和教师都应当知晓神在普世国度

基督教传播简图

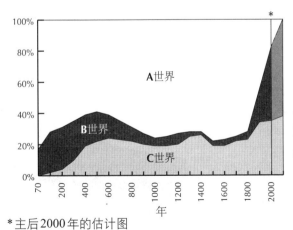

A世界 ＝ 未闻福音者
B世界 ＝ 听过福音的非信徒
C世界 ＝ 持广义基督教信仰者

*主后2000年的估计图

面临的挑战和终将赢得的胜利，把这些信息不断传递给信徒，唯有这样才能激发异象、代祷和行动。

237页的图表显示了在过去两千年中，每一个世纪中三大世界各自所占的人口比例，[7] 不是从地理的角度界定，而是依据人们对于基督教信仰作出的回应来界定。

1. **C世界**：指世界各地所有持基督信仰的人——广义上的基督教信仰，包括罗马天主教、东正教、更正教、圣公会、福音派信徒，以及从基督教衍生出来或偏离正统的基督教派别。在这两千年中，基督徒人数占世界人口的比例究竟是上扬还是下滑，在图中清晰可见。

2. **B世界**：听过福音的非基督徒，或是生活在可能会听到福音的社会或地方的人，这些是已经有机会得知福音的非基督徒。[8] 我们以此衡量神国度不断扩展的疆界，这一疆界比可见的教会大得多；不过，只有在早期教会时代和当今世代才是如此。[9]

3. **A世界**：所有尚未听到福音的非基督徒。如果没有基督徒为他们作出额外的努力，他们极可能一直都是非基督徒。

在教会初期的四十五至五十年间，当时世界总人口中可能将近30%的人听到过福音；初期教会的使徒们为早先错过的时间迎头赶上，确实扭转了乾坤。到第五世纪末，这个比例上升到40%；使徒时代基督教会的宣教步伐虽然较慢，但是其后的成就令人赞叹。

接下来的一千年中基督教内部出现冲突，整体也不断衰落，最终仅仅在欧洲站住脚。从主后500年到1800年，世界上非基督徒人数占世界总人口的比例不断攀升，而基督徒的比例则呈现静止甚至下滑的趋势。世界总人口中听闻过福音的人所占的比例也严重走向滑坡；直到我们所生活的时代，世界人口中听闻过福音的人数才又迅速上升。这个图表让我们看到，马可福音十六章15节中耶稣吩咐门徒向"全世界"的"所有的人"传福音的命令，终于在我们这个时代可以实现了；当然这并非意味着完成了整个大使命，人仅仅听到福音还不够，但这却是完成马太福音二十八章18-19节栽培门徒和建立教会必不可少的第一步。

细数福音在各个族群中的进展

我们再来关注使万民作门徒的工作在全世界的进展，这对于浏览大使命实现的全貌极为重要。下面这张图表标明的就是两千年历史中福音传播的进展情形：

图表中的两条线代表两千年间世上族

两千年来族群福音化简图

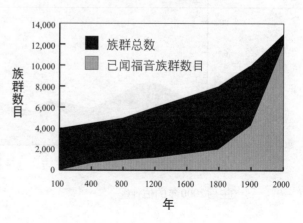

附篇
60-1　世上族群及其作主门徒的情况

在下图中，我们根据福音在各个族群中传播的程度，将世界上的一万三千个族群加以归类。为了简便起见，我们以每五百个族群为单位归整。此表概略反映世界上众多族群接受福音的状况，借以衡量教会在宣教方面的进展。以下是关于四个方柱的简要说明。

1. 第一个方柱：世界上有差不多一半的族群，其总人口中大部分的人宣称自己是基督徒。这里所说的基督教包括更正教、天主教、东正教、本土地方教会，以及其他极端教派；无论我们对人们声称的正统性作何判定，这些族群中的大多数人认为自己的宗教身分是基督徒。《世界基督教百科全书》（*World Christian Encyclopedia*）、贝瑞特《世界宣教概况》（*Statistics Table on World Mission*）和《普世宣教手册》（*Operation World*）中的年度统计表中的所有资料都是在此基础上统计出来的。[10] 这些族群的文化中浸透了福音信息和基督教的价值观，哪怕后代的人们只是保留了基督教的概念。[11]

2. 第二个方柱：宣教有突破进展的族群。这是温德自创的术语，[12] 表明一个族群的福音化已经达到一定程度，福音在其中产生的重大影响力促成相当数量的本土信徒群体，基督教可以在本土文化中自行繁衍。这三千个族群中包括诸如韩国的教会在本世纪中呈现突飞猛进的增长趋势，尽管韩国基督徒还只占总人口数的三分之一。另外一些族群也属于此类，例如新加坡的华人，印度的泰米尔人（Tamil）和肯尼亚的图尔卡纳人（Turkana）。

3. 第三个和第四个方柱：世界上还有三千五百个族群是宣教事工尚待开垦的处女地。这些地方不是根本没有本土教会，就是教会太小、处于文化边缘，不足以对他们当代的整个族群产生影响，除非得到外来的帮助。其中有一千两百至一千五百个族群，他们当中完全没有本土教会或长驻该族群的跨文化宣教团队。

4. 第三个和第四个方柱中的黑色部分：代表人口总数超过一万的族群，其中基督徒不足5%，或者福音派信徒不足2%。[13]

我们从未像现在这样清晰看明未竟的重任到底是什么，离完成使万民作主门徒的大使命还有多远。我们不敢低估将面临的艰难挑战，但是至少可以看到完成大使命的重托并非遥不可及。

族群数目直条图

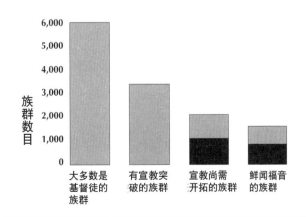

群的大体数目。创世记十一章中列出了巴别塔之后世界上的七十个族群；无人知道基督在世的时候世界上到底有多少个民族语言群体，我们在这里只是做出合理的估计。过去两百年中族群的数目不断增加，主要有两个原因：首先是国家的数目一直增加，把原来的族群分成了好几个组成部分，其次民族群体在几大洲之间迁移。我们推测世界各国有将近一万三千个不同的民族语言群体。[14]

我们现今能够更为确实地知道在近代这个时代是可以达成的！

历史上听到福音的族群的数目，不过在十九世纪之前，世界上只有极少的族群听到了福音。到二十世纪初，听到福音的族群数目显著增加，可是当时世界上一半的族群仍然没有听到过福音。到了二十世纪后半叶，情况才发生巨大改变。

尽管世上仍然还有许多未得之民，但比起一百年前的情况，其数目只是那时的一小部分。如果我们积极推动全球教会热切祷告，倾力合作；那么使世上余剩的未得之民作主耶稣门徒的宣教目标，在我们

附注

1. 丹尼（James Denney），1972:360。

2. 奥尔（Edwin Orr），1973。该书详细叙述了神如何使用威廉·克里和其他人开创联合祷告的运动。这个运动最早起始于英国的第二次大觉醒，后来传播到美国，掀起了一波新的宣教浪潮。

3. 雷赫声（Roy Hession）通过《各各他道路》（*The Calvary Road*）一书将这个复兴的信息传播到世界各地。这个复兴在二十世纪三〇年代从卢旺达开始兴起，传播到非洲东部和北部的大部分地方。可悲的是，两代人之前的复兴之地到二十世纪九〇年代变成民族仇恨和种族屠杀的战场。

4. Campbell, 1957. *The Christ of the Korean Heart*. London, England: Christian Literature Crusade.

5. Burke, *Anointed for Burial*.

6. Koch, Kurt. 1970.

7. 这些定义和统计资料乃是根据大卫·贝瑞特（David Barrett），1990:25 et seq.。

8. 大卫·贝瑞特（1987b）指出一个清晰的定义，显明根据圣经的教导，传福音与归信并不相同，虽然现代许多书籍把二者等同起来。

9. 我并不想暗示只有在A世界的宣教才是有效的宣教，实情并非如此。在B世界和C世界仍然有数以百万计的人仍然需要听到和明白整全的福音，只是至今还没有这样的机会。不过，那些在B世界和C世界的人一定有可能从现有的福音工作中听到福音。

10. 大卫·贝瑞特，1998；庄斯顿，1993；以及《宣教研究国际公报》（*International Bulletin of Missionary Research*）1985年元月之后各年的文章。

11. 彼得·比尔里（Peter Brierley），1996。基督徒研究协会的比尔里在各种不同的基督教手册中提出"幻想式基督徒"这个术语，指那些在长期信奉基督教的国家里为数不少的人，他们与体制化的基督教没有任何实质的关联，对福音的内容也没有任何清楚的认识，但仍然认为自己是基督徒。

12. 温德在许多期《宣教前线》（*Mission Frontiers Magazine*），USCWM中的见解。

13. 有人专门为了主后两千福音传遍运动准备了一个关于这些优先族群的清单，这后来演变为约书亚计划的族群目录。研究人员使用1994年之后对世界上各种族群的排列，整理出这样一个清单。这一清单突出了一千七百个民族语言群体，特别在推动普世教会为之祷告和向其宣教的工作得到广泛使用。较小的族群，和那些稍微有一些基督徒、并有向他们传福音的事工的族群没有被遗忘。这些乃是全国性、地区性和更加专门化的差会和教会配搭所要关注的相似族群。

14. 到下一个世纪，人们使用的语言数量很有可能急剧减少，因为一些使用人数少的语言会不断消失。有人曾说过，我们可能会失去三千种语言及其相关的文化；世界急剧的城镇化和大众媒体的使用是造成这一现象的两大元凶。

第61章 从西方到全球
——基督教世界的转移

陶德·詹森 (Todd Johnson)、李桑德 (Sandra S. K. Lee)

陶德·詹森现任戈登康威尔神学院普世基督教研究中心主任。他是《世界基督教百科全书》(*World Christian Encyclopedia*) 第二修订版和 *World Christian Trends* 的合著者，也是世界基督教线上资料库 (World Christian Database) 的编辑。

李桑德现任戈登·康威尔神学院普世基督教研究中心研究助理。自2004年起，她也担任洛桑世界福音大会执行主席的研究助理。

今天，世界上可以说每一个国家都有基督徒了。尽管基督教从教会初期就不断向外拓展，但只是到了近代才遍及世界的各个角落。赖德烈在其著作《世界基督教社群的出现》的卷首写下这样的话："当今这个时代最令人震惊的一个事实就是基督教已经遍及全球。"[1] 约翰·康西丁更是直言不讳地表示："基督教如果不包括全人类，没有成为**普世性**的宗教，那就不能算是真正的基督教。"[2]

基督教的传播

全球基督教浪潮始于基督和祂的门徒，从今天所谓"全球南方国家"（包括非洲、亚洲和拉丁美洲）范围内的耶路撒冷，向外不断拓展，沿着几条线路向外传播。基督信仰沿着丝绸之路经过波斯向东进入印度，最终到达中国；向南经过埃及传到非洲之角，向西则传遍整个北非。

在接下来的多个世纪中，基督教在北半球得到大幅度的增长，特别是在欧洲；不过在亚洲和非洲却明显缩减，部分原因是由于伊斯兰教在这些地区不断兴起。到1500年，欧洲基督徒占世界基督徒总数的92%。

随着欧洲人相继发现世界上许许多多不为人知的地区，基督教开始不断深入南半球。由于前面几个世纪生机勃勃的宣教浪潮和本土教会的福音工作，到1900年时，全球基督教传播的浪潮出现向南方急剧发展的趋势。在整个二十世纪，南半球国家教会迅速扩展，一直保持着增长的趋势；其中增长最为强大的要数非洲教会，基督徒的数目从主后1900年的一千万，猛增到主后2000年的三亿六千万。

全球基督教的福音浪潮也持续向西涌流。在1970年之前，北美大陆上的基督徒总数远远超过世界上其他任何地区。不过这一年也标志着宣教浪潮的急转弯：1970年之后，全球基督教增长最为迅猛

2010年来世界基督教概况

从主后33至2100年南方国家基督徒与西方国家基督徒
各自占世界基督徒总数的百分比

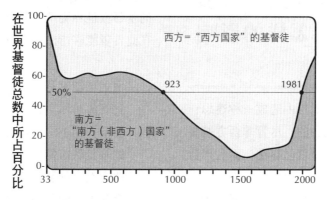

此图表明西方国家的基督徒所占百分比从基督时代就开始稳定增长。
请留意，在前900年中，南方国家的基督徒超过世界基督徒人数的百分
之五十。到二十世纪，南方国家基督徒所占百分比急剧上升，而西方
国家基督徒的百分比则不断下降。

的是在亚洲，为此全球基督教的重心向东偏移，在过去一千三百年中第一次发生这样的情形。

二十世纪八〇年代后不久，南半球国家的基督徒总数自十世纪以来，首次超过了西方国家的基督徒人数。目前尚看不出南半球（非西方）国家的基督教在二十一世纪有任何衰落的迹象，随着拉丁美洲、非洲、亚洲和大洋洲的教会继续突飞猛进地增长，基督教的传播已经汇聚成一场全球性的浪潮，全世界的一万三千个族群中，已经有九千多个族群是用自己的语言和文化来表达基督信仰。

上面这个图表反映了从基督时代开始，北半球国家基督徒所占世界基督徒人数的比例持续增长的势态。值得注意的是，在最初的九百年间，南半球国家的基督徒占全球基督徒总数的50%以上。到二十世纪中叶，南半球国家中的比例急剧攀升，而北部国家所占的比例却大幅下滑。

> **二十世纪八〇年代后不久，南半球国家的基督徒总数自十世纪以来，首次超过了西方国家的基督徒人数。**

从西方到全球

多个世纪以来，尤其是随着欧洲基督教世界（以及后来欧洲建立的世界性帝国）的兴起，基督教不断向西方政治经济势力靠拢，双方关系错综复杂。大卫·史密斯如此评论说："这是不争的事实，基督教宣教的'伟大纪元'就在欧洲人不断在全球扩张政治经济的鼎盛时期，直到最后欧洲殖民者统治了世界上84%的地区。"[3] 欧洲的世界殖民体系及其在全球

基督教持续向南向东拓展，对于未来的基督教世界会产生怎样的影响呢？

占据的强大优势，无形中造成一种迷思，以为基督教就是西方的；尽管非西方基督教运动早在十六世纪就已存在，而且声势也不小。

直到二十世纪后期，全球基督教才在人们眼中逐步摆脱了与西方殖民统治者纠缠不清的关系。

安德鲁·沃尔斯写到："基督丰满的身量要从祂的教会各个世代、各大洲所有族群多样文化中彰显出来。"[4] 我们脑海中典型的基督徒形像不再是一位西方的白人（顺便一提，在1980年，西方国家中真正实践基督教伦理与道德的信徒人数平均每天以七千六百人的速度递减)。[5] 而我们却亲眼目睹西方殖民统治瓦解，本土民族主义思潮抬头，新兴教会随之蓬勃涌现，日渐成熟。

基督教不但没有摧毁本土的人文环境，反而因为强调将圣经翻译成大众化的本土语言，确保了本土的语言和文化；[6] 而且教会在艰难逼迫的重压之下，仍然坚守信仰，持续增长，也都因为基督教信仰带给动荡不安的社会文化和政治经济环境中的人力量和信心。[7]

基督教传播的巨浪不断向南涌流，使得基督教 "从某种角度上回归其根……更新为原本'非西方'的宗教。"[8]

基督教全球化趋势的深远意义

基督教持续向南向东拓展，对于未来的基督教世界会产生怎样的影响呢？笔者在此希望能够指出五个方面的影响：

一、南半球国家基督徒要追溯回顾教会历史的最初几个世纪，他们在世界基督徒中占据主流地位的年代，反思自己的基督教信仰；然后对最近一千年来西方教会的基督徒所主导的**神学**和**教会学**加以阐释和批判。

二、基督教世界的通用**语言**正在向南转移。即使在上个世纪八〇年代，西班牙语就已经成为世界上许多教会的主要用语；[9] 今天，汉语、印地语（Hindi，印度官方语）、斯瓦希里语（Swahili，一种非洲语）等其他南方国家的主要语种，已经成为传播基督信仰信息的媒介语言。

三、南半球国家的基督徒在物质生活上比他们的西方肢体贫乏，每天都得面对**贫穷**的困境以及随之而来的社会混乱与不公。

四、全球基督徒与伊斯兰教、印度教和佛教的信徒**比邻互动**日渐频繁，这极可能加深不同宗教之间的冲突，同时也会创造积极对话的契机。

五、不同文化中未得之民涌现的归主浪潮，势必将基督教以**全新的文化风貌**展现在世人眼前。

这五方面都面对一个核心的问题："全球化的基督教能否在组成结构日益多样化的情况下顺利前行？"

1. 神学研究资源步步南移

　　到目前为止，基督教神学研究一直是西方基督徒学者的天下，但是南方国家中风起云涌的归主浪潮，极有可能引领未来的基督教神学研究。瓦米·贝蒂亚科概述了非洲基督徒完成这项艰巨的工程所要面临的巨大挑战，[10] 华勇也指出亚洲教会取得飞速的发展，但是极需"建立自己的神学架构，发展扎根于自己文化、历史和社会处境中的神学思想。"[11] 在此过程中，西方教会若能勇于向他们学习，会大有神益。史密斯所言极是：

　　我们何等乐见基督教世界中涌现出充满活力的灵性和神学新天地，非西方国家的基督徒将在此贡献他们的真知灼见，继续推进普世教会认识无以伦比的救主基督。我们正处在一个继往开来的历史时刻，原先带着浓厚西方文化色彩的基督教，正在转型成一个拥有普世面貌的信仰；继续以圣经整全的启示为圭臬，带着全新的属灵眼光和神学洞见，与宣认基督为主的千姿百态的文化交互作用。[12]

　　神学研究性质的转变，将进一步影响教会的神学教育和领袖栽培事工。我们极需在非西方国家建立并发展众多的神学教育中心。"我们最大的需求就是更多非西方化圣经解经学的研究，与西方学者的研究相辅而成，帮助我们更全面理解圣经。"[13] 如果西方教会真要有益于普世教会的生命建造，那就需要在自己的神学教育中添补多样化的研究课程，例如非西方教会的历史和神学思想；如此才能真正逆转长久以来的错误迷思：西方教会坐拥普世教会所需的一切灵性、神学和物质资源。[14]

2. 基督教信仰语言多样化

　　基督教在非西方、非英语世界中的迅速发展，也看出普世基督教世界的主流语言正在变更。如上所述，早在上个世纪八〇年代，西班牙语就已经成为世界上最多教会采用的语言；但非洲、亚洲和拉丁美洲的基督徒也在使用多种不同的语言敬拜神。为此，把福音真理翻译成本土语言以因应适合本土文化的工作就显得尤为重要。拉闵·山奈精辟地指出："基督教不可能规避翻译工作，就像湿气不可能没有水分一样。"[15] 他将此与伊斯兰教作对照：不管说何种语言，出自何种文化的穆斯林，都必须用阿拉伯语敬拜；但是基督教的圣经翻译工作则由来已久，我们可以使用任何语言和文化来敬拜神。世界上许多族群的语言没有文字，圣经翻译学者不仅把圣经译为他们的母语，还帮助他们提高识字率，兴办多种形式的文化教育。

　　西方基督教学者需要正视和看重非英语和非欧洲语言的著述，全球基督教极需把这些语言的基督教学术成果译为诸如英语、法语、德语或西班牙语等西方国家的语言。除了基督教世界的主流语言发生变更，不再以西方国家的语言为主以外，我们还需要改换宣教思路，不再把宣教视为独属西方国家的现象。在过去几百年间，欧美的基督教扮演着"差派教会"的角色，视世界上其他地方为"宣教工场"。如今随着全球基督教重心从欧洲转移到其他地域的国家，非洲、亚洲和拉丁美洲

的信徒不再被视为宣教的圈外人士；相反地，"唯有整合全球西方和非西方国家所有的宣教资源，基督徒往普天下去传福音的大使命才可能成功。" 16

3. 南半球国家教会面临的贫穷问题

南半球国家的基督徒，每天都要面对贫穷这个现实。大部分南方国家都存在贫穷和医疗条件匮乏的棘手问题，在诸如博茨瓦纳（Botswana）、津巴布韦和斯威士兰等遭受爱滋病重创的国家，基督教的发展也非常蓬勃；但这些国家的人们无法得到医疗救助，于是尤为看重圣经中有关医病和赶鬼的记载。南方国家的五旬宗和灵恩派教会的事工中，病得医治和脱离污鬼势力的神迹奇事层出不穷，圣灵在其中彰显极大的能力。史密斯如此描述这些教会："他们具有强烈的灵恩特质，但是同时信仰又相当保守。他们完全按照字面的意思来理解新约圣经，这实在让西方国家

附篇
61-1　下一个基督教世界：全球化基督教的来临
菲利浦·詹金斯 (Philip Jenkins)

当今正逢世界宗教历史上前所未有的重大转折之际。过去五个世纪以来，基督教主要绕着欧洲以及欧洲在海外（特别是在北美）发展。就在不久之前，世界上绝大多数基督徒仍分布在以白种人为主的国家，致使不少哲人学士以所谓的"欧洲基督教"文明自吹自擂；而另一方面，又有不少激进人士把基督教视为西方帝国主义意识形态的武器。许多人先入为主地认定基督教就是"西方"的宗教，用当下时尚的用语称基督教为"北半球国家"的宗教。

然而在过去一个世纪中，全球基督教的重心步步南移，势不可挡，非洲、亚洲和拉丁美洲大地上活跃着数量可观的基督徒。现在，世界上最大的基督徒群体生活在非洲和拉丁美洲的版图上；如果我们要用"典型"形象来想像当代基督徒，最好想像成住在尼日利亚村庄或巴西棚屋中的妇女。

世界上许多基督教急速发展的国家中，基督教若非居主体地位，就是具有相当数量规模的少数族群。在许多诸如尼日利亚、肯尼亚、墨西哥、埃塞俄比亚、巴西和菲律宾这样的国家中，即使基督徒占人口总数的比例维持现有水准，仅仅这些国家很快就会新添好几亿基督徒；若再加上归信基督的新信徒，基督徒占全球人口总数的比例将有重大突破。同时我们需要正视的是，传统欧洲基督教国家中的生育率长期维持较低的水准，以致人口总数停滞不前甚至下降。1950年世界基督教国家的排行榜上还有英国、法国、西班牙和意大利，但是到2050年，这些国家可能从同样的排行榜上悄然消隐。

基督教在新时代的发展欣欣向荣，但是其中的大多数基督徒都不是白人或欧洲人，也不是欧洲裔的美国人。根据颇为可靠的《世界基督教百科全书》的说法，今天世界上

的信徒们感到大惑不解。这些教会里大都是极其贫穷、挣扎在生存边缘的人。" [17] 由此我们看到基督教在较为贫穷的地区增长，不仅让我们认识新的理解圣经的方式，也看到对圣经很不一样的**经历**。对于这些生活在这些地方的贫穷教会群体而言，满足人们社会生活所需是与基督徒见证、神学和事工同样重要的。西方教会和宣教士不可对在这些国家中肆虐的爱滋病和贫穷视而不见、充耳不闻，更不能以高高在上的姿态施舍，乃要存心谦卑，认识到这是整体教会**里面**共同面临的危机。

4. 冲突与对话

　　基督教发展趋势不断南移的现实，使我们不得不正视基督徒与非基督徒之间潜在的冲突问题。一直以来，像尼日利亚、苏丹、印尼和菲律宾这些国家，一直存在的基督徒和穆斯林之间的紧张局势，如何可以化解？基督教会在主要信奉印度教的

　　有廿亿基督徒，占世界人口总数的三分之一。最大的基督徒人口版块还是在欧洲，其总数为五·六亿；紧随其后的是拉丁美洲，有四·八亿基督徒；非洲有三·六亿；亚洲有三·一三亿，北美则有二·六亿。如果我们把这些数字进一步推展到2025年，就算归信带来的增减变化不多，全球将有廿六亿基督徒：其中六·三三亿在非洲，六·四亿在拉丁美洲，四·六亿在亚洲，欧洲虽然有五·五五亿基督徒，却要退居第三；非洲和拉丁美洲将称为"基督教大洲"的伯仲。到那时，这两大洲的基督徒总数会达全球基督徒总人口的一半，在基督教历史上竖起一座新的里程牌。到2050年，非西班牙裔的白人基督徒只会占全球卅亿基督徒的五分之一。

　　如果这样的人口变化，只代表族群文化背景迥异的人或多或少地依循他们现有的方式实践基督信仰，那也将是一个历史性的时刻。但可以肯定的是，未来几十年中基督教的迅速变化远远不止这一方面。在南半球国家，最为兴盛的信仰模式与欧洲和北美的主流教会模式迥然不同；这些国家的信仰模式更加积极火热，也更加看重圣灵透过预言、异象、说方言和医病事工所作的超自然工作。

　　既然世界上大多数的基督徒活跃在非洲、亚洲或拉丁美洲的土地上，那么已经在这些地方风行的基督教信仰模式，将普及到全球。随着这些国家基督徒向从前的基督教国家的迁移、或是直接的宣教事工，他们独特的信仰模式也如影相随地移植到西方国家中。这个世界非西班牙裔的白人基督徒只占五分之一，那么不管旧的世界体系曾经如何主导，作为少数人，他们的观点势必退出主流。只要我们肯驻足细察，充满无限五旬节热忱的巴西教会或是散发着本土气息的非洲教会就会出现在我们眼前；这足以让我们瞥见下一代基督教的旷世盛景。

作者任宾州州立大学 Edwin Erle Sparks 教席人文科学教授。他出版过二十本书，包括 *The New Faces of Christianity: Believing the Bible in the Global South* and *God's Continent: Christianity, Islam and Europe's Religious Crisis*。本文摘自《下一个基督教世界》(*The Next Christendom*)，2002年。版权使用承蒙许可。

宣教心视野
第二册：历史视野

普世基督教不再是铁板一块，一成不变，而是呈现出千姿百态的文化风貌。

印度本土前景将会如何？东南亚国家中的佛教徒与基督徒如何共存？另外，这几大宗教固然在亚洲盛行，但是北美和欧洲的穆斯林、印度教徒和佛教徒的数目也在持续上升。有些人认为冲突不可避免，但也有人持较为乐观的态度，[18] 认为这样一来，当今全球的基督徒都有机会关爱他们的非基督徒邻舍，以真诚态度关注他们的宗教信仰和文化。

到目前为止，西方国家的大多数基督徒仍然享受到相当的宗教自由和安逸的生活。[19] 但是随着基督信仰不断南移，基督徒与其他宗教发生正面冲突的机会相形增加，全球教会要面对初期教会那般备受逼迫甚至为主殉道的情况，很可能也会随之而来；在尼日利亚、苏丹、印度和中国，基督徒时常面临为信仰失丧生命的危险。今日的全球教会要多认识新约圣经中所教导的，关于作基督门徒为主忍受痛苦和逼迫的坚毅特质。

5. 非西方国家的基督教有待绽放

最后我们还要切记，世界上一万三千个族群中，尚有四千个从未听闻福音。[20] 如果说主的大使命是要使"万民作门徒"，那么我们可以说还有四千个带着自己文化特色的基督教会有待绽放。这四千个文化中大多数与伊斯兰教、印度教和佛教有关联。不论西方或非西方国家，有谁愿意去向这些族群传福音呢？这当中那些定意跟从基督的人，又有什么样的文化期待呢？有一些迹象看来令大多数西方国家基督徒（甚至包括一些南半球国家的基督徒）诧异，但也可能受到激励，那就是来自这几个庞大宗教体系中的人，并非需要完全摒弃他们的传统才可以来跟从基督。[21] 尽管如此，拓荒宣教的重任仍然有许多要努力的，即或全球各方教会都握有庞大的资源。

百花齐放的普世教会

综合以上所有的因素，我们看到普世基督教会的未来充满各种机遇和暗礁险滩。无论如何，我们可以肯定：普世基督教会不再可能由西方国家或者非西方国家的哪一种文化主导、哪一种语言宣讲、哪一种行政架构领导。普世基督教不再是铁板一块，一成不变，而是呈现出千姿百态的文化风貌。保罗－戈登·钱德勒如此写道："普世基督教会犹如一幅五光十色的大油画，色彩搭配和谐精美，浓淡明暗对比鲜明，浑然一体。普世基督徒合一的基础不是趋同相似，而是多样并存。" [22] 各方各地的基督徒尚需回答一个重要的问题，那就是我们在文化多样性日益突出的国际大环境中，能否携手并肩，倾力合作，共同成长，完成主的大使命？

61-7

附注

1. 赖德烈（K. S. Latourette），《世界基督教社群的出现》（*The Emergence of a World Christian Community*）(New Haven: Yale University Press, 1949), p. 1。

2. 约翰·康斯丁（J. J. Considine），《世界基督教》（*World Christianity*）(Milwaukee, WI: The Bruce Publishing Company, 1945), p. ii。

3. 大卫·史密斯（David Smith），《后帝国时代的基督教宣教》（*Mission After Christendom*）(London: Darton, Longman, and Todd Ltd., 2003), p. 90。

4. 安德鲁·沃尔斯（Andrew F. Walls），*The Missionary Movement in Christian History* (Maryknoll, NY: Orbis Books, 1996), p. xvii。

5. 大卫·贝瑞特（David Barrett），《世界基督教百科全书》（*World Christian Encyclopedia*）(New York: Oxford University Press, 1982), p. 7。

6. 拉闽·山奈（Lamin Sanneh），《基督教是谁的宗教：西方以外的福音》（*Whose Religion is Christianity? The Gospel Beyond the West*）(Grand Rapids: Eerdmans, 2003), p. 99。

7. D. L. Robert, 'Shifting Southward: Global Christianity since 1945.' *International Bulletin of Missionary Research* April 2000, p. 53。

8. K. Bediako，引用于 P. Jenkins, *The Next Christendom: The Coming of Global Christianity* (Oxford: Oxford University Press, 2002), p. 15。

9. 见 Global Table 7, 'Affiliated Christians (Church Members) Ranked by 96 Languages each with over a Million Native Speakers, AD 1980', in D. B. Barrett, p. 10。

10. 瓦米·贝蒂亚科（Kwame Bediako），《一个非西方宗教的复兴：非洲基督教》（*Christianity in Africa: The Renewal of a Non-Western Religion*）(Maryknoll, NY: Orbis, 1995)。

11. 华勇（Hwa Yung），'Theological Issues Facing the Asian Church', ALCOE V 大会上的专文，August 2002, Seoul, p. 2。亦见他在《芒果还是香蕉？——探索在地化的亚洲基督教》（*Mangoes or Bananas? The Quest for an Authentic Asian Christian Theology*）(Oxford: Regnum Books International, 1997) 一书中更为详尽的观点。

12. 同注 3，页 61。

13. 同注 11，页 2。

14. 同注 3，页 97。

15. 同注 6，页 99。

16. 艾斯卡巴（S. Escobar），《新全球宣教》（*The New Global Mission*）(Downers Grove, IL: InterVarsity Press, 2003), p. 18。

17. 同注 3，页 131。

18. Hopeful 把 T. W. Simmons 包括在内，*Islam in a Globalizing World* (Stanford, CA: Stanford University Press, 2003)。

19. 其中一个例外是俄罗斯和东欧的教会，他们在共产主义统治之下遭受了严酷的迫害。

20. 这些列于 Part 8, 'Ethnosphere', in Volume 2 of D. B. Barrett, G. T. Kurian, and T. M. Johnson,《世界基督教百科全书》（*World Christian Encyclopedia*）第二版 （Oxford: Oxford University Press,

2001），pp. 30-241。请注意，第34卷将四千个鲜闻福音的族群确定为A世界。西方教会的基督徒或南方教会的基督徒极少给予这些族群任何关注，例如圣经翻译、福音广播、宣教士差派等工作。

21. 特别是 H. Hoefer 观察到马德拉斯的印度教徒根据印度教的处境来跟随耶稣基督。见《无墙基督教》（*Churchless Christianity*）(Pasadena, CA: William Carey Library, 2001)。

22. 保罗－戈登·钱德勒（Paul-Gordon Chandler），《*God's Global Mosaic: What We Can Learn from Christians Around the World*》(Downers Grove, IL: InterVarsity Press, 2000), p. 15。

研习问题

1. 作者描述基督徒人口从北逐步南移，进而阐述这一变化对于未来的基督教世界产生五方面的影响，这些影响是什么？

2. 你认为这五种影响中哪一种意义最为重大？为什么？

第62章　预备好了吗？——
迎向神国精彩未来

温德（Ralph D. Winter）

作者（1924-2009）任加州帕萨迪纳市前线差传团契总干事。曾在危地马拉高原的玛雅印第安人当中宣教十年，之后受邀担任富勒宣教学院的宣教学教授，又十年后，和妻子罗伯塔创办了前线差传团契，由此又成立了美国普世宣教中心及威廉·克里国际大学，二者都服事那些从事前线宣教工作的人员。

　　洛杉矶的一位犹太拉比把矛头指向已经西化了的犹太同胞，坚称自己的正统犹太教才是唯一纯正的犹太信仰。在他看来，那些保守的和改革的犹太会众都已经变成"基督教分子"了！

　　他的意思是，真正的信仰只能保存在某种特定、纯正的文化，即原生文化之中。

　　紧紧抓住某种"纯正文化"是不可能成什么气候的！放眼望去，正统犹太教在全球的宗教群体中所占的比例少之又少，即便在那些认为自己坚守纯正的圣经信仰，甚至在那些恪守某一种犹太文化的人群中也是如此。

　　比方说，罗马的社会名流在婚宴上时兴向彼此扔米饭，那么生活在罗马城中的犹太人是否也要如此仿效呢？罗马人在每年十二月二十五日举行盛大的聚会，彼此赠送礼物，犹太人是否也要照样依循这样的习俗呢？事实上，就连希腊的基督徒直到今日也不接受十二月二十五日为圣诞节，因为在耶稣时代，这个日子乃是罗马人纪念农神的异教节日。

　　很讽刺的是，在基督教信仰经过多个世纪的发展之后，在今天的正统犹太教中也可以找到添加的东西。这当然远远发生在希伯来文化神圣的时代之后！到底是何时呢？是在大卫王的时代，摩西的时代，还是亚伯拉罕的时代？但是，就连犹太经书也不仅描绘单一的文化生活方式。

　　这样看来，神定意要把人从一种文化推到另外一种文化中（亚伯拉罕去了迦南地，又下到埃及，之后北国以色列支派分散到外地，而南国的犹大支派也被赶到异域他乡，这样的事情接连不断）。为何这么折腾呢？看来神是要他们把自己的信仰带到许多不同的文化中，而不是在极不和谐的异族文化中固守一种既定的生活方式。圣经才是评判人类一切文化传统的唯一标准，无论是亚伯拉罕、摩西到大卫各个时代的文化，还是第一世纪的犹太文化、保罗希腊化的文化、罗马拉丁文化，抑或日尔曼文化、盎格鲁撒克逊文化，以

及所有你能想到的文化。

现在的问题是，"属神的文化"是否就一定是一种美国福音派的流行文化模式？这个模式中充斥着影音制品、电视节目，吓人的离婚率，以及孩童看护中心等等。坦白说，我们的宣教士中是否仍然有人抱持这样的想法呢？以为纯正的基督信仰最终的目标就是为了实现我们当今的福音派基督教？

如果不是，我们何时才开始认真地勾画基督教信仰未来的景象呢？

好吧！让我们先抛开夸夸其谈的处境化神学，只需快速扫视一下全球基督教发展的资料，就不难看到扩展最为快速的圣经信仰不是正统犹太教，也不是罗马天主教，东正教，信义宗、安利甘宗、美国的"主流"宗派，甚至不是福音派、五旬节派或灵恩复兴运动等等。

那么，到底什么拓展得最快呢？原来是那些时常为人忽略，我们称之为处于基督教的"周边和远方"的大量民众。"非洲人自创教会"（African Initiated Churches）在非洲拥有五千万信徒。在印度，六亿从未听过基督教之名的印度种姓中兴起了几百万信徒；这些跟我们印象中的"基督教"很不一样。在中国，风起云涌的"家庭教会"发展惊人。我们习惯称为"基督徒"的这个词，一旦近距端视，就会发现他们并不完全符合我们认为的样子。

事实上，任何西方的东西总有人喜欢有人厌。世界上大多数城市的西化相当表面，西方的基督教在世界上的少数群体中反应不错，这些群体受到主流文化的排挤，宁愿选择一种外在的异文化，因为对他们毫无损失；这在印度尤为明显，中国可能是这样，非洲大部分地区也是如此。这些快速发展的基督教现象，与我们这个西方国家中的常态如此不相符，倒越来越接近我们心目中的异端。

我们是否预备好迎接这一切？我们对这些国家从圣经信仰中"自产"的特异模式的认识，与世界其他地区所需的相符吗？我们是否相信圣经最终能够平复数以千计"失控"的基督教新兴热潮？我们能否接受一个简单的事实，就是整个伊斯兰教的传统如同罗马天主教一样，虽然充斥着太多我们鄙弃的"非基督教"成分，但它仍然是受到圣经影响的信仰产物（和印度文化不一样）？我们将如何对待这些类似圣经的信仰呢？

令人头昏目眩的众多宗教形式不过是承载信仰的各种不同"瓦器"。与其把我们的注意力放在这些"瓦器"上，不如让我们专注于神的旨意产生作用的范围，那就是神的国度！

研习问题

1. 为何我们难以审视评估自己的基督教文化模式？
2. 我们指望哪些影响能帮助我们纠正和平衡哪些偏差的基督教信仰形式？

附录一、威廉·克里宣教资料

本表格收录于威廉·克里所撰《简论》一书，参见本书48章。

EUROPE.

Countries.	EXTENT.		Number of Inhabitants.	Religion.
	Length. Miles.	Breadth. Miles.		
Great-Britain . . .	680	300	12,000,000	Protestants, of many denominations.
Ireland	285	160	2,000,000	Protestants, and Papists.
France	600	500	24,000,000	Catholics, Deifts, and Protestants.
Spain	700	500	9,500,000	Papists.
Portugal	300	100	2,000,000	Papists.
SWEDEN, including Sweden proper, Gothland, Sho-nen, Lapland, Both-nia, and Finland	800	500	3,500,000	The Swedes are serious Lutherans, but moft of the Laplanders are Pagans, and very superstitious.
Ifle of Gothland . .	80	23	5,000	
—— Oefel	45	24	2,500	
—— Oeland . . .	84	9	1,000	
—— Dago	26	23	1,000	

AMERICA.

Countries.	EXTENT.		Number of Inhabitants.	Religion.
	Length. Miles.	Breadth Miles.		
Peru	1800	600	10,000,000	Pagans and Papists.
Country of the Amazons	1200	900	8,000,000	Pagans.
Terra Firma . . .	1400	700	10,000,000	Pagans and Papists.
Guiana	780	480	2,000,000	Ditto.
Terra Magellanica . .	1400	460	9,000,000	Pagans.
Old Mexico . . .	2220	600	13,500,000	Ditto, and Papists.
New Mexico . . .	2000	1000	14,000,000	Ditto.
The States of America	1000	600	3,700,000	Christians, of various denominations.
Terra de Labrador, Nova-Scotia, Louifiana, Ca-nada, and all the coun-try inland from Mexi-co to Hudfon's-Bay	1680	600	8,000,000	Christians, of various denominations, but moft of the North-American Indians are Pagans.

AFRICA.

Countries.	EXTENT. Length. Miles.	Breadth. Miles.	Number of Inhabitants.	Religion.
Biledulgerid . .	2500	350	3,500,000	Mahometans, Christians, and Jews.
Zaara, or the Defart .	3400	660	800,000	Ditto.
Abyssinia	900	800	5,800,000	Armenian Christians.
Abex	540	130	1,600,000	Christians and Pagans.
Negroland . . .	2200	840	18,000,000	Pagans.
Loango	410	300	1,500,000	Ditto.
Congo	540	220	2,000,000	Ditto.
Angola	360	250	1,400,000	Ditto.
Benguela . . .	430	180	1,600,000	Ditto.
Mataman . . .	450	240	1,500,000	Ditto.
Ajan	900	300	2,500,000	Ditto.
Zanguebar . . .	1400	350	3,000,000	Ditto.
Monoemugi . .	900	660	2,000,000	Ditto.

ASIA.

Countries.	EXTENT. Length. Miles.	Breadth Miles.	Number of Inhabitants.	Religion.
Isle of Ceylon . .	250	200	2,000,000	Pagans, except the Dutch Christians.
—— Maldives . .	1000 in number.		100,000	Mahometans.
—— Sumatra . .	1000	100	2,100,000	Ditto, and Pagans.
—— Java . . .	580	100	2,700,000	Ditto.
—— Timor . .	2400	54	300,000	Ditto, and a few Christians.
—— Borneo . .	800	700	8,000,000	Ditto.
—— Celebes . .	510	240	2,000,000	Ditto.
—— Boutam . .	75	30	80,000	Mahometans.
—— Carpentyn . .	30	3	2,000	Christian Protestants.
—— Ourature . . .	18	6	3,000	Pagans.
—— Pullo Lout . .	60	36	10,000	Ditto.

Befides the little Islands of Manaar, Aripen, Caradivia, Pengandiva, Analativa, Nainandiva. and Nindundiva, which are inhabited by Christian Protestants.

附录二、戴德生宣教资料

本表格收录於戴德生所撰《中国属灵需要的呼声》一书，参见本书50章。

Proportion of Missionaries to the Population in the Eighteen Provinces of China Proper.

Province.	Population.*	No. of Missionaries.†	Proportion to Population.	Or, One Missionary to a Population exceeding that of
KWANG-TUNG.........	17½ millions	100	1 to 170,000	Huddersfield and Halifax (166,957).
FUH-KIEN	10 ,,	61	1 to 163,000	Newcastle (155,117).
CHEH-KIANG	12 ,,	58	1 to 206,000	Hull (191,501).
KIANG-SU	20 ,,	85	1 to 227,000	Bristol (220,915).
SHAN-TUNG............	19 ,,	60	1 to 316,000	Sheffield (310,957).
CHIH-LI	20 ,,	68	1 to 294,000	Newcastle and Portsmouth (291,395).
HU-PEH	20½ ,,	43	1 to 476,000	Nottingham and Edinburgh (472,324).
KIANG-SI	15 ,,	12	1 to 1,250,000	New York (1,207,000).
GAN-HWUY	9 ,,	15	1 to 600,000	Liverpool (586,320).
SHAN-SI	9 ,,	30	1 to 300,000	Salford and Huddersfield (299,911).
SHEN-SI	7 ,,	13	1 to 530,000	Glasgow (521,999).
KAN-SUH	3 ,,	9	1 to 333,000	Sheffield (310,957).
SI-CHUEN..............	20 ,,	17	1 to 1,176,000	Glasgow and Liverpool (1,108,319).
YUN-NAN	5 ,,	10	1 to 500,000	Sheffield and Newcastle (466,074).
KWEI-CHAU............	4 ,,	2	1 to 2,000,000	Glasgow, Liverpool, Birmingham, Manchester (1,919,595).
KWANG-SI	5 ,,	0	0 to 5 millions	Ireland (no Missionary).
HU-NAN	16 ,,	3 itinerating	0 to 16 ,,	Four times Scotland.
HO-NAN	15 ,,	3	1 to 5 ,,	London.

* The estimate of population is that given in the last edition of "China's Spiritual Need and Claims."
† The number of Missionaries is according to an account corrected to March, 1887.

国家图书馆出版品预行编目资料

宣教心视野. 第二册, 历史视野 / 温德 (Ralph D. Winter),
贺思德 (Steven C. Hawthorne) 编著；宣教心视野研习课程
中文编译团队译. -- 初版. -- 新北市：橄榄出版：华宣发行，
2017.01
　　面；　公分. -- (信徒神学丛书；22)
　译自：Perspectives on the World Christian Movement
　ISBN 978-957-556-845-0 (平装)

1. 教牧学

245.6　　　　　　　　　　　　　　　　　　104007498